LA CHANSON
DE ROLAND

242e édition

LA
CHANSON
DE ROLAND

PUBLIÉE D'APRÈS LE MANUSCRIT
D'OXFORD ET TRADUITE PAR

JOSEPH BÉDIER

DE L'ACADÉMIE FRANÇAISE

ÉDITION DÉFINITIVE

PARIS
L'ÉDITION D'ART H. PIAZZA
21, RUE DU CARDINAL LEMOINE

LA
CHANSON
DE ROLAND

JOSEPH BÉDIER

L'ÉDITION D'ART H. PIAZZA

A
L'ILE BOURBON

DIIS PATRIIS

J. B.

AVANT-PROPOS

*U*N *manuscrit célèbre, le manuscrit 23 du fonds Digby de la Bibliothèque bodléienne à Oxford, nous a seul conservé ce poème, en 4002 vers assonancés, signé « Turoldus », qui est, de toutes les versions de la* Chanson de Roland, *la plus ancienne et aussi la plus belle. C'est en 1837 que Francisque Michel en procura l'édition princeps. Depuis, ont paru l'édition de Francis Génin (1850), et les trois éditions de Theodor Müller (1851, 1863, 1878), et les éditions sans nombre de Léon Gautier (à partir de 1872), et celles de Boehmer (1872), de Petit de Julleville (1878), de Léon Clédat (1886), de Gaston Paris (Extraits, 1887, 7ᵉ édition, 1903), de Stengel (1900), de Groeber (1907). Or, bien que tous ces érudits se soient proposés une tâche identique, fort simple en apparence, qui était de publier pour le mieux un même texte d'après le même manuscrit, leurs éditions diffèrent les unes des autres, singulièrement. Si l'on recueillait toutes leurs corrections et toutes celles qu'ont proposées depuis quatre-vingts ans, en*

tant de revues de philologie, tant de commenta-
teurs, on pourrait publier du poème une édition
variorum où les conjectures foisonneraient,
presque aussi nombreuses que dans une édition
variorum des Odes d'Horace.

Il est facile d'expliquer pourquoi. Le manu-
scrit d'Oxford est l'ouvrage d'un scribe anglo-
normand, et le texte que ce scribe nous propose
est un spécimen très pur du français qui se parlait
et s'écrivait en Angleterre cent ans après la
conquête, vers l'an 1170. Mais c'est bien avant
l'an 1170, c'est un demi-siècle plus tôt pour
le moins, que le poète a écrit la Chanson de
Roland, et rien n'invite à croire qu'il ait jamais
vécu, comme son copiste, en Angleterre. Le texte
d'Oxford apparaît donc dès le premier regard
comme une tardive transposition en français
insulaire d'une œuvre écrite d'abord dans un
autre idiome. Si d'autre part on considère qu'au
cours d'une transmission longue et sans doute
accidentée, maints scribes et maints reviseurs
ont pu modifier tour à tour, à la libre manière
de ces temps, les leçons primitives, on est
induit à supposer qu'un écart plus ou moins
grand, très grand peut-être, sépare la copie
qui est sous nos yeux du manuscrit archétype,
tel que le poète dut l'écrire de sa main. Comment
mesurer cet écart? Qui était le poète? Un Nor-
mand? ou un « Franc de France »? A quelle
date a-t-il composé sa Chanson? Serait-ce

*vers l'an 1100, comme plusieurs (desquels je suis)
le soutiennent? Serait-ce, comme d'autres le
croient, bien avant la Croisade, vers l'an 1080?
ou seulement vers 1125? En quelle langue l'a-t-il
écrite? En tel dialecte de la Normandie? ou
en tel dialecte du domaine capétien? ou en une
langue littéraire, plus ou moins teintée de parti-
cularités dialectales? Les réponses varient, grou-
pées en plusieurs systèmes.*

*Or, à partir de Theodor Müller et à son exemple,
presque tous les éditeurs se sont ingéniés à retou-
cher le texte d'Oxford pour le conformer à tel
ou à tel de ces systèmes, pour le rapprocher,
comme on dit, de l'archétype. Et leurs tenta-
tives ont été conduites de façons très dissem-
blables, avec plus ou moins de hardiesse et d'esprit
de suite, selon le tempérament intellectuel de
chacun.*

◎ ∞ ◎

*A l'ordinaire, ils se sont appliqués à écarter
du poème les traits anglo-normands, et, comme
l'examen des assonances et du mètre leur révé-
lait quelques-uns des traits phonétiques ou
morphologiques qui opposent l'usage de l'auteur
à l'usage de son copiste, ils ont corrigé en
conséquence le manuscrit d'Oxford.*

*En outre, ils ont appelé à témoin, pour con-
trôler et rectifier les leçons de ce texte, maints*

autres textes. Car il en fut de la Chanson de
Roland *comme des autres chansons de geste :
les jongleurs du XII*e *siècle, puis du XIII*e*, pour
maintenir ces antiques poèmes en bon état de
service et les adapter aux goûts nouveaux des
générations nouvelles, les rajeunissaient, les récri-
vaient de bout en bout, et ce fut la condition
et la déplorable rançon de leur longévité. C'est
de la sorte qu'en regard du texte d'Oxford nous
possédons la rédaction assonancée du manu-
scrit de Venise, et la rédaction rimée du manu-
scrit de Paris, et le remaniement en vers alle-
mands du Prêtre Conrad, etc., au total jusqu'à
sept versions de la* Chanson de Roland. *Sans
doute, et chacun en convient, ces refaçons, ces mal-
façons, font toutes, comparées au texte d'Oxford,
piètre figure. Si fantaisistes qu'elles puissent
être et si dégradées, il n'en reste pas moins
qu'elles dérivent, elles aussi, du manuscrit arché-
type ; et l'on peut concevoir qu'on doive, après
examen, les distribuer en deux, ou trois, ou
quatre familles indépendantes entre elles, c'est-
à-dire qui seraient descendues de l'archétype
par deux, ou trois, ou quatre voies différentes :
auquel cas, chaque fois que deux au moins de
ces familles s'accorderaient pour opposer une
même leçon à une leçon isolée dans le manu-
scrit d'Oxford, nous serions tenus de condamner
la leçon du manuscrit d'Oxford comme apo-
cryphe et de la sacrifier à l'autre. De là, les*

*minutieux efforts des critiques pour déter-
miner les rapports que soutiennent entre eux
ces divers textes. De là, comme fruits de ces
efforts, divers systèmes qui les classent en trois
familles ou plus. De là, fondées sur ces systèmes,
plusieurs éditions composites : le texte d'Oxford
s'y combine avec les autres ; on y trouve des
centaines de vers du texte d'Oxford que l'édi-
teur a modifiés sous l'influence des leçons con-
currentes, et d'autres centaines de vers qu'il a
empruntés aux autres textes pour les insérer
dans le texte d'Oxford.*

◎ ⧟ ◎

*On ne saurait considérer ces grands travaux sans
une admiration et sans une gratitude qui croissent
à mesure qu'on les regarde de plus près. Cepen-
dant j'ai bâti le mien sur d'autres fondements.
A mon tour, j'ai comparé, phrase par phrase,
tous ces textes. Au terme d'une longue et minu-
tieuse étude, j'ai reconnu un fait essentiel, celui-
ci. Je sais quatorze passages où deux leçons
s'affrontent, celle-ci offerte par le seul manu-
scrit d'Oxford, celle-là par tous les autres textes,
d'accord entre eux. Les quatorze fois, on peut
démontrer que la leçon d'Oxford est irréprochable,
que l'autre n'en est qu'un fâcheux remaniement,
qui gâche tout. Les quatorze fois, la leçon fau-
tive donnée par tous les textes autres que le*

manuscrit d'Oxford est fautive de telle sorte qu'on est tenu de l'attribuer à un seul auteur responsable. D'où une vue générale des choses, qui se résume en cette unique proposition : le poème d'Oxford mis à part, les autres versions, françaises ou étrangères, de la Chanson de Roland procèdent toutes d'un même reviseur, lequel a le plus souvent revisé à contresens. Par suite, le texte d'Oxford a autant d'autorité à lui seul que tous les autres réunis, et l'on n'est tenu d'abandonner une leçon offerte par lui que lorsqu'elle semble insoutenable pour des raisons internes, tirées de l'examen du passage considéré, non plus pour des raisons externes, tirées de la prétendue valeur et du nombre des autres textes. Vieille thèse, proposée jadis par Theodor Müller, mais aussitôt rejetée par tous les autres critiques, puis réveillée d'un long sommeil, il y a quelques années, par M. Frederick Bliss Luquiens, et que, peu après, j'ai revendiquée, et confirmée, je crois. C'est elle, c'est la confiance où je suis qu'elle est vraie, qui m'a donné l'idée et le courage d'entreprendre l'édition que voici. Le propre de cette thèse est en effet qu'elle met en plein relief l'autorité du manuscrit d'Oxford, son éminente dignité. Pour qui la croit vraie, elle recèle donc une vertu libératrice. Elle nous autorise à défendre la leçon d'Oxford, même aux passages, rares d'ailleurs, où d'autres textes lui proposent une leçon plus spécieuse : car la *leçon plus spécieuse peut n'être qu'une leçon refaite. Qu'en plusieurs de ces cas de conflit, la leçon d'Oxford puisse n'être, elle aussi, qu'une leçon refaite, d'accord; mais nous n'y pouvons rien; la leçon primitive, celle du manuscrit archétype, à jamais perdu, demeure hors de nos prises. En fait, je ne sais guère, dans tout le manuscrit d'Oxford, qu'une cinquantaine de vers qui soient inintelligibles ou obscurs et qu'on puisse être tenté de raccommoder, vaille que vaille, par recours aux autres textes. Est-ce la peine? Et ne vaut-il pas mieux proposer çà et là au lecteur, en l'avertissant, un vers altéré qu'un vers restauré, tout battant neuf, et que l'on aura soi-même fabriqué?*

© ∞ ©

En ce qui concerne non plus les leçons, mais les formes, je me suis rangé, selon le même esprit, aux côtés de ceux de mes devanciers qui se sont le mieux défendus contre la tentation d'intervenir de leur personne pour corriger le manuscrit. Il m'eût été facile assurément — d'autres ont fait ce travail, je n'aurais eu qu'à les copier, — d'allonger les vers trop courts du texte d'Oxford, de raccourcir les vers trop longs, d'imposer au scribe anglo-normand la stricte observance de ces règles de la déclinaison à deux cas que les grammairiens modernes ont su définir avec une parfaite rigueur, mais que très peu d'écrivains du XIIe siècle ont pleinement observées. Par crainte de récrire le poème soit en un langage hybride, composite, soit en un langage grammaticalement trop régulier pour avoir jamais été parlé ou écrit nulle part, je me suis abstenu, et cela faute de savoir avec toute la précision désirable à quelle phonétique, à quelle morphologie, à quelle syntaxe se conformait le poète, comment il déclinait, comment il conjuguait, comment il tournait ses phrases et construisait ses vers. Pour qu'on puisse se permettre de modifier le langage du scribe, il ne suffit pas d'avoir su déterminer huit ou dix des centaines de traits dont se composait l'usage du poète : c'est le tableau complet de ces centaines de traits qu'il faudrait savoir dresser ; mais qui pourrait y prétendre, tant qu'on ignorera d'où était ce poète, en quelles provinces, dans quels cercles ecclésiastiques il a vécu, ou dans quelles cours seigneuriales, ou dans quelles confréries de ménestrels ? Et quant à transposer le poème de l'anglo-normand en français de France, comme l'helléniste Cobet transposait en attique des textes ioniens ou doriens, c'est un jeu de philologues, excellemment joué par plusieurs et très séduisant, mais arbitraire, puisque nous ignorons si le poète n'a pas écrit en une langue plus ou moins imprégnée d'influences dialectales.

La copie d'Oxford est unique, elle est notre

seul bien tangible, réel. J'ai accepté ce fait en
sa plénitude. J'ai donc résolu de respecter
l'usage du copiste anglo-normand, et j'ai été
maintenu dans ce parti pris, à toutes les heures
de notre commun travail, par l'autorité, par
l'aide et le conseil de mon ami, cher entre tous,
M. Lucien Foulet. Cette attitude respectueuse
ne m'a guère coûté, d'ailleurs : ne devons-nous
pas toute piété à notre langue, telle qu'elle
se parlait dans les seigneuries normandes et
angevines d'Angleterre et à la cour du roi
Henri II Plantagenêt, qui fut la plus cultivée
du XIIe siècle et la plus raffinée ?

Je n'ai amendé le texte d'Oxford qu'aux
seuls lieux où j'ai cru reconnaître des fautes
serviles, fausses lectures ou erreurs de la plume.
Si rares qu'aient été mes retouches, je doute
que cette édition présente au lecteur beaucoup
de formes et de tours de langage qui ne puissent
trouver leur justification dans l'usage des écri-
vains et des copistes anglo-normands du
XIIe siècle. Une telle vérification est aisée,
grâce aux admirables travaux qu'ont multi-
pliés sur l'anglo-normand les Paul Meyer et
les Vising, les Stimming et les Tanquerey, et
que j'ai étudiés de mon mieux.

Pour toutes ces raisons, je me suis cru en
droit, entreprenant d'éditer la Chanson de
Roland, de me conformer au précepte de l'ar-
chéologue Didron : « Il faut, disait-il, conserver

2

le plus possible, réparer le moins possible, ne restaurer à aucun prix. » Ce qu'il disait des vieilles pierres, il faut l'entendre aussi de nos beaux vieux textes.

Tels sont, en substance, les principes qui m'ont guidé et que je me suis efforcé de justifier dans un volume qui accompagne celui-ci : La Chanson de Roland, *commentée par J. Bédier (L'Édition d'Art H. Piazza, 1927, épuisé.)*

◎ ∞ ◎

Le livre que voici ne s'adresse pas aux seuls érudits ; il convient que tous les lettrés puissent lire le poème vénérable et s'y plaire. A leur intention, pour leur rendre l'effort moins rude et les assister chemin faisant, j'imprime en regard du texte ancien une transcription de ce texte en langage d'aujourd'hui, une « traduction ». Ainsi ont fait avant moi deux autres éditeurs, Francis Génin et Léon Gautier.

Par définition, ces traductions juxtalinéaires et qui rendent le mot par le mot, ne se suffisent pas à elles-mêmes. L'auteur d'une adroite traduction en vers de notre poème, M. Henri Chamard, me l'a souvent remontré, tandis qu'il s'employait amicalement à reviser ma prose. Des traductions telles que la mienne ne prétendent qu'à l'exactitude littérale, et cette prétention même vise trop haut. On est inexact, et de la pire des inexactitudes, du seul fait que l'on transcrit en prose un ouvrage de la poésie. Privée de la forte cadence des décasyllabes et de la sonorité des belles assonances, la strophe du vieux trouvère n'est qu'un moulin sans eau. Que de fois, au cours de mon travail, me suis-je remémoré, avec mélancolie, certain chapitre, très sage, de la Défense et Illustration de Joachim du Bellay! *Il est intitulé :* « De ne traduire les poètes. » *A vrai dire, il devrait s'intituler :* « De ne traduire, poète ou prosateur, aucun bon écrivain. » *Car, poésie ou prose, l'art d'écrire réside tout entier dans la convenance de l'idée et du sentiment au rythme et au nombre de la phrase, au son, à la couleur et à la saveur des mots, et ce sont ces rapports subtils, ces harmonies, que tout traducteur dissocie nécessairement et détruit, puisqu'il est l'esclave de la littéralité et qu'il peut bien rendre en son propre langage la pensée, mais non pas la musique de la pensée, non pas cette petite chose, le style. Dès lors, on peut presque dire qu'il n'est guère de bons traducteurs que des médiocres écrivains.*

Pourtant, il est un caractère de la Chanson de Roland *que je crois avoir reconnu et senti avec une vivacité assez particulière et que, dans ma traduction, je me suis attaché, de toute ma ferveur, à sauvegarder. C'est bien à tort, il me semble, que tant de critiques ont déploré la pauvreté des moyens d'expression du* poète, ont cru devoir chercher des excuses à ce qu'ils appellent sa « gaucherie », sa « naïveté toute populaire ». J'admire au contraire les allures aristocratiques de son art, les ressources et la fière tenue, très raffinée, d'une langue ingénieuse, nuancée, volontaire, et qui révèle un souci constant de distinguer l'usage vulgaire du bon usage. Ce style est déjà d'un classique, il est déjà un style noble. Dès le début du XIIe siècle, la France des premières Croisades tend de la sorte à créer, à constituer en dignité, par-dessus la diversité et la rusticité de ses dialectes et de ses patois, cette merveille, une langue littéraire. Ce fut, à cette date, l'œuvre de trois ou quatre grands poètes. Ce fut, avant eux, éparse dans les classes les plus cultivées, l'œuvre mystérieuse de plusieurs siècles d'efforts spirituels et de vertus. J'ai voulu sauver dans ma traduction cette qualité souveraine du vieux maître, la noblesse. Comment y parvenir ? Tant d'éléments de sa syntaxe, après huit siècles écoulés, sont tombés en désuétude ! Tant de termes de son vocabulaire ont péri, ou, ce qui est pire, survivent, mais détournés de leur sens premier, affaiblis ou avilis ! Je n'ai tenté d'en restaurer aucun : ce qui est mort est mort. Archaïser selon les procédés usuels, c'eût été courir les périls du style marotique, dont le moindre est d'accumuler les disparates. Pour répondre à l'effort du poète par un effort qui ressemblât au sien, j'ai évité dans ma traduction

les mots récents, comme il évitait les mots bas.
Exception faite, il va sans dire, pour les termes
techniques qui désignent des choses d'autrefois,
armes, vêtements, monnaies, coutumes, etc.,
j'ai essayé de n'employer que des mots et
des tours bien vivants encore, mais qui, persis-
tant tous dans notre usage, pussent tous se pré-
valoir de très anciens titres, plus anciens que la
Renaissance. Une telle gageure méritait d'être
tentée ; mais elle était difficile à soutenir, et, je ne
le sais que trop, j'ai maintes fois gauchi.

POST-SCRIPTUM. — *Ce livre, paru pour la*
première fois en janvier 1922, *a été réimprimé*
en 1924, *en* 1927, *en* 1928, *en* 1931, *et c'est en*
1937 *qu'a été préparé le tirage constituant*
l'édition définitive. Il n'en est pas deux qui soient
identiques, parce que, tout au long des quinze
dernières années, continûment attentif aux tra-
vaux plus récents des érudits, j'y ai cherché de
mon mieux de quoi amender le mien. J'ai sur-
tout à cœur de mentionner ici, avec gratitude,
les éditions nouvelles procurées par T. Atkinson
Jenkins (Boston, 1923 *et* 1929 *), par Eugen Lerch*
(Munich, 1923 *), par Alfons Hilka (Halle,*1926*)*
et par Giulio Bertoni (Florence, 1935 *et* 1936 *).*
Je dis ce que le vieux poète leur doit dans une
suite d'articles que la Romania *a commencé de*
publier en octobre 1937, *sous ce titre :* De l'édi-
tion princeps de la *Chanson de Roland* aux

éditions les plus récentes : réflexions sur l'art
d'établir les anciens textes français. *Ce long
mémoire est un complément à mon volume de*
Commentaires (1927), *mentionné ci-avant.*

Joseph BÉDIER.

(1937)

REMARQUE. — En deux passages, qui vont l'un du
vers 280 au vers 336, l'autre du vers 1 467 au vers 1 670,
divers éditeurs rangent autrement que le copiste du
texte d'Oxford certains groupes de vers. J'ai pris soin
d'indiquer en marge les deux façons de numéroter.

LA
CHANSON
DE ROLAND

◉ ∞ I ∞ ◉

CARLES li reis, nostre emperere magnes,
  Set anz tuz pleins ad estet en Espaigne :
Tresqu'en la mer cunquist la tere altaigne.
N'i ad castel ki devant lui remaigne;
5 Mur ne citet n'i est remés a fraindre,
Fors Sarraguce, ki est en une muntaigne.
Li reis Marsilie la tient, ki Deu nen aimet.
Mahumet sert e Apollin recleimet :
Nes poet guarder que mals ne l'i ateignet. AOI.

◉ ∞ II ∞ ◉

10 **L**I reis Marsilie esteit en Sarraguce.
  Alez en est en un verger suz l'umbre.

LA
CHANSON
DE ROLAND

◎ ⤫ I ⤫ ◎

Le roi Charles, notre empereur, le Grand, sept ans tous pleins est resté dans l'Espagne : jusqu'à la mer il a conquis la terre hautaine. Plus un château qui devant lui résiste, plus une muraille à forcer, plus une cité, hormis Saragosse, qui est sur une montagne. Le roi Marsile la tient, qui n'aime pas Dieu. C'est Mahomet qu'il sert, Apollin qu'il prie. Il ne peut pas s'en garder : le malheur l'atteindra.

◎ ⤫ II ⤫ ◎

Le roi Marsile est à Saragosse. Il s'en est allé dans un verger, sous l'ombre. Sur un perron de marbre bleu il se couche; autour

Sur un perrun de marbre bloi se culchet;
Envirun lui plus de vint milie humes.
Il en apelet e ses dux e ses cuntes :
15 « Oez, seignurs, quel pecchet nus encumbret.
Li empereres Carles de France dulce
En cest païs nos est venuz cunfundre.
Jo nen ai ost qui bataille i dunne,
Ne n'ai tel gent ki la sue derumpet.
20 Cunseilez mei cume mi saive hume,
Si me guarisez e de mort e de hunte! »
N'i ad paien ki un sul mot respundet,
Fors Blancandrins de Castel de Valfunde.

◉ ❈ III ❈ ◉

Blancandrins fut des plus saives paiens;
25 De vasselage fut asez chevaler,
Prozdom i out pur sun seignur aider,
E dist al rei : « Ore ne vus esmaiez!
Mandez Carlun, a l'orguillus e al fier,
Fedeilz servises e mult granz amistez.
30 Vos li durrez urs e leons e chens,
Set cenz camelz e mil hosturs muers,
D'or e d'argent. IIII.C. muls cargez,
Cinquante carre qu'en ferat carier :
Ben en purrat luer ses soldeiers.
35 En ceste tere ad asez osteiet :
En France, ad Ais, s'en deit ben repairer.

de lui, ils sont plus de vingt mille. Il appelle
et ses ducs et ses comtes : « Entendez, seigneurs,
quel fléau nous opprime. L'empereur Charles
de douce France est venu dans ce pays pour
nous confondre. Je n'ai point d'armée qui
lui donne bataille; ma gent n'est pas de force
à rompre la sienne. Conseillez-moi, vous, mes
hommes sages, et gardez-moi et de mort et
de honte! » Il n'est païen qui réponde un
seul mot, sinon Blancandrin, du château de
Val-Fonde.

◎ ⁑ III ⁑ ◎

ENTRE les païens Blancandrin était sage :
par sa vaillance, bon chevalier; par sa
prud'homie, bon conseiller de son seigneur.
Il dit au roi : « Ne vous effrayez pas! Mandez
à Charles, à l'orgueilleux, au fier, des paroles
de fidèle service et de très grande amitié.
Vous lui donnerez des ours et des lions et
des chiens, sept cents chameaux et mille autours
sortis de mue, quatre cents mulets, d'or et
d'argent chargés, cinquante chars dont il for-
mera un charroi : il en pourra largement
payer ses soudoyers. Mandez-lui qu'en cette
terre assez longtemps il guerroya; qu'en France,
à Aix, il devrait bien s'en retourner; que vous
l'y suivrez à la fête de saint Michel; que vous

Vos le sivrez a la feste seint Michel,
Si recevrez la lei de chrestiens,
Serez ses hom par honur e par ben.
40 S'en volt ostages, e vos l'en enveiez,
U dis u vint, pur lui afiancer.
Enveiuns i les filz de noz muillers :
Par num d'ocire i enveierai le men.
Asez est melz qu'il i perdent lé chefs
45 Que nus perduns l'onur ne la deintet,
Ne nus seiuns cunduiz a mendeier ! » AOI.

© ∞ IV ∞ ©

Dist Blancandrins : « Par ceste meie destre
E par la barbe ki al piz me ventelet,
L'ost des Franceis verrez sempres desfere.
50 Francs s'en irunt en France, la lur tere.
Quant cascuns ert a sun meillor repaire,
Carles serat ad Ais, a sa capele,
A seint Michel tendrat mult halte feste.
Vendrat li jurz, si passerat li termes,
55 N'orrat de nos paroles ne nuveles.
Li reis est fiers e sis curages pesmes :
De noz ostages ferat trecher les testes.
Asez est mielz qu'il i perdent les testes
Que nus perduns clere Espaigne, la bele,
60 Ne nus aiuns les mals ne les suffraites ! »
Dient paien : « Issi poet il ben estre ! »

y recevrez la loi des chrétiens; que vous deviendrez son vassal en tout honneur et tout bien. Veut-il des otages, or bien, envoyez-en, ou dix ou vingt, pour le mettre en confiance. Envoyons-y les fils de nos femmes : dût-il périr, j'y enverrai le mien. Bien mieux vaut qu'ils y perdent leurs têtes et que nous ne perdions pas, nous, franchise et seigneurie, et ne soyons pas conduits à mendier. »

© ∞ IV ∞ ©

BLANCANDRIN dit : « Par cette mienne dextre, et par la barbe qui flotte au vent sur ma poitrine, sur l'heure vous verrez l'armée des Français se défaire. Les Francs s'en iront en France : c'est leur pays. Quand ils seront rentrés chacun dans son plus cher domaine, et Charles dans Aix, sa chapelle, il tiendra, à la Saint-Michel, une très haute cour. La fête viendra, le terme passera : le roi n'entendra de nous sonner mot ni nouvelle. Il est orgueilleux et son cœur est cruel : il fera trancher les têtes de nos otages. Bien mieux vaut qu'ils perdent leurs têtes, et que nous ne perdions pas, nous, claire Espagne la belle, et que nous n'endurions pas les maux et la détresse! » Les païens disent : « Peut-être il dit vrai! »

◎ ⧯ V ⧯ ◎

Lɪ reis Marsilie out sun cunseill finet,
    Sin apelat Clarin de Balaguet,
Estamarin e Eudropin, sun per,
65 E Priamun e Guarlan le barbet
    E Machiner e sun uncle, Maheu,
    E Joüner e Malbien d'ultremer.
    E Blancandrins, por la raisun cunter.
    Des plus feluns dis en ad apelez :
70 « Seignurs baruns, a Carlemagnes irez.
    Il est al siege a Cordres la citet.
    Branches d'olives en voz mains portereiz,
    Ço senefiet pais e humilitet.
    Par voz saveirs sem puez acorder,
75 Jo vos durrai or e argent asez,
    Teres e fiez tant cum vos en vuldrez. »
    Dient paien : « De ço avun nus asez! » ᴀᴏɪ.

◎ ⧯ VI ⧯ ◎

Lɪ reis Marsilie out finet sun cunseill.
    Dist a ses humes : « Seignurs, vos en ireiz.
80 Branches d'olive en voz mains portereiz,
    Si me direz a Carlemagne le rei
    Pur le soen Deu qu'il ait mercit de mei.
    Ja einz ne verrat passer cest premer meis
    Que jel sivrai od mil de mes fedeilz,
85 Si recevrai la chrestiene lei,
    Serai ses hom par amur e par feid.

◎ ∞ V ∞ ◎

Le roi Marsile a tenu son conseil. Il appela Clarin de Balaguer, Estamarin et son pair Eudropin, et Priamon et Guarlan le Barbu, et Machiner et son oncle Maheu, et Joüner et Malbien d'outre-mer, et Blancandrin, pour parler en son nom. Des plus félons, il en a pris dix à part : « Vers Charlemagne, seigneurs barons, vous irez. Il est devant la cité de Cordres, qu'il assiège. Vous porterez en vos mains des branches d'olivier, ce qui signifie paix et humilité. Si par votre adresse vous pouvez trouver pour moi un accord, je vous donnerai de l'or et de l'argent en masse, des terres et des fiefs, tant que vous en voudrez. » Les païens disent : « C'est nous combler ! »

◎ ∞ VI ∞ ◎

Le roi Marsile a tenu son conseil. Il dit à ses hommes : « Seigneurs, vous irez. Vous porterez des branches d'olivier en vos mains, et vous direz au roi Charlemagne que pour son Dieu il me fasse merci ; qu'il ne verra point ce premier mois passer que je ne l'aie rejoint avec mille de mes fidèles ; que je recevrai la loi chrétienne et deviendrai son homme en tout amour et toute foi. Veut-il des otages,

S'il voelt ostages, il en avrat par veir. »
Dist Blancandrins : « Mult bon plait en avreiz. » AOI.

© ⚭ VII ⚭ ©

90 DIS blanches mules fist amener Marsilies,
    Que li tramist li reis de Suatilie.
Li frein sunt d'or, les seles d'argent mises.
Cil sunt muntez ki le message firent ;
Enz en lur mains portent branches d'olive.
Vindrent a Carles, ki France ad en baillie :
95 Nes poet guarder que alques ne l'engignent. AOI.

© ⚭ VIII ⚭ ©

LI empereres se fait e balz e liez :
   Cordres ad prise e les murs peceiez,
Od ses cadables les turs en abatied ;
Mult grant eschech en unt si chevaler
100 D'or e d'argent e de guarnemenz chers.
En la citet nen ad remés paien
Ne seit ocis u devient chrestien.
Li empereres est en un grant verger,
Ensembl 'od lui Rollant e Oliver,
105 Sansun li dux e Anseïs li fiers,
Gefreid d'Anjou, le rei gunfanuner,
E si i furent e Gerin e Gerers ;
La u cist furent, des altres i out bien :
De dulce France i ad quinze milliers.
110 Sur palies blancs siedent cil cevaler,

en vérité, il en aura. » Blancandrin dit : « Par
là vous obtiendrez un bon accord. »

◎ ∞ VII ∞ ◎

MARSILE fit amener dix mules blanches, que
lui avait envoyées le roi de Suatille. Leurs
freins sont d'or; les selles, serties d'argent.
Les messagers montent; en leurs mains ils
portent des branches d'olivier. Ils s'en vinrent
vers Charles, qui tient France en sa baillie.
Charles ne peut s'en garder : ils le trom-
peront.

◎ ∞ VIII ∞ ◎

L'EMPEREUR s'est fait joyeux; il est en belle
humeur : Cordres, il l'a prise. Il en a
broyé les murailles, et de ses pierrières abattu
les tours. Grand est le butin qu'ont fait ses
chevaliers, or, argent, précieuses armures. Dans
la cité plus un païen n'est resté : tous furent
occis ou faits chrétiens. L'empereur est dans
un grand verger : près de lui, Roland et Olivier,
le duc Samson et Anseïs le fier, Geoffroi d'Anjou,
gonfalonier du roi, et là furent encore et Gerin
et Gerier, et avec eux tant d'autres : de douce
France, ils sont quinze milliers. Sur de blancs
tapis de soie sont assis les chevaliers; pour
se divertir, les plus sages et les vieux jouent

3

As tables juent pur els esbaneier
E as eschecs li plus saive e li veill,
E escremissent cil bacheler leger.
Desuz un pin, delez un eglenter,
115 Un faldestoed i unt, fait tut d'or mer :
La siet li reis ki dulce France tient.
Blanche ad la barbe e tut flurit le chef,
Gent ad le cors e le cuntenant fier :
S'est kil demandet, ne l'estoet enseigner.
120 E li message descendirent a pied,
Sil saluerent par amur e par bien.

◎ ∞∞ IX ∞∞ ◎

Blancandrins ad tut premereins parled
E dist al rei : « Salvet seiez de Deu,
Le Glorius, que devuns aürer!
125 Iço vus mandet reis Marsilies, li bers :
Enquis ad mult la lei de salvetet.
De sun aveir vos voelt asez duner,
Urs e leuns e veltres enchaignez,
Set cenz cameilz e mil hosturs muez,
130 D'or e d'argent .IIII. cenz mulz trussez,
Cinquante care que carier en ferez;
Tant i avrat de besanz esmerez
Dunt bien purrez voz soldeiers luer.
En cest païs avez estet asez;
135 En France, ad Ais, devez bien repairer.
La vos sivrat, ço dit, mis avoez. »

aux tables et aux échecs, et les légers bache-
liers s'escriment de l'épée. Sous un pin, près
d'un églantier, un trône est dressé, tout
d'or pur : là est assis le roi qui tient douce
France. Sa barbe est blanche et tout fleuri
son chef; son corps est beau, son maintien
fier : à qui le cherche, pas n'est besoin qu'on
le désigne. Et les messagers mirent pied à
terre et le saluèrent en tout amour et tout
bien.

◦ ∞ IX ∞ ◦

BLANCANDRIN parle, lui le premier. Il dit au
roi : « Salut au nom de Dieu, le Glorieux,
que nous devons adorer! Entendez ce que vous
mande le roi Marsile, le preux. Il s'est bien
enquis de la loi qui sauve; aussi vous veut-il
donner de ses richesses à foison, ours et lions,
et vautres menés en laisse, sept cents chameaux
et mille autours sortis de mue, quatre cents
mulets, d'or et d'argent troussés, cinquante
chars dont vous ferez un charroi, comblés de
tant de besants d'or fin que vous en pourrez
largement payer vos soudoyers. En ce pays
vous avez fait un assez long séjour. En France,
à Aix, il vous sied de retourner. Là vous suivra,
il vous l'assure, mon seigneur.» L'empereur tend

Li empereres tent ses mains vers Deu,
Baisset sun chef, si cumencet a penser. AOI.

◎ ⚭ X ⚭ ◎

Li empereres en tint sun chef enclin.
140 De sa parole ne fut mie hastifs :
Sa custume est qu'il parolet a leisir.
Quant se redrecet, mult par out fier lu vis;
Dist as messages : « Vus avez mult ben dit.
Li reis Marsilies est mult mis enemis :
145 De cez paroles que vos avez ci dit,
En quel mesure en purrai estre fiz?
— Vos par hostages », ço dist li Sarrazins,
« Dunt vos avrez u dis, u quinze, u vint.
Pa num d'ocire i metrai un mien filz
150 E sin avrez, ço quid, de plus gentilz.
Quant vus serez el palais seignurill,
A la grant feste seint Michel del Peril,
Mis avoez la vos sivrat, ço dit.
Enz en voz bainz, que Deus pur vos i fist,
155 La vuldrat il chrestiens devenir. »
Charles respunt : « Uncore purrat guarir. » AOI.

◎ ⚭ XI ⚭ ◎

Bels fut li vespres e li soleilz fut cler.
 Les dis mulez fait Charles establer.
El grant verger fait li reis tendre un tref,
160 Les dis messages ad fait enz hosteler;

ses mains vers Dieu, baisse la tête et se prend
à songer.

◎ ∞◎∞ X ∞◎∞ ◎

L'EMPEREUR garde la tête baissée. Sa parole
jamais ne fût hâtive : telle est sa coutume, il
ne parle qu'à son loisir. Quand enfin il se
redressa, son visage était plein de fierté. Il
dit aux messagers : « Vous avez très bien parlé.
Mais le roi Marsile est mon grand ennemi.
De ces paroles que vous venez de dire, comment
pourrai-je avoir garantie? — Par des otages »,
dit le Sarrasin, « dont vous aurez ou dix, ou
quinze, ou vingt. Dût-il périr, j'y mettrai un
mien fils, et vous en recevrez, je crois, de
mieux nés encore. Quand vous serez en votre
palais souverain, à la haute fête de saint Michel
du Péril, là vous suivra, il vous l'assure, mon
seigneur. Là, en vos bains, que Dieu fit pour
vous, il veut devenir chrétien. » Charles répond :
« Il peut encore parvenir au salut. »

◎ ∞◎∞ XI ∞◎∞ ◎

LA vêprée était belle et le soleil clair. Charles
fait établer les dix mulets. Dans le grand
verger il fait dresser une tente. C'est là qu'il
héberge les dix messagers; douze sergents

.XII. serjanz les unt ben cunreez;
La noit demurent tresque vint al jur cler.
Li empereres est par matin levet,
Messe e matines ad li reis escultet.
165 Desuz un pin en est li reis alez,
Ses baruns mandet pur sun cunseill finer :
Par cels de France voelt il del tut errer. AOI.

◎ ◦◦◦◦ XII ◦◦◦◦ ◎

L I empereres s'en vait desuz un pin,
 Ses baruns mandet pur sun cunseill fenir,
170 Le duc Oger e l'arcevesque Turpin,
Richard li Velz e sun nevold Henri
E de Gascuigne li proz quens Acelin,
Tedbald de Reins e Milun, sun cusin,
E si i furent e Gerers e Gerin;
175 Ensembl' od els li quens Rollant i vint
E Oliver, li proz e li gentilz;
Des Francs de France en i ad plus de mil;
Guenes i vint, ki la traïsun fist.
Dès ore cumencet le cunseill que malt prist. AOI.

◎ ◦◦◦◦ XIII ◦◦◦◦ ◎

180 « S EIGNURS barons », dist li emperere Carles,
 « Li reis Marsilie m'ad tramis ses messages.
De sun aveir me voelt duner grant masse,
Urs e leuns e veltres caeignables,

prennent grand soin de leur service. Ils y restent cette nuit tant que vint le jour clair. De grand matin l'empereur s'est levé; il a écouté messe et matines. Il s'en est allé sous un pin; il mande ses barons pour tenir son conseil : en toutes ses voies il veut pour guides ceux de France.

◎ ᦆᦉ XII ᦆᦉ ◎

L'EMPEREUR s'en va sous un pin; pour tenir son conseil il mande ses barons : le duc Ogier et l'archevêque Turpin, Richard le Vieux et son neveu Henri, et le preux comte de Gascogne Acelin, Thibaud de Reims et son cousin Milon. Vinrent aussi et Gerier et Gerin; et avec eux le comte Roland et Olivier, le preux et le noble; des Francs de France ils sont plus d'un millier; Ganelon y vint, qui fit la trahison. Alors commence le conseil d'où devait naître une grande infortune.

◎ ᦆᦉ XIII ᦆᦉ ◎

« SEIGNEURS barons », dit l'empereur Charles, « le roi Marsile m'a envoyé ses messagers. De ses richesses il veut me donner à foison, ours et lions, et vautres dressés pour qu'on les mène en laisse, sept cents chameaux et mille autours bons à mettre en mue, quatre cents

Set cenz cameilz e mil hosturs muables,
185 Quatre cenz mulz cargez de l'or d'Arabe,
Avoec iço plus de cinquante care.
Mais il me mandet que en France m'en alge :
Il me sivrat ad Ais, a mun estage,
Si recevrat la nostre lei plus salve ;
190 Chrestiens ert, de mei tendrat ses marches ;
Mais jo ne sai quels en est sis curages. »
Dient Franceis : « Il nus i cuvent guarde ! » AOI.

◎ ⟨∾⟩ XIV ⟨∾⟩ ◎

L I empereres out sa raisun fenie.
    Li quens Rollant, ki ne l'otriet mie,
195 En piez se drecet, si li vint cuntredire.
Il dist al rei : « Ja mar crerez Marsilie !
Set anz ad pleins qu'en Espaigne venimes ;
Je vos cunquis e Noples e Commibles,
Pris ai Valterne e la tere de Pine
200 E Balasgued e Tuele e Sezilie :
Li reis Marsilie i fist mult que traïtre.
De ses paiens enveiat quinze,
Chascuns portout une branche d'olive ;
Nuncerent vos cez paroles meïsme.
205 A voz Franceis un cunseill en presistes,
Loerent vos alques de legerie ;
Dous de voz cuntes al paien tramesistes,
L'un fut Basan e li altres Basilies ;
Les chef en prist es puis desuz Haltilie.

mulets chargés d'or d'Arabie, et en outre plus
de cinquante chars. Mais il me mande que je
m'en aille en France : il me suivra à Aix, en
mon palais, et recevra notre loi, qu'il avoue
la plus sainte; il sera chrétien, c'est de moi
qu'il tiendra ses terres. Mais je ne sais quel
est le fond de son cœur. » Les Français disent :
« Méfions-nous! »

◎ ∞ XIV ∞ ◎

L'EMPEREUR a dit sa pensée. Le comte Roland,
qui ne s'y accorde point, tout droit se dresse
et vient y contredire. Il dit au roi : « Malheur
si vous en croyez Marsile! Voilà sept ans tous
pleins que nous vînmes en Espagne. Je vous
ai conquis et Noples et Commibles; j'ai pris
Valterne et la terre de Pine et Balaguer et
Tudèle et Sezille. Alors le roi Marsile fit une
grande trahison : de ses païens il en envoya
quinze, et chacun portait une branche d'olivier,
et ils vous disaient toutes ces mêmes paroles.
Vous prîtes le conseil de vos Français. Ils vous
conseillèrent assez follement : vous fîtes partir
vers le païen deux de vos comtes, l'un était
Basan et l'autre Basile; dans la montagne, sous
Haltilie, il prit leur têtes. Faites la guerre

210 Faites la guer cum vos l'avez enprise,
En Sarraguce menez vostre ost banie,
Metez le sege a tute vostre vie,
Si vengez cels que li fels fist ocire! » AOI.

◉ ∞ XV ∞ ◉

L I emperere en tint sun chef enbrunc,
215 Si duist sa barbe, afaitad sun gernun,
Ne ben ne mal ne respunt sun nevuld.
Franceis se taisent, ne mais que Guenelun.
En piez se drecet, si vint devant Carlun,
Mult fierement cumencet sa raisun
220 E dist al rei : « Ja mar crerez bricun,
Ne mei en altre, se de vostre prod nun!
Quant ço vos mendet li reis Marsiliun
Qu'il devendrat jointes ses mains tis hom
E tute Espaigne tendrat par vostre dun,
225 Puis recevrat la lei que nus tenum,
Ki ço vos lodet que cest plait degetuns,
Ne li chalt, sire, de quel mort nus muriuns.
Cunseill d'orguill n'est dreiz que a plus munt;
Laissun les fols, as sages nus tenuns! » AOI.

◉ ∞ XVI ∞ ◉

230 A PRÈS iço i est Neimes venud,
Meillor vassal n'aveit en la curt nul,
E dist al rei : « Ben l'avez entendud :
Guenes li quens ço vus ad respundud;

comme vous l'avez commencée! Menez à
Saragosse le ban de votre armée; mettez-y le
siège, dût-il durer toute votre vie, et vengez
ceux que le félon fit tuer. »

◎ ◠◠◠ XV ◠◠◠ ◎

L'EMPEREUR tient la tête baissée. Il lisse sa barbe,
arrange sa moustache, ne fait à son neveu,
bonne ou mauvaise, nulle réponse. Les Français
se taisent, hormis Ganelon. Il se dresse droit
sur ses pieds, vient devant Charles. Très fière-
ment il commence. Il dit au roi : « Malheur,
si vous en croyez le truand, moi ou tout autre,
qui ne parlerait pas pour votre bien! Quand
le roi Marsile vous mande que, mains jointes,
il deviendra votre homme, et qu'il tiendra toute
l'Espagne comme un don de votre grâce, et
qu'il recevra la loi que nous gardons, celui-
là qui vous conseille que nous rejetions un tel
accord, peu lui chaut, sire, de quelle mort nous
mourrons.—Un conseil d'orgueil ne doit pas
prévaloir. Laissons les fous, tenons-nous aux
sages! »

◎ ◠◠◠ XVI ◠◠◠ ◎

ALORS Naimes s'avança; il n'y avait en la
cour nul meilleur vassal. Il dit au roi :
« Vous l'avez bien entendue, la réponse que vous
fit Ganelon; elle a du sens, il n'y a qu'à la suivre.

Saveir i ad, mais qu'il seit entendud.
235 Li reis Marsilie est de guere vencud :
Vos li avez tuz ses castels toluz,
Od voz caables avez fruiset ses murs,
Ses citez arses e ses humes vencuz.
Quant il vos mandet qu'aiez mercit de lui,
240 Pecchet fereit ki dunc fesist plus.
U par ostage vos en voelt faire soürs,
Ceste grant guerre ne deit munter a plus. »
Dient Franceis : « Ben ad parlet li dux. » AOI.

◎ ∞ XVII ∞ ◎

« SEIGNURS baruns, qui i enveieruns
245   En Sarraguce, al rei Marsiliuns? »
Respunt dux Neimes : « Jo irai, par vostre dun!
Livrez m'en ore le guant e le bastun. »
Respunt li reis : « Vos estes saives hom;
Par ceste barbe e par cest men gernun,
250 Vos n'irez pas uan de mei si luign.
Alez sedeir, quant nuls ne vos sumunt!

◎ ∞ XVIII ∞ ◎

« SEIGNURS baruns, qui i purruns enveier,
     Al Sarrazin ki Sarraguce tient? »
Respunt Rollant : « Jo i puis aler mult ben!
255 — Nu ferez certes », dist li quens Oliver.
« Vostre curages est mult pesmes e fiers :
Jo me crendreie que vos vos meslisez.

Le roi Marsile est vaincu dans sa guerre : tous ses châteaux, vous les lui avez ravis; de vos pierrières vous avez brisé ses murailles; vous avez brûlé ses cités, vaincu ses hommes. Aujourd'hui qu'il vous mande que vous le receviez à merci, lui en faire pis, ce serait péché. Puisqu'il veut vous donner en garantie des otages, cette grande guerre ne doit pas aller plus avant. » Les Français disent : « Le duc a bien parlé! »

◎ ∞ XVII ∞ ◎

« Seigneurs barons, qui y enverrons-nous, à Saragosse, vers le roi Marsile? » Le duc Naimes répond : « J'irai, par votre congé : livrez-m'en sur l'heure le gant et le bâton. » Le roi dit : « Vous êtes homme de grand conseil; par cette mienne barbe, vous n'irez pas de sitôt si loin de moi. Retournez vous asseoir, car nul ne vous a requis! »

◎ ∞ XVIII ∞ ◎

Seigneurs barons, qui pourrons-nous envoyer au Sarrasin qui tient Saragosse? » Roland répond : « J'y puis aller très bien. — Vous n'irez certes pas », dit le comte Olivier. « Votre cœur est âpre et orgueilleux, vous en viendriez aux prises, j'en ai peur. Si le roi veut, j'y puis

Se li reis voelt, jo i puis aler ben. »
Respunt li reis : « Ambdui vos en taisez!
260 Ne vos ne il n'i porterez les piez.
Par ceste barbe que veez blancheier,
Li duze per mar i serunt jugez! »
Franceis se taisent, as les vus aquisez.

◎ ∞ XIX ∞ ◎

TURPINS de Reins en est levet del renc
265 E dist al rei : « Laisez ester voz Francs!
En cest païs avez estet set anz :
Mult unt oüd e peines e ahans.
Dunez m'en, sire, le bastun e le guant
E jo irai al Sarazin espan,
270 Sin vois vedeir alques de sun semblant. »
Li empereres respunt par maltalant :
« Alez sedeir desur cel palie blanc!
N'en parlez mais, se jo nel vos cumant! » AOI.

◎ ∞ XX ∞ ◎

« FRANCS chevalers », dist li emperere Carles,
275 « Car m'eslisez un barun de ma marche,
Qu'a Marsiliun me portast mun message. »
Ço dist Rollant : « Ço ert Guenes, mis parastre. »
Dient Franceis : « Car il le poet ben faire.
Se lui lessez, n'i trametrez plus saive. »
280 E li quens Guenes en fut mult anguisables.
(M.301-30) De sun col getet ses grandes pels de martre

aller très bien. » Le roi répond : « Tous deux,
taisez-vous! Ni vous ni lui n'y porterez les
pieds. Par cette barbe que vous voyez toute
blanche, malheur à qui me nommerait l'un des
douze pairs! » Les Français se taisent, restent
tout interdits.

◎ ∞ XIX ∞ ◎

TURPIN de Reims s'est levé, sort du rang, et
dit au roi : « Laissez en repos vos Francs!
En ce pays sept ans vous êtes resté : ils y ont
beaucoup enduré de peines, beaucoup d'ahan.
Mais donnez-moi, sire, le bâton et le gant, et
j'irai vers le Sarrasin d'Espagne : je vais voir
un peu comme il est fait.» L'empereur répond,
irrité : « Allez vous rasseoir sur ce tapis blanc!
N'en parlez plus, si je ne vous l'ordonne! »

◎ ∞ XX ∞ ◎

« FRANCS chevaliers », dit l'empereur Charles,
« élisez-moi un baron de ma terre, qui
puisse porter à Marsile mon message. » Roland
dit : « Ce sera Ganelon, mon parâtre. » Les
Français disent : « Certes il est homme à le
faire; lui écarté, vous n'en verrez pas un plus
sage. » Et le comte Ganelon en fut pénétré d'an-
goisse. De son col il rejette ses grandes peaux de

E est remés en sun blialt de palie.
Vairs out les oilz e mult fier lu visage;
Gent out le cors e les costez out larges;
285 Tant par fut bels tuit si per l'en esguardent.
Dist a Rollant : « Tut fol, pur quei t'esrages?
Ço set hom ben que jo suis tis parastres,
Si as juget qu'à Marsiliun en alge.
Se Deus ço dunet que jo de la repaire,
290 Jo t'en muvra un si grant contraire
Ki durerat a trestut tun edage. »
Respunt Rollant : « Orgoill oi e folage.
Ço set hom ben n'ai cure de manace;
Mais saives hom, il deit faire message :
295 Si li reis voelt, prez sui por vus le face! »

◎ ∞ XXI ∞ ◎

Guenes respunt : «Pur mei n'iras tu mie! AOI.
Tu n'ies mes hom ne jo ne sui tis sire.
Carles comandet que face sun servise :
En Sarraguce en irai a Marsilie.
300 Einz i frai un poi de legerie
Que jo n'esclair ceste meie grant ire. »
Quand l'ot Rollant, si cumençat a rire. AOI.

◎ ∞ XXII ∞ ◎

Quant ço veit Guenes qu'ore s'en rit Rollant,
Dunc ad tel doel pur poi d'ire ne fent;

martre; il reste en son bliaut de soie. Il a les yeux vairs, le visage très fier; son corps est noble, sa poitrine large : il est si beau que tous ses pairs le contemplent. Il dit à Roland : « Fou! pourquoi ta frénésie? Je suis ton parâtre, chacun le sait, et pourtant voici que tu m'as désigné pour aller vers Marsile. Si Dieu donne que je revienne de là-bas, je te ferai tel dommage qui durera aussi longtemps que tu vivras! » Roland répond : « Ce sont propos d'orgueil et de folie. On le sait bien, je n'ai cure d'une menace; mais pour un message il faut un homme de sens; si le roi veut, je suis prêt : je le ferai à votre place. »

◎ ◠◠◠ XXI ◠◠◠ ◎

GANELON répond : «Tu n'iras pas à ma place! Tu n'est pas mon vassal, je ne suis pas ton seigneur. Charles commande que je fasse son service : j'irai à Saragosse, vers Marsile; mais avant que j'apaise ce grand courroux où tu me vois, j'aurai joué quelque jeu de ma façon. » Quand Roland l'entend, il se prend à rire.

◎ ◠◠◠ XXII ◠◠◠ ◎

QUAND Ganelon voit que Roland s'en rit, il en a si grand deuil qu'il pense éclater de

305 A ben petit que il ne pert le sens,
E dit al cunte : « Jo ne vus aim nient :
Sur mei avez turnet fals jugement.
Dreiz emperere, veiz me ci en present :
Ademplir voeill vostre comandement.

◎ ∞ XXIII ∞ ◎

310 « Eɴ Sarraguce sai ben qu'aler m'estoet. ᴀᴏɪ.
     Hom ki la vait repairer ne s'en poet.
(M. 292
 -300) Ensurquetut si ai jo vostre soer,
Sin ai un filz, ja plus bels n'en estoet,
Ço est Baldewin », ço dit, « ki ert prozdoem.
315 A lui lais jo mes honurs e mes fieus.
Guadez le ben, ja nel verrai des oilz. »
Carles respunt : « Tro avez tendre coer.
Puis quel comant, aler vus en estoet. »

◎ ∞ XXIV ∞ ◎

(M. 280-91) Ço dist li reis : « Guenes, venez avant, ᴀᴏɪ.
320   Si recevez le bastun e lu guant.
Oït l'avez, sur vos le jugent Franc.
— Sire », dist Guenes, « ço ad tut fait Rollant!
Ne l'amerai a trestut mun vivant,
Ne Oliver, por ço qu'il est si cumpainz.
325 Li duze per, por ço qu'il l'aiment tant,
Desfi les ci, sire, vostre veiant. »
Ço dist li reis : « Trop avez maltalant.

courroux; peu s'en faut qu'il ne perde le sens.
Et il dit au comte : « Je ne vous aime pas, vous
qui avez fait tourner sur moi cet injuste choix.
Droit empereur, me voici devant vous : je veux
accomplir votre commandement.

◎ ∞ XXIII ∞ ◎

« J'IRAI à Saragosse! Il le faut, je le sais bien.
Qui va là-bas n'en peut revenir. Sur toutes
choses, rappelez-vous que j'ai pour femme votre
sœur. J'ai d'elle un fils, le plus beau qui soit.
C'est Baudoin », dit-il, « qui sera un preux.
C'est à lui que je lègue mes terres et mes
fiefs. Prenez-le bien sous votre garde, je ne le
reverrai de mes yeux. » Charles répond : « Vous
avez le cœur trop tendre. Puisque je le com-
mande, il vous faut aller. »

◎ ∞ XXIV ∞ ◎

LE roi dit : « Ganelon, approchez et recevez le
bâton et le gant. Vous l'avez bien entendu :
les Francs vous ont choisi. — Sire », dit Ganelon,
« c'est Roland qui a tout fait! Je ne l'aimerai de
ma vie, ni Olivier, parce qu'il est son compa-
gnon. Les douze pairs, parce qu'ils l'aiment
tant, je les défie, sire, ici, sous votre regard! »
Le roi dit : « Vous avez trop de courroux. Vous
irez certes, puisque je le commande. — J'y

Or irez vos certes, quant jol cumant.
— Jo i puis aler, mais n'i avrai guarant : AOI.
330 Nu l'out Basilies ne sis freres Basant. »

◎ ∞ XXV ∞ ◎

LI empereres li tent sun guant, le destre;
      Mais li quens Guenes iloec ne volsit estre :
Quant le dut prendre, si li caït a tere.
Dient Franceis : « Deus! que purrat ço estre?
335 De cest message nos avendrat grant perte.
—Seignurs », dist Guenes, « vos en orrez noveles! »

◎ ∞ XXVI ∞ ◎

« **S**IRE », dist Guenes, « dunez mei le cungied.
      Quant aler dei, n'i ai plus que targer. »
Ço dist li reis : « Al Jhesu e al mien! »
340 De sa main destre l'ad asols e seignet,
Puis li livrat le bastun e le bref.

◎ ∞ XXVII ∞ ◎

GUENES li quens s'en vait a sun ostel,
      De guarnemenz se prent a cunreer,
De ses meillors que il pout recuvrer :
345 Esperuns d'or ad en ses piez fermez,
Ceint Murglies, s'espee, a sun costed;
En Tachebrun, sun destrer, est munted;
L'estreu li tint sun uncle Guinemer.

puis aller, mais sans nulle sauvegarde, tout comme Basile et son frère Basant. »

◎ ⧠ XXV ⧠ ◎

L'EMPEREUR lui tend son gant, celui de sa main droite. Mais le comte Ganelon eût voulu n'être pas là. Quand il pensa le prendre, le gant tomba par terre. Les Français disent : « Dieu! quel signe est-ce là? De ce message nous viendra une grande perte. — Seigneurs », dit Ganelon, « vous en entendrez des nouvelles! »

◎ ⧠ XXVI ⧠ ◎

« SIRE », dit Ganelon, « donnez-moi votre congé. Puisqu'il me faut aller, je n'ai que faire de plus m'attarder. » Et le roi dit : « Allez, par le congé de Jésus et par le mien! » De sa dextre il l'a absous et signé du signe de la croix. Puis il lui délivra le bâton et le bref.

◎ ⧠ XXVII ⧠ ◎

LE comte Ganelon s'en va à son campement. Il se pare des équipements les meilleurs qu'il peut trouver. A ses pieds il a fixé des éperons d'or, il ceint à ses flancs Murgleis, son épée. Sur Tachebrun, son destrier, il monte; son

La veïsez tant chevaler plorer,
350 Ki tuit li dient : « Tant mare fustes ber!
En la cort al rei mult i avez ested,
Noble vassal vos i solt hom clamer.
Ki ço jugat que doüsez aler
Par Charlemagne n'ert guariz ne tensez.
355 Li quens Rollant nel se doüst penser,
Que estrait estes de mult grant parented. »
Enprès li dient : « Sire, car nos menez! »
Ço respunt Guenes : « Ne placet Damnedeu!
Mielz est que sul moerge que tant bon chevaler.
360 En dulce France, seignurs, vos en irez :
De meie part ma muiller saluez
E Pinabel, mun ami e mun per,
E Baldewin, mun filz que vos savez,
E lui aidez e pur seignur le tenez. »
365 Entret en sa veie, si s'est achiminez. AOI.

◉ ❦ XXVIII ❦ ◉

GUENES chevalchet suz une olive halte,
    Asemblet s'est as sarrazins messages;
Mais Blancandrins ki envers lu s'atarget;
Par grant saveir parolet li uns a l'altre.
370 Dist Blancandrins : « Merveilus hom est Charles,
Ki cunquist Puille e trestute Calabre!
Vers Engletere passat il la mer salse,
Ad oes seint Perre en cunquist le chevage :
Que nus requert ça en la nostre marche? »

oncle, Guinemer, lui a tenu l'étrier. Là vous eussiez vu tant de chevaliers pleurer, qui tous lui disent : « C'est grand'pitié de votre prouesse ! En la cour du roi vous fûtes un long temps, et l'on vous y tenait pour un noble vassal. Qui vous marqua pour aller là-bas, Charles lui-même ne pourra le protéger ni le sauver. Non, le comte Roland n'eût pas dû songer à vous : vous êtes issu d'un trop grand lignage. » Puis ils lui disent : « Sire, emmenez-nous ! » Ganelon répond : « Ne plaise au Seigneur Dieu ! Mieux vaut que je meure seul et que vivent tant de bons chevaliers. En douce France, seigneurs, vous rentrerez. De ma part saluez ma femme, et Pinabel, mon ami et mon pair, et Baudoin, mon fils... Donnez-lui votre aide et tenez-le pour votre seigneur. » Il entre en sa route et s'achemine.

◎ ❧ XXVIII ❧ ◎

Ganelon chevauche sous de hauts oliviers. Il a rejoint les messagers sarrasins. Or voici que Blancandrin s'attarde à ses côtés : tous deux conversent par grande ruse. Blancandrin dit : « C'est un homme merveilleux que Charles ! Il a conquis la Pouille et toute la Calabre ; il a passé la mer salée et gagné à saint Pierre le tribut de l'Angleterre : que vient-il encore chercher ici, dans notre pays ? »

375 Guenes respunt : « Itels est sis curages.
Jamais n'ert hume ki encuntre lui vaille. » AOI.

◎ ∞ XXIX ∞ ◎

Dist Blancandrins : « Francs sunt mult gentilz home
    Mult grant mal funt e cil duc e cil cunte
A lur seignur, ki tel cunseill li dunent :
380 Lui e altrui travaillent e cunfundent. »
Guenes respunt : « Jo ne sai veirs nul hume,
Ne mès Rollant, ki uncore en avrat hunte.
Er matin sedeit li emperere suz l'umbre,
Vint i ses niés, out vestue sa brunie,
385 E out predet dejuste Carcasonie ;
En sa main tint une vermeille pume :
Tenez, bel sire, dist Rollant a sun uncle,
De trestuz reis vos present les curunes.
Li soens orgoilz le devreit ben cunfundre,
390 Kar chascun jur de mort s'abandunet.
Seit ki l'ociet, tute pais puis avriumes. » AOI.

◎ ∞ XXX ∞ ◎

Dist Blancandrins : « Mult est pesmes Rollant,
    Ki tute gent voelt faire recreant
E tutes teres met en chalengement !
395 Par quele gent quiet il espleiter tant ? »
Guenes respunt : « Par la franceise gent.
Il l'aiment tant ne li faldrunt nient ;

Ganelon répond : « Tel est son bon plaisir.
Jamais homme ne le vaudra. »

◎ ⚭ XXIX ⚭ ◎

BLANCANDRIN dit : « Les Francs sont gens
très nobles. Mais ils font grand mal à
leur seigneur, ces ducs et ces comtes qui le
conseillent comme ils font : ils l'épuisent et
le perdent, lui et d'autres avec lui. » Ganelon
répond : « Ce n'est vrai, que je sache, de per-
sonne, sinon de Roland, lequel, un jour, en
pâtira. L'autre matin, l'empereur était assis à
l'ombre. Survint son neveu, la brogne endossée,
qui des abords de Carcasoine ramenait du butin.
A la main il tenait une pomme vermeille : « Pre-
nez, beau sire, dit-il à son oncle : de tous les
rois je vous donne en présent les couronnes. »
Son orgeuil est bien fait pour le perdre, car
chaque jour il s'offre en proie à la mort.
Vienne qui le tue : nous aurions paix plénière ! »

◎ ⚭ XXX ⚭ ◎

BLANCANDRIN dit : « Roland est bien digne de
haine, qui veut réduire à merci toute nation
et qui prétend sur toutes les terres ! Pour tant
faire, sur qui donc compte-t-il ? » Ganelon
répond : « Sur les Français ! Ils l'aiment tant

Or e argent lur met tant en present,
400 Muls e destrers e palies e guarnemenz;
L'emperere meïsmes ad tut a sun talent;
Cunquerrat li les teres d'ici qu'en Orient. » AOI.

◎ ∞ XXXI ∞ ◎

Tant chevalcherent Guenes e Blancandrins
Que l'un a l'altre la sue feit plevit
Que il querreient que Rollant fust ocis.
405 Tant chevalcherent e veies e chemins
Qu'en Sarraguce descendent suz un if.
Un faldestoet out suz l'umbre d'un pin;
Envolupet fut d'un palie alexandrin :
La fut li reis ki tute Espaigne tint;
410 Tut entur lui vint milie Sarrazins,
N'i ad celoi ki mot sunt ne mot tint,
Pur les nuveles qu'il vuldreient oïr.
Atant as vos Guenes e Blancandrins.

◎ ∞ XXXII ∞ ◎

Blancandrins vint devant Marsiliun;
415 Par le puign tint le cunte Guenelun,
E dist al rei : « Salvez seiez de Mahum
E d'Appolin, qui seintes leis tenuns!
Vostre message fesime a Charlun.
Ambes ses mains en levat cuntremunt,
420 Loat sun Deu, ne fist altre respuns.
Ci vos enveiet un sun noble barun,

que jamais ils ne voudront lui faillir. Il leur donne à profusion or et argent, mulets et destriers, draps de soie, armures. A l'empereur même il donne tout ce qu'il veut (?) : il lui conquerra les terres d'ici jusqu'en Orient. »

◎ ❀❀ XXXI ❀❀ ◎

TANT chevauchèrent Ganelon et Blancandrin qu'ils ont échangé sur leur foi une promesse : ils chercheront comment faire tuer Roland. Tant chevauchèrent-ils par voies et par chemins qu'à Saragosse ils mettent pied à terre, sous un if. A l'ombre d'un pin un trône était dressé, enveloppé de soie d'Alexandrie. Là est le roi qui tient toute l'Espagne. Autour de lui vingt mille Sarrasins. Pas un qui sonne mot, pour les nouvelles qu'ils voudraient ouïr. Voici que viennent Ganelon et Blancandrin.

◎ ❀❀ XXXII ❀❀ ◎

BLANCANDRIN est venu devant Marsile; il tient par le poing le comte Ganelon. Il dit au roi : « Salut, au nom de Mahomet et d'Apollin, de qui nous gardons les saintes lois! Nous avons fait votre message à Charles. Vers le ciel il éleva ses deux mains, loua son

Ki est de France, si est mult riches hom :
Par lui orrez si avrez pais u nun. »
Respunt Marsilie : « Or diet, nus l'orrum! » AOI.

◎ ∞ XXXIII ∞ ◎

425 MAIS li quens Guenes se fut ben purpenset.
      Par grant saver cumencet a parler
Cume celui ki ben faire le set,
E dist al rei : « Salvez seiez de Deu,
Li Glorius, qui devum aürer!
430 Iço vus mandet Carlemagnes li ber,
Que recevez seinte chrestientet;
Demi Espaigne vos voelt en fiu duner.
Se cest' acorde nevulez otrier,
Pris e liez serez par poestud;
435 Al siege ad Ais en serez amenet,
Par jugement serez iloec finet;
La murrez vus a hunte e a viltet. »
Li reis Marsilies en fut mult esfreed.
Un algier tint, ki d'or fut enpenet;
440 Ferir l'en volt, se n'en fust desturnet. AOI.

◎ ∞ XXXIV ∞ ◎

LI reis Marsilies ad la culur muee;
    De sun algeir ad la hanste crollee.
Quant le vit Guenes, mist la main a l'espee,
Cuntre dous deie l'ad del furrel getee,
445 Si li ad dit : « Mult estes bele e clere!

Dieu, ne fit autre réponse. Il vous envoie, le voici, un sien noble baron, qui est de France et très haut homme. Par lui vous apprendrez si vous aurez la paix ou non. » Marsile répond : « Qu'il parle, nous l'entendrons! »

◎ ᬽᬽᬽ XXXIII ᬽᬽᬽ ◎

O R le comte Ganelon y avait fort songé. Par grand art il commence, en homme qui sait parler bien. Il dit au roi : « Salut, au nom de Dieu, le Glorieux, que nous devons adorer! Voici ce que vous mande Charlemagne, le preux : recevez la sainte loi chrétienne, il veut vous donner la moitié de l'Espagne en fief. Si vous ne voulez pas accepter cet accord, vous serez pris et lié de vive force; à la cité d'Aix vous serez emmené; là, par jugement, finira votre vie : vous mourrez de mort honteuse et vile. » Le roi Marsile a frémi. Il tenait un dard, empenné d'or : il veut frapper, mais on l'a retenu.

◎ ᬽᬽᬽ XXXIV ᬽᬽᬽ ◎

L E roi Marsile a changé de couleur. Il secoue son javelot. Quand Ganelon le voit, il met la main à son épée. Il l'a tirée du fourreau la longueur de deux doigts. Il lui dit : « Vous êtes très belle et claire. Si longtemps en cour royale

Tant vus avrai en curt a rei portee!
Ja nel dirat de France li emperere
Que suls i moerge en l'estrange cuntree,
Einz vos avrunt li meillor cumperee. »
450 Dient paien : « Desfaimes la mellee! »

◎ ∞ XXXV ∞ ◎

Tant li preierent li meillor Sarrazin
Qu'el faldestoed s'es Marsilies asis.
Dist l'algalifes : « Mal nos avez baillit,
Que li Franceis asmastes a ferir.
455 Vos doüssez esculter e oïr.
— Sire », dist Guenes, « mei l'avent a suffrir.
Jo ne lerreie, por tut l'or que Deus fist
Ne por tut l'aveir ki seit en cest païs,
Que jo ne li die, se tant ai de leisir,
460 Que Charles li mandet, li reis poesteïfs,
Par mei li mandet, sun mortel enemi. »
Afublez est d'un mantel sabelin,
Ki fut cuvert d'une palie alexandrin.
Geter le a tere, sil receit Blancandrin;
465 Mais de s'espee ne volt mie guerpir;
En sun puign destre par l'orie punt la tint.
Dient paien : « Noble baron ad ci! » AOI.

◎ ∞ XXXVI ∞ ◎

Envers le rei s'est Guenes aproismet,
Si li ad dit : « A tort vos curuciez,

je vous aurai portée! Il n'aura point sujet,
l'empereur de France, de dire que je suis mort,
seul en la terre étrangère, sans que les plus
vaillants vous aient achetée à votre prix. » Les
païens disent : « Empêchons la mêlée! »

© ∞ XXXV ∞ ©

Tant l'ont prié les meilleurs Sarrasins que
sur son trône Marsile s'est rassis. L'Alga-
life dit : « Vous nous mettiez en un mauvais
pas, quand vous vouliez frapper le Français :
vous deviez écouter et entendre. — Sire », dit
Ganelon, « ce sont choses qu'il convient que
j'endure. Mais je ne laisserais pas, pour tout
l'or que fit Dieu, ni pour toutes les richesses qui
sont en ce pays, de lui dire, si j'en ai le loisir,
ce que Charles, le roi puissant, lui mande par
moi, lui mande comme à son mortel ennemi. »
Il portait un manteau de zibeline, recouvert
de soie d'Alexandrie. Il le rejette, et Blancandrin
le reçoit; mais son épée, il n'a garde de la lâcher.
En son poing droit, par le pommeau doré, il
la tient. Les païens disent : « C'est un noble
baron! »

© ∞ XXXVI ∞ ©

Ganelon s'est avancé vers le roi. Il lui dit :
« Vous vous irritez à tort, puisque Charles,

470 Quar ço vos mandet Carles, ki France tient,
 Que recevez la lei de chrestiens;
 Demi Espaigne vus durat il en fiet,
 L'altre meitet avrat Rollant, sis niés :
 Mult orguillos parçuner i avrez!
475 Si ceste acorde ne volez otrier,
 En Sarraguce vus vendrat aseger;
 Par poestet serez pris e liez;
 Menet serez dreit ad Ais le siet.
 Vus n'i avrez palefreid ne destrer,
480 Ne mul ne mule que puissez chevalcher;
 Getet serez sur un malvais sumer.
 Par jugement iloec perdrez le chef.
 Nostre emperere vus enveiet cest bref. »
 El destre poign al paien l'ad livret.

◎ ∞ XXXVII ∞ ◎

485 Marsilies fut esculurez de l'ire,
 Freint le seel, getet en ad la cire,
 Guardet al bref, vit la raisun escrite :
 « Carle me mandet, ki France ad en baillie,
 Que me remembre de la dolur e de l'ire,
490 Ço est de Basan e de sun frere Basilie
 Dunt pris les chefs as puis de Haltoïe;
 Se de mun cors voeil acquiter la vie,
 Dunc li envei mun uncle l'algalife;
 Altrement ne m'amerat il mie. »
495 Après parlat ses filz envers Marsilies
 E dist al rei : « Guenes ad dit folie.

qui règne sur la France, vous mande ceci :
Recevez la loi des chrétiens, il vous donnera
en fief la moitié de l'Espagne. L'autre moitié,
Roland l'aura, son neveu : vous partagerez avec
un très orgueilleux co-seigneur. Si vous ne
voulez pas accepter cet accord, le roi viendra
vous assiéger dans Saragosse : de vive force vous
serez pris et lié; vous serez mené droit à la
cité d'Aix; vous n'aurez pour la route palefroi
ni destrier, mulet ni mule, que vous puissiez
chevaucher; vous serez jeté sur une mauvaise
bête de somme; là, par jugement, vous aurez
la tête tranchée. Notre empereur vous envoie
ce bref. » Il l'a remis au païen, dans sa main
droite.

◎ ☙ XXXVII ❧ ◎

MARSILE a pâli de courroux. Il rompt le
sceau, en jette la cire, regarde le bref,
voit ce qui est écrit : « Charles me mande,
le roi qui tient la France en sa baillie, qu'il
me souvienne de sa douleur et de sa colère
pour Basan et son frère Basile, de qui j'ai
pris les têtes aux monts de Haltoïe; si je veux
racheter ma vie, que je lui envoie mon oncle
l'Algalife; sans quoi, jamais il ne m'aimera. »
Alors le fils de Marsile prit la parole. Il dit
au roi : « Ganelon a parlé en fou. Il en a trop
fait : il n'a plus droit à vivre. Livrez-le moi, je

Tant ad erret nen est dreiz que plus vivet.
Livrez le mei, jo en ferai la justice. »
Quant l'oït Guenes, l'espee en ad branlie;
500 Vait s'apuier suz le pin a la tige.

◎ ❦ XXXVIII ❦ ◎

Enz el verger s'en est alez li reis,
  Ses meillors humes en meinet ensembl'od sei,
E Blancandrins i vint, al canud peil,
E Jurfaret, ki est ses filz e ses heirs,
505 E l'algalifes, sun uncle e sis fedeilz.
Dist Blancandrins : « Apelez le Françeis :
De nostre prod m'ad plevie sa feid. »
Ço dist li reis : « E vos l'i ameneiz. »
Guenelun prist par la main destre ad deiz,
510 Enz el verger l'en meinet josqu'al rei.
La purparolent la traïsun seinz dreit. AOI.

◎ ❦ XXXIX ❦ ◎

« Bel sire Guenes », ço li ad dit Marsilie,
  « Jo vos ai fait alques de legerie,
Quant por ferir vus demustrai grant ire.
515 Guaz vos en dreit par cez pels sabelines,
Melz en valt l'or que ne funt cinc cenz livres :
Einz demain noit en iert bele l'amendise. »
Guenes respunt : « Jo nel desotrei mie.
Deus, se lui plaist, a bien le vos mercie! » AOI.

ferai justice. » Quand Ganelon l'entend, il brandit son épée, va sous le pin, s'adosse au tronc.

◎ ⧓ XXXVIII ⧓ ◎

MARSILE s'est retiré dans le verger. Il a emmené avec lui ses meilleurs vassaux. Et Blancandrin y vint, au poil chenu, et Jurfaret, qui est son fils et son héritier, et l'Algalife, son oncle et son fidèle. Blancandrin dit : « Appelez le Français : il nous servira, il me l'a juré sur sa foi. » Le roi dit : « Amenez-le donc. » Et Blancandrin l'a pris par la main droite et le conduit par le verger jusqu'au roi. Là ils débattent la laide trahison.

◎ ⧓ XXXIX ⧓ ◎

« BEAU sire Ganelon », lui dit Marsile, « je vous ai traité un peu légèrement quand, en ma colère, je faillis vous frapper. Je vous le gage par ces peaux de martre zibeline, dont l'or vaut plus de cinq cents livres : avant demain soir je vous aurai payé une belle amende. » Ganelon répond : « Je ne refuse pas. Que Dieu, s'il lui plaît, vous en récompense ! »

© ∞ XL ∞ ©

520 Ço dist Marsilies : « Guenes, par veir sacez,
En talant ai que mult vos voeill amer.
De Carlemagne vos voeill oïr parler.
Il est mult vielz, si ad sun tens uset ;
Men escient dous cenz anz ad passet.
525 Par tantes teres ad sun cors demened,
Tanz colps ad pris sur sun escunt bucler,
Tanz riches reis cunduit a mendisted :
Quant ert il mais recreanz d'osteier ? »
Guenes respunt : « Carles n'est mie tels.
530 N'est hom kil veit e conuistre le set
Que ço ne diet que l'emperere est ber.
Tant nel vos sai ne preiser ne loer
Que plus n'i ad d'onur e de bontet.
Sa grant valor, kil purreit acunter ?
535 De tel barnage l'ad Deus enluminet
Meilz voelt murir que guerpir sun barnet. »

© ∞ XLI ∞ ©

Dist li paiens : « Mult me puis merveiller
De Carlemagne, ki est canuz e vielz !
Men escientre dous cenz anz ad e mielz.
540 Par tantes teres ad sun cors traveillet,
Tanz colps ad pris de lances e d'espiez,
Tanz riches reis cunduiz a mendistiet :
Quant ert il mais recreanz d'osteier ?
— Ço n'iert », dist Guenes, « tant cum vivet sis niés :

© ∞ XL ∞ ©

Marsile dit : « Ganelon, sachez-le, en vérité, j'ai à cœur de beaucoup vous aimer. Je veux vous entendre parler de Charlemagne. Il est très vieux, il a usé son temps; à mon escient il a deux cents ans passés. Il a par tant de terres mené son corps, il a sur son bouclier pris tant de coups, il a réduit tant de riches rois à mendier : quand sera-t-il las de guerroyer? » Ganelon répond : « Charles n'est pas celui que vous pensez. Nul homme ne le voit et n'apprend à le connaître qui ne dise : l'empereur est un preux. Je ne saurais le louer et le vanter assez : il y a plus d'honneur en lui et plus de vertus que n'en diraient mes paroles. Sa grande valeur, qui pourrait la décrire? Dieu fait rayonner de lui tant de noblesse! Il aimerait mieux la mort que de faillir à ses barons. »

© ∞ XLI ∞ ©

Le païen dit : « Je m'émerveille, et j'en ai bien sujet. Charlemagne est vieux et chenu; à mon escient il a deux cents ans et mieux; par tant de terres il a mené son corps à la peine, il a pris tant de coups de lances et d'épieux, il a réduit à mendier tant de riches rois : quand sera-t-il recru de mener ses guerres?

545 N'at tel vassal suz la cape del ciel.
Mult par est proz sis cumpainz, Olivier;
Les .XII. pers, que Carles ad tant chers,
Funt les enguardes a .XX. milie chevalers.
Soürs est Carles, que nuls home ne crent. » AOI.

© ⊗∞ XLII ∞⊗ ©

550 DIST li Sarrazins : « Merveille en ai grant
      De Carlemagne, ki est canuz e blancs!
Mien escientre plus ad de .II.C. anz.
Par tantes teres est alet cunquerant,
Tanz colps ad pris de bons espiez trenchanz,
555 Tanz riches reis morz e vencuz en champ :
Quant ier il mais d'osteir recreant?
— Ço n'iert », dist Guenes, « tant cum vivet Rollant :
N'ad tel vassal d'ici qu'en Orient.
Mult par est proz Olivier, sis cumpainz;
560 Li .XII. per, que Carles aimet tant,
Funt les enguardes a .XX. milie de Francs.
Soürs est Carles, ne crent hume vivant. » AOI.

© ⊗∞ XLIII ∞⊗ ©

« BEL sire Guenes », dist Marsilies li reis,
      « Jo ai tel gent, plus bele ne verreiz;
565 Quatre cenz milie chevalers puis aveir.
Puis m'en cumbatre a Carle e a Franceis? »
Guesnes respunt : « Ne vus a ceste feiz!

— Jamais », dit Ganelon, « tant que vivra son neveu. Il n'y a si vaillant que Roland sous la chape du ciel. Et c'est un preux aussi qu'Olivier, son compagnon. Et les douze pairs, que Charles aime tant, forment son avant-garde avec vingt mille chevaliers. Charles est en sûreté, il ne craint homme qui vive. »

◎ ∞ XLII ∞ ◎

LE Sarrasin dit : « Je m'émerveille grande-ment. Charlemagne est chenu et blanc; à mon escient il a deux cents ans et plus; par tant de terres il a passé en les conqué-rant, il a pris tant de coups de bonnes lances tranchantes, il a tué et vaincu en bataille tant de riches rois : quand sera-t-il enfin recru de guerroyer? — Jamais », dit Ganelon, « tant que Roland vivra. Il n'y a pas si vaillant d'ici jusqu'en Orient. Il est très preux aussi, son compagnon Olivier. Et les douze pairs, que Charles aime tant, forment son avant-garde avec vingt mille Français. Charles est en sûreté; il ne craint homme vivant. »

◎ ∞ XLIII ∞ ◎

« BEAU sire Ganelon », dit le roi Marsile, « j'ai une armée, jamais vous ne verrez plus belle; j'y puis avoir quatre cent mille

De voz paiens mult grant perte i avreiz.
Lessez la folie, tenez vos al saveir.
570 L'empereür tant li dunez aveir
N'i ait Franceis ki tot ne s'en merveilt.
Par .XX. hostages que li enveiereiz
En dulce France s'en repairerat li reis;
Sa rereguarde lerrat derere sei.
575 Iert i sis niés, li quens Rollant, ço crei,
E Oliver, li proz e li curteis.
Mort sunt li cunte, se est ki mei en creit.
Carles verrat sun grant orguill cadeir;
N'avrat talent que ja mais vus guerreit. » AOI.

© ⊗⊗ XLIV ⊗⊗ ©

580 « BEL sire Guenes . . . .
Cum faitement purrai Rollant ocire? »
Guenes respont : « Ço vos sai jo ben dire.
Li reis serat as meillors porz de Sizer;
Sa rereguarde avrat detrés sei mise;
585 Iert i sis niés, li quens Rollant, li riches,
E Oliver, en qui il tant se fiet.
.XX. milie Francs unt en lur cumpaignie.
De voz paiens lur enveiez .C. milie :
Une bataille lur i rendent cil primes;
590 La gent de France iert blecee e blesmie;
Nel di por ço, des voz iert la martirie.
Altre bataille lur livrez de meïsme :
De quel que seit Rollant n'estuertrat mie.

chevaliers : puis-je combattre Charles et les
Français? » Ganelon répond : « Pas de sitôt!
Vous y perdriez de vos païens en masse.
Laissez la folie; tenez-vous à la sagesse!
Donnez à l'empereur tant de vos biens qu'il
n'y ait Français qui ne s'en émerveille. Pour
vingt otages que vous lui enverrez, vers douce
France le roi repartira. Derrière lui il laissera
son arrière-garde. Son neveu en sera, je crois,
le comte Roland, et aussi Olivier, le preux
et le courtois : ils sont morts, les deux comtes,
si je trouve qui m'écoute. Charles verra son
grand orgueil choir; l'envie lui passera de
jamais guerroyer contre vous. »

© ∞ XLIV ∞ ©

« **B**EAU sire Ganelon, [. . . .] comment pour-
rai-je faire périr Roland? » Ganelon
répond : « Je sais bien vous le dire. Le roi
viendra aux meilleures ports de Cize : derrière
lui il aura laissé son arrière-garde. Son neveu
en sera, le puissant comte Roland, et Olivier,
en qui tant il se fie, et en leur compagnie vingt
mille Français. De vos païens envoyez-leur
cent mille, et qu'ils leur livrent une première
bataille. La gent de France y sera meurtrie
et mise à mal, et il y aura aussi, je ne dis pas,
grande tuerie des vôtres. Mais livrez-leur
de même une seconde bataille : qu'il tombe

Dunc avrez faite gente chevalerie;
595 N'avrez mais guere en tute vostre vie. AOI.

◎ ∞ XLV ∞ ◎

C HI purreit faire que Rollant i fust mort,
Dunc perdreit Carles le destre braz del cors,
Si remeindreient les merveilluses oz;
N'asemblereit jamais Carles si grant esforz;
600 Tere Major remeindreit en repos. »
Quan l'ot Marsilie, si l'ad baiset el col,
Puis si cumencet a venir ses tresors. AOI.

◎ ∞ XLVI ∞ ◎

Ç O dist Marsilies : « Qu'en parlereient...
Cunseill n'est proz dunt hume. . . . .
605 La traïsun me jurrez de Rollant. »
Ço respunt Guenes : « Issi seit cum vos plaist! »
Sur les reliques de s'espee Murgleis
La traïsun jurat e si s'en est forsfait. AOI.

◎ ∞ XLVII ∞ ◎

U N faldestoed i out d'un olifant.
610 Marsilies fait porter un livre avant :
La lei i fut Mahum e Tervagan.
Ço ad juret li Sarrazins espans,
Se en rereguarde troevet le cors Rollant,
Cumbatrat sei a trestute sa gent

dans l'une ou dans l'autre, Roland n'échappera pas. Alors vous aurez accompli une belle chevalerie, et de toute votre vie vous n'aurez plus la guerre.

◎ ∞ XLV ∞ ◎

« Qui pourrait faire que Roland y fût tué, Charles perdrait le bras droit de son corps. C'en serait fait des armées merveilleuses; Charles n'assemblerait plus de si grandes levées: la Terre des Aïeux resterait en repos! » Quand Marsile l'entend, il l'a baisé au cou; puis... (?)

◎ ∞ XLVI ∞ ◎

Marsile dit : « [. .] Un accord ne vaut guère, si [. .] Vous me jurerez de trahir Roland. » Ganelon répond : « Qu'il en soit comme il vous plaît! » Sur les reliques de son épée Murgleis, il jura la trahison; et voilà qu'il a forfait.

◎ ∞ XLVII ∞ ◎

Il y avait là un siège, tout d'ivoire. Marsile fait apporter un livre : la loi de Mahomet et de Tervagan y est écrite. Il jure, le Sarrasin d'Espagne, que, s'il trouve Roland à l'arrière-garde, il combattra avec toute sa gent, et,

615 E, se il poet, murrat i veirement.
Guenes respunt : « Ben seit vostre comant ! » AOI.

◉ ∞ XLVIII ∞ ◉

A TANT i vint uns paiens, Valdabruns.
Icil en vait al rei Marsiliun.
Cler en riant l'ad dit a Guenelun :
620 « Tenez l'espee, meillur n'en at nuls hom ;
Entre les helz ad plus de mil manguns.
Par amistiez, bel sire, la vos duins,
Que nos aidez de Rollant le barun,
Qu'en rereguarde trover le poüsum.
625 — Ben serat fait », li quens Guenes respunt ;
Puis se baiserent es vis e es mentuns.

◉ ∞ XLIX ∞ ◉

A PRÈS i vint un paien, Climorins.
Cler en riant a Guenelun l'ad dit :
« Tenez mun helme, unches meillor ne vi...,
630 Si nos aidez de Rollant li marchis,
Par quel mesure le poüssum hunir.
— Ben serat fait », Guenes respundit ;
Puis se baiserent es buches e es vis. AOI.

◉ ∞ L ∞ ◉

A TANT i vint la reïne Bramimunde :
635 « Jo vos aim mult, sire », dist ele al cunte,

s'il peut, Roland mourra là. Ganelon répond :
« Puisse votre volonté s'accomplir ! »

◎ ∞ XLVIII ∞ ◎

ALORS vint un païen, Valdabron. Il s'approche
du roi Marsile. En riant clair il dit à
Ganelon : « Prenez mon épée, nul n'en a de
meilleure; la garde, à elle seule, vaut plus
de mille mangons. Par amitié, beau sire, je
vous la donne, et vous nous aiderez en sorte
que nous puissions trouver à l'arrière-garde
le preux Roland. — Ce sera fait », répond le
comte Ganelon. Puis ils se baisèrent au visage
et au menton.

◎ ∞ XLIX ∞ ◎

APRÈS s'en vint un païen, Climorin. En
riant clair il dit à Ganelon : « Prenez mon
heaume, jamais je ne vis le meilleur [. .], et
aidez-nous contre le marquis Roland, en telle
guise que nous puissions le honnir. — Ce sera
fait », répondit Ganelon. Puis ils se baisèrent
sur la bouche et au visage.

◎ ∞ L ∞ ◎

ALORS s'en vint la reine Bramimonde : « Je
vous aime fort, sire », dit-elle au comte,

« Car mult vos priset mi sire e tuit si hume.
A vostre femme enveierai dous nusches,
Bien i ad or, matices e jacunces :
Eles valent mielz que tut l'aveir de Rume;
640 Vostre emperere si bones n'en out unches. »
Il les ad prises, en sa hoese les butet. AOI.

◉ ∞ LI ∞ ◉

LI reis apelet Malduit, sun tresorer :
« L'aveir Carlun est il apareilliez? »
E cil respunt : « Oïl, sire, asez bien :
645 .VII. C. cameilz, d'or e argent cargiez,
E .XX. hostages, des plus gentilz desucz el. » AOI.

◉ ∞ LII ∞ ◉

MARSILIES tint Guenelun par l'espalle,
Si li ad dit : « Mult par ies ber e sage.
Par cele lei que vos tenez plus salve,
650 Guardez de nos ne turnez le curage.
De mun aveir vos voeill dunner grant masse,
.X. muls cargez del plus fin or d'Arabe;
Ja mais n'iert an altretel ne vos face.
Tenez les clefs de ceste citet large :
655 Le grant aveir en presentez al rei Carles,
Pois me jugez Rollant a rereguarde.
Sel pois trover a port ne a passage,

« car mon seigneur vous prise très haut; ainsi font tous ses hommes. A votre femme j'enverrai deux colliers : ils sont tout or, améthystes, hyacinthes; ils valent plus que toutes les richesses de Rome; votre empereur jamais n'en eut de si beaux. » Il les a pris, il les boute en son houseau.

◎ ❀ LI ❀ ◎

LE roi appelle Malduit, son trésorier : « Le trésor de Charles est-il apprêté? — Oui, sire, pour le mieux : sept cents chameaux, d'or et d'argent chargés, et vingt otages, des plus nobles qui soient sous le ciel. »

◎ ❀ LII ❀ ◎

MARSILE a pris Ganelon par l'épaule. Il lui dit : « Vous êtes très pieux et sage. Par cette loi que vous tenez pour la plus sainte, ne retirez plus de nous votre cœur! Je veux vous donner de mes richesses en masse, dix mulets chargés de l'or le plus fin d'Arabie; il ne passera pas d'année que je ne vous en fasse autant. Tenez, voici les clés de cette large cité; ses grands trésors, présentez-les au roi Charles; puis faites-moi mettre Roland à l'arrière-garde. Si je le puis trouver en quelque

Liverrai lui une mortel bataille. »
Guenes respunt : « Mei est vis que trop targe! »
660 Pois est munted, entret en sun veiage. AOI.

◎ ∞ LIII ∞ ◎

L I empereres aproismet sun repaire.
   Venuz en est a la citet de Galne :
Li quens Rollant, il l'ad e prise e fraite;
Puis icel jur en fut cent anz deserte.
665 De Guenelun atent li reis nuveles
E le treüd d'Espaigne, la grant tere.
Par main en l'albe, si cum li jurz esclairet,
Guenes li quens est venuz as herberges. AOI.

◎ ∞ LIV ∞ ◎

L I empereres est par matin levet;
670   Messe e matines ad li reis escultet.
Sur l'erbe verte estut devant sun tref.
Rollant i fut e Oliver li ber,
Neimes li dux e des altres asez.
Guenes i vint, li fels, li parjurez.
675 Par grant veisdie cumencet a parler
E dist al rei : « Salvez seiez de Deu!
De Sarraguce ci vos aport les clefs;
Mult grant aveir vos en faz amener
E .XX. hostages, faites les ben guarder,
680 E si vos mandet reis Marsilies li ber

port ou passage, je lui livrerai une bataille
à mort. » Ganelon répond : « Je m'attarde trop,
je crois. » Il monte à cheval, entre en sa route.

◎ ∞ LIII ∞ ◎

L'EMPEREUR se rapproche des pays d'où il
vint. Il est venu à la cité de Galne : le
comte Roland l'avait prise et détruite; de ce
jour elle resta cent ans déserte. Le roi attend
des nouvelles de Ganelon et le tribut d'Espagne,
la grande terre. A l'aube, comme le jour se
lève, Ganelon le comte arrive au camp.

◎ ∞ LIV ∞ ◎

L'EMPEREUR s'est tôt levé. Il a écouté messe
et matines. Devant sa tente, il se tient
debout sur l'herbe verte. Roland est là, et
Olivier le preux, Naimes le duc, et beaucoup
des autres. Arrive Ganelon, le félon, le par-
jure. Avec toute sa ruse il se met à parler :
« Salut, de par Dieu! » dit-il au roi. « Je vous
apporte les clefs de Saragosse, les voici; et
voici un grand trésor que je vous amène,
et vingt otages : faites-les mettre sous bonne
garde. Et le roi Marsile, le vaillant, vous
mande que, s'il ne vous livre pas l'Algalife,
vous ne l'en devez pas blâmer, car de mes

De l'algalifes nel devez pas blasmer,
Kar a mes oilz vi .IIII. C. milie armez,
Halbers vestuz, alquanz healmes fermez,
Ceintes espees as punz d'or neielez,
685 Ki l'en cunduistrent tresqu'en la mer :
De Marcilie s'en fuient por la chrestientet
Que il ne voelent ne tenir ne guarder.
Einz qu'il oüssent .IIII. liues siglet,
Sis aquillit e tempeste e ored :
690 La sunt neiez, jamais nes en verrez;
Se il fust vif, jo l'oüsse amenet.
Del rei paien, sire, par veir creez
Ja ne verrez cest premer meis passet
Qu'il vos sivrat en France le regnet,
695 Si recevrat la lei que vos tenez;
Jointes ses mains iert vostre comandet;
De vos tendrat Espaigne le regnet. »
Ço dist li reis : « Graciet en seit Deus!
Ben l'avez fait; mult grant prod i avrez. »
700 Par mi cel ost funt mil grailles suner.
Franc desherbergent, funt lur sumers trosser,
Vers dulce France tuit sunt achiminez. AOI.

◎ ∞ LV ∞ ◎

CARLES li magnes ad Espaigne guastede,
Les castels pris, les citez violees.
705 Ço dit li reis que sa guere out finee.
706-7 Vers dulce France chevalchet l'emperere.
Li quens Rollant ad l'enseigne fermee,

yeux j'ai vu quatre cent mille hommes en armes, revêtus du haubert, beaucoup portant lacé le heaume et ceints de leurs épées aux pommeaux d'or niellé, qui ont accompagné l'Algalife jusque sur la mer. Ils fuyaient Marsile à cause de la loi chrétienne, qu'ils ne voulaient pas recevoir et garder. Ils n'avaient pas cinglé à quatre lieues au large, quand la tempête et l'orage les saisirent : ils furent noyés, jamais vous n'en verrez un seul. Si l'Algalife était en vie, je vous l'eusse amené. Quant au roi païen, sire, tenez pour vrai que vous ne verrez point ce premier mois passer sans qu'il vous suive au royaume de France : il recevra la loi que vous gardez; les mains jointes, il deviendra votre homme; c'est de vous qu'il tiendra le royaume d'Espagne. » Le roi dit : « Que Dieu soit remercié! Vous m'avez bien servi, vous en aurez grande récompense. » Par l'armée, on fait sonner mille clairons. Les Francs lèvent le camp, troussent les bêtes de somme. Vers douce France tous s'acheminent.

◎ ∞ LV ∞ ◎

CHARLEMAGNE a ravagé l'Espagne, pris les châteaux, violé les cités. Sa guerre, dit-il, est achevée. Vers douce France l'empereur chevauche. Le comte Roland attache à sa lance le gonfanon; du haut d'un tertre, il

En sum un tertre cuntre le ciel levee.
Franc se herbergent par tute la cuntree.
710 Paien chevalchent par cez greignurs valees,
Halbercs vestuz e trés bien. . . . .
Healmes lacez e ceintes lur espees,
Escuz as cols e lances adubees.
En un bruill par sum les puis remestrent.
715 .IIII. C. milie atendent l'ajurnee.
Deus! quel dulur que li Franceis nel sevent! AOI.

◎ ∞ LVI ∞ ◎

TRESVAIT le jur, la noit est aserie.
   Carles se dort, li empereres riches.
Sunjat qu'il eret al greignurs porz de Sizer,
720 Entre ses poinz teneit sa hanste fraisnine.
Guenes li quens l'ad sur lui saisie.
Par tel aïr l'at trussee e brandie
Qu'envers le cel en volent les escicles.
Carles se dort, qu'il ne s'esveillet mie.

◎ ∞ LVII ∞ ◎

725 APRÈS iceste altre avisum sunjat :
   Qu'il ert en France, a sa capele, ad Ais.
El destre braz li morst uns vers si mals.
Devers Ardene vit venir uns leuparz,
Sun cors demenie mult fierement asalt.
730 D'enz de sale uns veltres avalat,
Que vint a Carles lé galops e les salz.

l'élève vers le ciel : à ce signe, les Francs dressent leurs campements par toute la contrée. Or, par les larges vallées, les païens chevauchent, le haubert endossé, [. .] le heaume lacé, l'épée ceinte, l'écu au col, la lance appareillée. Dans une forêt, au sommet des monts, ils ont fait halte. Ils sont quatre cent mille, qui attendent l'aube. Dieu ! quelle douleur que les Français ne le sachent pas !

◎ ◦◦◦ LVI ◦◦◦ ◎

Le jour s'en va, la nuit s'est faite noire. Charles dort, l'empereur puissant. Il eut un songe : il était aux plus grands ports de Cize; entre ses poings il tenait sa lance de frêne. Ganelon le comte l'a saisie; si rudement il la secoue que vers le ciel en volent des éclisses. Charles dort; il ne s'éveille pas.

◎ ◦◦◦ LVII ◦◦◦ ◎

Après cette vision, une autre lui vint. Il songea qu'il était en France, en sa chapelle, à Aix. Une bête très cruelle le mordait au bras droit. Devers l'Ardenne il vit venir un léopard, qui, très hardiment, s'attaque à son corps même. Du fond de la salle dévale un vautre; il court vers Charles au galop et par bonds, tranche

La destre oreille al premer ver trenchat,
Ireement se cumbat al lepart.
Dient Franceis que grant bataille i ad :
735 Il ne sevent liquels d'els la veintrat.
Carles se dort, mie ne s'esveillat. AOI.

◎ ∞ LVIII ∞ ◎

TRESVAIT la noit e apert la clere albe.
Par mi cel host. . . . .
Li empereres mult fierement chevalchet.
740 « Seignurs barons », dist li emperere Carles,
« Veez les porz e les destreiz passages :
Kar me jugez ki ert en la rereguarde. »
Guenes respunt : « Rollant, cist miens fillastre :
N'avez baron de si grant vasselage. »
745 Quant l'ot li reis, fierement le reguardet,
Si li ad dit : « Vos estes vifs diables.
El cors vos est entree mortel rage.
E ki serat devant mei en l'ansguarde? »
Guenes respunt : « Oger de Denemarche :
750 N'avez barun ki mielz de lui la facet. »

◎ ∞ LIX ∞ ◎

LI quens Rollant, quant il s'oït juger, AOI.
Dunc ad parled a lei de chevaler :
« Sire parastre, mult vos dei aveir cher :
La rereguarde avez sur mei jugiet!
755 N'i perdrat Carles, li reis ki France tient,

à la première bête l'oreille droite et furieusement combat le léopard. Les Français disent : « Voilà une grande bataille ! » Lequel des deux vaincra ? Ils ne savent. Charles dort, il ne s'est pas réveillé.

◎ ∞ LVIII ∞ ◎

LA nuit passe toute, l'aube se lève claire. Par les rangs de l'armée, [. .] l'empereur chevauche fièrement. « Seigneurs barons », dit l'empereur Charles, « voyez les ports et les étroits passages : choisissez-moi qui fera l'arrière-garde. » Ganelon répond : « Ce sera Roland, mon fillâtre : vous n'avez baron d'aussi grande vaillance. » Le roi l'entend, le regarde durement. Puis il lui dit : « Vous êtes un démon. Au corps vous est entrée une mortelle frénésie. Et qui donc fera devant moi l'avant-garde ? » Ganelon répond : « Ogier de Danemark ; vous n'avez baron qui mieux que lui la fasse. »

◎ ∞ LIX ∞ ◎

LE comte Roland s'est entendu nommer. Alors il parla comme un chevalier doit faire : « Sire parâtre, j'ai bien lieu de vous chérir : vous m'avez élu pour l'arrière-garde. Charles, le roi qui tient la France, n'y perdra,

Men escientre, palefreid ne destrer,
Ne mul ne mule que deiet chevalcher,
Ne n'i perdrat ne runcin ne sumer
Que as espees ne seit einz eslegiet. »
760 Guenes respunt : « Veir dites, jol sai bien. » AOI.

◦ ◆◆◆ LX ◆◆◆ ◦

Q UANT ot Rollant qu'il ert en la rereguarde,
    Ireement parlat a sun parastre :
« Ahi! culvert, malvais hom de put aire,
Quias le guant me caïst en la place,
765 Cuma fist a tei le bastun devant Carle? » AOI.

◦ ◆◆◆ LXI ◆◆◆ ◦

« D REIZ emperere », dist Rollant le barun,
    « Dunez mei l'arc que vos tenez el poign.
Men escientre, nel me reproverunt
Que il me chedet cum fist a Guenelun
770 De sa main destre, quant reçut le bastun. »
Li empereres en tint sun chef enbrunc,
Si duist sa barbe e detoerst sun gernun,
Ne poet muer que des oilz ne plurt.

◦ ◆◆◆ LXII ◆◆◆ ◦

A NPRES iço i est Neimes venud,
775   Meillor vassal n'out en la curt de lui,

je crois, palefroi ni destrier, mulet ni mule qu'il doive chevaucher, il n'y perdra cheval de selle ni cheval de charge qu'on ne l'ait d'abord disputé par l'épée. » Ganelon répond : « Vous dites vrai, je le sais bien. »

◦ ❀ LX ❀ ◦

QUAND Roland entend qu'il sera à l'arrière-garde, il dit, irrité, à son parâtre : « Ah! truand, méchant homme de vile souche, l'avais-tu donc cru, que je laisserais choir le gant par terre, comme toi le bâton, devant Charles?

◦ ❀ LXI ❀ ◦

« DROIT empereur », dit Roland le baron, « donnez-moi l'arc que vous tenez au poing. Nul ne me reprochera, je crois, de l'avoir laissé choir, comme fit Ganelon du bâton qu'avait reçu sa main droite. » L'empereur tient la tête baissée. Il lisse sa barbe, tord sa moustache. Il pleure, il ne peut s'en tenir.

◦ ❀ LXII ❀ ◦

ALORS vint Naimes : en la cour il n'y a pas meilleur vassal. Il dit au roi : « Vous l'avez

E dist al rei : « Ben l'avez entendut;
Li quens Rollant, il est mult irascut.
La rereguarde est jugee sur lui :
N'avez baron ki jamais la remut.
780 Dunez li l'arc que vos avez tendut,
Si li truvez ki trés bien li aiut! »
Li reis li dunet e Rollant l'a reçut.

◎ ✾ LXIII ✾ ◎

Li empereres apelet ses niés Rollant :
« Bel sire niés, or savez veirement
785 Demi mun host vos lerrai en present.
Retenez les, ço est vostre salvement. »
Ço dit li quens : « Jo n'en ferai nient.
Deus me cunfunde, se la geste en desment!
.XX. milie Francs retendrai ben vaillanz.
790 Passez les porz trestut soürement :
Ja mar crendrez nul hume a mun vivant! »

◎ ✾ LXIV ✾ ◎

Li quens Rollant est muntet el destrer. AOI.
Cuntre lui vient sis cumpainz Oliver.
Vint i Gerins e li proz quens Gerers,
795 E vint i Otes, si i vint Berengers
E vint i Astors e Anseïs li fiers,
Vint i Gerart de Rossillon li veillz ;
Venuz i est li riches dux Gaifiers.

entendu, le comte Roland est rempli de colère. Le voilà marqué pour l'arrière-garde : vous n'avez pas un baron qui puisse rien y changer. Donnez-lui l'arc que vous avez tendu, et trouvez-lui qui bien l'assiste! » Le roi donne l'arc et Roland l'a reçu.

◎ ◈◈ LXIII ◈◈ ◎

L'EMPEREUR dit à son neveu Roland : « Beau sire neveu, vous le savez bien, c'est la moitié de mes armées que je vous offre et vous laisserai. Gardez avec vous ces troupes, c'est votre salut. » Le comte dit : « Je n'en ferai rien. Dieu me confonde, si je démens mon lignage! Je garderai avec moi vingt mille Français bien vaillants. En toute assurance passez les ports. Vous auriez tort de craindre personne, moi vivant. »

◎ ◈◈ LXIV ◈◈ ◎

LE comte Roland est monté sur son destrier. Vers lui vient son compagnon, Olivier. Gerin vient et le preux comte Gerier, et Oton vient et Bérengier vient, et Astor vient, et Anseïs le fier, et Gérard de Roussillon le vieux, et le riche duc Gaifier est venu. L'archevêque dit : « Par mon chef, j'irai! — Et moi avec vous »,

Dist l'arcevesque : « Jo irai, par mun chef!
800 — E jo od vos », ço dist li quens Gualters;
« Hom sui Rollant, jo ne li dei faillir. »
Entr'els eslisent .XX. milie chevalers. AOI.

◎ ∞ LXV ∞ ◎

Lı quens Rollant Gualter de l'Hum apelet :
« Pernez mil Francs de France, nostre tere,
805 Si purpernez les destreiz e les tertres,
Que l'emperere nis un des soens n'i perdet. » AOI
Respunt Gualter : « Pur vos le dei ben faire. »
Od mil Franceis de France, la lur tere,
Gualter desrenget les destreit e les tertres :
810 N'en descendrat pur malvaises nuveles
Enceis qu'en seient .VII. C. espees traites.
Reis Almaris del regne de Belferne
Une bataille lur livrat le jur pesme.

◎ ∞ LXVI ∞ ◎

Halt sunt li pui e li val tenebrus,
815 Les roches bises, les destreiz merveillus.
Le jur passerent Franceis a grant dulur.
De .XV. liues en ot hom la rimur.
Puis que il venent a la Tere Majur;
Virent Guascuigne, la tere lur seignur;
820 Dunc lur remembret des fius e des honurs,
E des pulcele e des gentilz oixurs :

dit le comte Gautier; « je suis homme de Roland, je ne dois pas lui faillir. » Ils choisissent entre eux vingt mille chevaliers.

◎ ∾ LXV ∾ ◎

LE comte Roland appelle Gautier de l'Hum : « Prenez mille Français de France, notre terre, et tenez les défilés et les hauteurs, afin que l'empereur ne perde pas un seul des hommes qui sont avec lui. » Gautier répond : « Pour vous je le dois bien faire. » Avec mille Français de France, qui est leur terre, Gautier sort des rangs et va par les défilés et les hauteurs. Pour les pires nouvelles il n'en redescendra pas avant que des épées sans nombre aient été dégainées. Ce jour-là même, le roi Almaris, du pays de Belferne, leur livra une bataille dure.

◎ ∾ LXVI ∾ ◎

HAUTS sont les monts et ténébreux les vaux, les roches bises, sinistres les défilés. Ce jour-là même, les Français les passent à grande douleur. De quinze lieues on entend leur marche. Quand ils parviennent à la terre des Aïeux et voient la Gascogne, domaine de leur seigneur, il leur souvient de leurs fiefs, et des filles de chez eux, et de leurs nobles femmes.

Cel nen i ad ki de pitet ne plurt.
Sur tuz les altres est Carles anguissus :
As porz d'Espaigne ad lesset sun nevold.
825 Pitet l'en prent, ne poet muer n'en plurt. AOI.

© ✛ LXVII ✛ ©

Li .XII. per sunt remés en Espaigne.
.XX. milie Francs unt en lur cumpaigne,
Nen unt poür ne de murir dutance.
Li emperere s'en repairet en France;
830 Suz sun mantel en fait la cuntenance.
Dejuste lui li dux Neimes chevalchet
E dit al rei : « De quei avez pesance? »
Carles respunt : « Tort fait kil me demandet!
Si grant doel ai ne puis muer nel pleigne.
835 Par Guenelun serat destruite France.
Enoit m'avint un' avisiun d'angele,
Qu'entre mes puinz me depeçout ma hanste :
Chi ad juget mis nés a rereguarde.
Jo l'ai lesset en une estrange marche.
840 Deus! se jol pert, ja n'en avrai escange. » AOI.

© ✛ LXVIII ✛ ©

Carles li magnes ne poet muer n'en plurt.
.C. milie Francs pur lui unt grant tendrur
E de Rollant merveilluse poür.
Guenes li fels en ad fait traïsun :

Pas un qui n'en pleure de tendresse. Sur tous les autres Charles est plein d'angoisse : aux ports d'Espagne, il a laissé son neveu. Pitié lui en prend; il pleure, il ne peut s'en tenir.

© ∞ LXVII ∞ ©

LES douze pairs sont restés en Espagne; en leur compagnie, vingt mille Français, tous sans peur et qui ne craignent pas la mort. L'empereur s'en retourne en France; sous son manteau il cache son angoisse. Auprès de lui le duc Naimes chevauche, qui lui dit : « Qu'est-ce donc qui vous tourmente? » Charles répond : « Qui le demande m'offense. Ma douleur est si grande que je ne puis la taire. Par Ganelon France sera détruite. Cette nuit une vision me vint, de par un ange : entre mes poings, Ganelon brisait ma lance, et voici qu'il a marqué mon neveu pour l'arrière-garde. Je l'ai laissé dans une marche étrangère. Dieu! si je le perds, jamais je n'aurai qui le remplace. »

© ∞ LXVIII ∞ ©

CHARLEMAGNE pleure, il ne peut s'en défendre. Cent mille Français s'attendrissent sur lui et tremblent pour Roland, remplis d'une étrange peur. Ganelon le félon l'a trahi : il a reçu du

845 Del rei paien en ad oüd granz duns,
  Or e argent, palies e ciclatuns,
  Muls e chevals e cameilz e leuns.
  Marsilies mandet d'Espaigne les baruns,
  Cuntes, vezcuntes e dux e almaçurs,
850 Les amirafles e les filz as cunturs :
  .IIII. C. milie en ajustet en .III. jurz;
  En Sarraguce fait suner ses taburs.
  Mahumet levent en la plus halte tur :
  N'i ad paien nel prit e ne l'aort.
855 Puis si chevalchent par mult grant cuntençun
  La Tere Certaine e les vals et les munz :
  De cels de France virent les gunfanuns.
  La rereguarde des .XII. cumpaignuns
  Ne lesserat bataille ne lur dunt.

◎ ∞ LXIX ∞ ◎

860 L I niés Marsilie, il est venuz avant
   Sur un mulet, od un bastun tuchant.
  Dist a sun uncle belement en riant :
  « Bel sire reis, jo vos ai servit tant,
  Sin ai oüt e peines e ahans,
865 Faites batailles e vencues en champ!
  Dunez m'un feu, ço est le colp de Rollant;
  Jo l'ocirai a mun espiet trenchant.
  Se Mahumet me voelt estre guarant,
  De tute Espaigne aquiterai les pans
870 Des porz d'Espaigne entresqu'a Durestant.
  Las serat Carles, si recrerrunt si Franc;

roi païen de grands dons, or et argent, ciclatons
et draps de soie, mulets et chevaux, et cha-
meaux et lions. Or Marsile a mandé par
l'Espagne les barons, comtes, vicomtes et ducs
et almaçours, les amirafles et les fils des comtors.
Il en rassemble en trois jours quatre cent mille,
et par Saragosse fait retentir ses tambours.
On dresse sur la plus haute tour Mahomet, et
chaque païen le prie et l'adore. Puis, à marches
forcées, par la Terre Certaine, tous chevauchent,
passent les vaux, passent les monts : enfin ils ont
vu les gonfanons de ceux de France. L'arrière-
garde des douze compagnons ne laissera pas
d'accepter la bataille.

◎ ∞ LXIX ∞ ◎

LE neveu de Marsile, sur un mulet qu'il
touche d'un bâton, s'est avancé. Il dit à
son oncle, en riant bellement : « Beau sire roi,
je vous ai si longuement servi; j'ai reçu pour
tout salaire des peines et des tourments! Tant
de batailles livrées et gagnées! Donnez-moi
un fief : le don de frapper contre Roland le
premier coup! Je le tuerai de mon épieu tran-
chant. Si Mahomet me veut prendre en sa
garde, j'affranchirai toutes les contrées de
l'Espagne, depuis les ports d'Espagne jusqu'à

Ja n'avrez mais guere en tut vostre vivant. »
Li reis Marsilie l'en ad dunet le guant. AOI.

◎ ⌘ LXX ⌘ ◎

875 **L**I niés Marsilies tient le guant en sun poign,
Sun uncle apelet de mult fiere raisun :
« Bel sire reis, fait m'avez un grant dun.
Eslisez mei .XII. de voz baruns,
Sim cumbatrai as .XII. cumpaignuns. »
Tut premerein l'en respunt Falsaron,
880 Icil ert frere al rei Marsiliun :
« Bel sire niés, e jo e vos irum.
Ceste bataille veirement la ferum :
La rereguarde de la grant host Carlun,
Il est juget que nus les ocirum. » AOI.

◎ ⌘ LXXI ⌘ ◎

885 **R**EIS Corsalis, il est de l'altre part.
Barbarins est e mult de males arz.
Cil ad parlet a lei de bon vassal :
Pur tut l'or Deu ne volt estre cuard.....
. . . .
As vos poignant Malprimis de Brigant :
890 Plus curt a piet que ne fait un cheval.
Devant Marsilie cil s'escriet mult halt :
« Jo cunduirai mun cors en Rencesvals;
Se truis Rollant, ne lerrai que nel mat! »

Durestant. Charles sera las, les Français se rendront; vous n'aurez plus de guerre de toute votre vie. » Le roi Marsile lui en donne le gant.

◎ ✪ LXX ✪ ◎

LE neveu de Marsile tient le gant dans son poing. Il dit à son oncle une parole fière : « Beau sire roi, vous m'avez fait un grand don. Or, choisissez-moi douze de vos barons; avec eux je combattrai les douze pairs. » Tout le premier, Falsaron répond, qui était frère du roi Marsile : « Beau sire neveu, nous irons, vous et moi; certes, nous la livrerons, cette bataille, à l'arrière-garde de la grande ost de Charles. C'est jugé : nous les tuerons! »

◎ ✪ LXXI ✪ ◎

VIENT d'autre part le roi Corsalis. Il est de Barbarie et sait les arts maléfiques. Il parle en vrai baron : pour tout l'or de Dieu il ne voudrait faire une couardise [. .]. Vient au galop Malprimis de Brigant : à la course, il est plus vite qu'un cheval. Devant Marsile il s'écrie à voix très haute : « Je mènerai mon corps à Roncevaux. Si j'y trouve Roland, je saurai le mater. »

◎ ∞ LXXII ∞ ◎

Uns amurafles i ad de Balaguez;
895   Cors ad mult gent e le vis fier e cler;
Puis que il est sur sun cheval muntet,
Mult se fait fiers de ses armes porter;
De vasselage est il ben alosez;
Fust chrestiens, asez oüst barnet.
900 Devant Marsilie cil en est escriet :
« En Rencesvals irai mun cors juer!
Se truis Rollant, de mort serat finet
E Oliver e tuz les .XII. pers.
Franceis murrunt a doel e a viltiet.
905 Carles li magnes velz est e redotez :
Recreanz ert de sa guerre mener,
Si nus remeindrat Espaigne en quitedet. »
Li reis Marsilie mult l'en ad merciet. AOI.

◎ ∞ LXXIII ∞ ◎

Uns almaçurs i ad de Moriane;
910   N'ad plus felun en la tere d'Espaigne.
Devant Marsilie ad faite sa vantance :
« En Rencesvals guierai ma cumpaigne,
.XX. milie ad escuz e a lances.
Se trois Rollant, de mort li duins fiance.
915 Jamais n'ert jor que Carles ne se pleignet. » AOI.

◎ ∞ LXXIV ∞ ◎

D'altre part est Turgis de Turteluse :
  Cil est uns quens, si est la citet sue.

◎ ∞ LXXII ∞ ◎

UN amuraﬂe est là, de Balaguer. Son corps
est très beau, sa face hardie et claire. Quand
une fois il s'est mis en selle, il se fait fier sous
l'armure. Pour le courage il a bonne renommée :
vrai baron, s'il était chrétien. Devant Marsile,
il s'est écrié : « A Ronceveaux, j'irai jouer mon
corps. Si j'y trouve Roland, il est mort, et morts
Olivier et tous les douze pairs, et morts tous les
Français, à grand deuil, à grand'honte. Charles
le Grand est vieux, il radote; il en aura assez
de mener sa guerre; l'Espagne nous restera,
affranchie. » Le roi Marsile lui rend maintes
grâces.

◎ ∞ LXXIII ∞ ◎

UN almaçour est là, de Moriane : il n'y a
pas plus félon sur la terre d'Espagne.
Devant Marsile il fait sa vanterie : « A Ronce-
vaux je conduirai ma gent, vingt mille hommes,
portant écus et lances. Si je trouve Roland, il
est mort, je lui en jure ma foi : chaque jour
Charles en dira sa plainte. »

◎ ∞ LXXIV ∞ ◎

D'AUTRE part, voici Turgis de Tortelose : il
est comte et la cité de Tortelose est sienne.

De chrestiens voelt faire male vode,
Devant Marsilie as altres si s'ajustet;
920 Ço dist al rei : « Ne vos esmaiez unches!
Plus valt Mahum que seint Perre de Rume :
Se lui servez, l'onur del camp ert nostre.
En Rencesvals a Rollant irai juindre,
De mort n'avrat guarantisun por hume.
925 Veez m'espee, ki est e bone e lunge :
A Durendal jo la metrai encuntre;
Asez orrez laquele irat desure.
Franceis murrunt, si a nus s'abandunent;
Carles li velz avrat e deol e hunte.
930 Jamais en tere ne porterat curone. »

◎ ∞ LXXV ∞ ◎

De l'altre part est Escremiz de Valterne :
Sarrazins est, si est sue la tere.
Devant Marsilie s'escriet en la presse :
« En Rencesvals irai l'orgoill desfaire.
935 Se trois Rollant, n'en porterat la teste,
Ne Oliver, ki les altres cadelet.
Li .XII. per tuit sunt jugez a perdre.
Franceis murrunt e France en ert deserte.
De bons vassals avrat Carles suffraite. » AOI.

◎ ∞ LXXVI ∞ ◎

940 D'altre part est uns paiens, Esturganz ;
Estramariz i est, un soens cumpainz :

Aux chrétiens il souhaite male mort. Il se
range devant Marsile près des autres et dit au
roi : « Ne craignez rien! Plus vaut Mahomet
que saint Pierre de Rome : si vous le servez,
l'honneur du champ nous restera. A Roncevaux
j'irai joindre Roland : nul ne le garantira contre
la mort. Voyez mon épée, qui est bonne et
longue. Contre Durendal je veux l'essayer.
Laquelle aura le dessus? Vous l'entendrez bien
dire. Les Français périront, si contre nous ils
s'aventurent. Charles le Vieux en aura douleur
et honte. Jamais plus sur terre il ne portera
la couronne. »

◎ ∞ LXXV ∞ ◎

D'AUTRE part voici Escremiz de Valterne. Il
est Sarrasin et Valterne est son fief.
Devant Marsile il s'écrie dans la foule : « A
Roncevaux j'irai, pour abattre l'orgueil. Si
j'y trouve Roland, il n'en remportera pas sa
tête, ni Olivier, celui qui commande les autres.
Les douze pairs sont tous marqués pour périr.
Les Français mourront, la France en sera vidée.
Charles aura disette de bons vassaux. »

◎ ∞ LXXVI ∞ ◎

D'AUTRE part voici un païen, Esturgant;
avec lui Estramariz, un sien compagnon :

Cil sunt felun, traïtur suduiant.
Ço dist Marsilie : « Seignurs, venez avant!
En Rencesvals irez as porz passant,
945 Si aiderez a cunduire ma gent. »
E cil respundent : « A vostre comandement!
Nus asaldrum Oliver e Rollant;
Li .XII. per n'avrunt de mort guarant.
Noz espees sunt bones e tranchant;
950 Nus les feruns vermeilles de chald sanc.
Franceis murrunt, Carles en ert dolent;
Tere Majur vos metrum en present.
Venez i, reis, sil verrez veirement :
L'empereor vos metrum en present. »

© ෴ LXXVII ෴ ©

955 CURANT i vint Margariz de Sibilie;
    Cil tient la tere entre qu'as Cazmarine.
Pur sa beltet dames li sunt amies :
Cele nel veit vers lui ne s'esclargisset;
Quant ele le veit, ne poet muer ne riet;
960 N'i ad paien de tel chevalerie.
Vint en la presse, sur les altres s'escriet
E dist al rei : « Ne vos esmaiez mie!
En Rencesvals irai Rollant ocire,
Ne Oliver n'en porterat la vie.
965 Li .XII. per sunt remés en martirie.
Veez m'espee, ki d'or est enheldie,
Si la tramist li amiralz de Primes.

tous deux félons, traîtres prouvés. Marsile dit :
« Seigneurs, avancez! A Roncevaux vous irez
au passage des ports, et vous aiderez à conduire
ma gent. » Et ils répondent : « A votre com-
mandement! Nous attaquerons Olivier et
Roland; contre la mort les douze pairs n'auront
pas de garant. Nos épées sont bonnes et tran-
chantes : nous les ferons vermeilles de sang
chaud. Les Français mourront, Charles en pleu-
rera; la Terre des Aïeux, nous vous la donne-
rons. Venez-y, roi; en vérité, vous le verrez :
nous vous donnerons l'empereur lui-même. »

© ⚭ LXXVII ⚭ ©

Tout courant vient Margariz de Séville.
Celui-là tient la terre jusqu'aux Cazmarines.
Pour sa beauté les dames lui sont amies : pas
une qui, à le voir, ne s'épanouisse et ne lui rie.
Nul païen n'est si bon chevalier. Il vient dans
la foule et par-dessus les autres crie au roi :
« N'ayez nulle crainte! A Roncevaux j'irai tuer
Roland; non plus que lui Olivier ne sauvera
sa vie; les douze pairs sont restés pour leur
martyre. Voyez mon épée, dont la garde est
d'or : c'est l'émir de Primes qui me l'envoya.
En un sang vermeil, je vous le jure, elle plon-
gera. Les Français mourront, France en sera

Jo vos plevis qu'en vermeill sanc ert mise.
Franceis murrunt e France en ert hunie;
970 Carles li velz, a la barbe flurie,
Jamais n'ert jurn qu'il n'en ait doel e ire.
Jusqu'a un an avrum France saisie;
Gesir porrum el burc de seint Denise. »
Li reis paiens parfundement l'enclinet. AOI.

◎ ∞ LXXVIII ∞ ◎

975 DE l'altre part est Chernubles de Munigre.
Josqu'a la tere si chevoel li balient.
Greignor fais portet par giu, quant il s'enveiset,
Que .IIII. mulez ne funt, quand il sumeient.
Icele tere, ço dit, dun il esteit,
980 Soleill n'i luist ne blet n'i poet pas creistre,
Pluie n'i chet, rusee n'i adeiset,
Piere n'i ad que tute ne seit neire :
Dient alquanz que diables i meignent.
Ce dist Chernubles : « Ma bone espee ai ceinte.
985 En Rencesvals jo la teindrai vermeille.
Se trois Rollant li proz, enmi ma veie,
Se ne l'asaill, dunc ne faz jo que creire,
Si cunquerrai Durendal od la meie.
Franceis murrunt e France en ert deserte. »
990 A icez moz li .XII. per s'alient.
Itels .C. milie Sarrazins od els meinent
Ki de bataille s'arguent e hasteent.
Vunt s'aduber desuz une sapeie.

honnie. Charles le Vieux, à la barbe fleurie, à chaque jour qu'il vivra, en aura deuil et courroux. Avant un an, nous aurons la France pour butin; nous pourrons coucher au bourg de Saint-Denis. » Le roi païen s'incline devant lui profondément.

◎ ∞ LXXVIII ∞ ◎

D'AUTRE part voici Chernuble de Munigre. Sa chevelure qui flotte descend jusqu'à terre. Il peut en se jouant, quand l'humeur lui en prend, porter, et au delà, la charge de quatre mulets bâtés. Au pays dont il est, le soleil, dit-on (?), ne luit pas, le blé ne peut pas croître, la pluie ne tombe pas, la rosée ne se forme pas; il n'y a pierre qui ne soit toute noire. Plusieurs disent que c'est la demeure des diables. Chernuble dit : « J'ai ceint ma bonne épée; à Roncevaux, je la teindrai en rouge. Si je trouve Roland le preux sur ma voie sans que je l'assaille, jamais ne me croyez plus. Et de mon épée je conquerrai Durendal. Les Français mourront, France en sera déserte. » A ces mots les douze pairs s'assemblent. Avec eux ils emmènent cent mille Sarrasins, qui brûlent de combattre et se hâtent. Ils vont sous une sapinière pour s'armer.

◎ ∞ LXXIX ∞ ◎

PAIEN s'adubent des osbercs sarazineis,
995 Tuit li plusur en sunt dublez en treis.
Lacent lor elmes mult bons, sarraguzeis,
Ceignent espees de l'acer vianeis;
Escuz unt genz, espiez valentineis,
E gunfanuns blancs e blois e vermeilz.
1000 Laissent les muls e tuz les palefreiz,
Es destrers muntent, si chevalchent estreiz.
Clers fut li jurz e bels fut li soleilz :
N'unt guarnement que fut ne reflambeit.
Sunent mil grailles por ço que plus bel seit :
1005 Granz est la noise, si l'oïrent Franceis.
Dist Oliver : « Sire cumpainz, ce crei,
De Sarrazins purum bataille aveir. »
Respont Rollant : « E! Deus la nus otreit!
Ben devuns ci estre pur nostre rei.
1010 Pur sun seignor deit hom susfrir destreiz
E endurer e granz chalz e granz freiz,
Sin deit hom perdre e del quir e del peil.
Or guart chascuns que granz colps i empleit,
Que malvaise cançun de nus chantet ne seit!
1015 Paien unt tort e chrestiens unt dreit.
Malvaise essample n'en serat ja de mei. » AOI.

◎ ∞ LXXX ∞ ◎

OLIVER est desur un pui . . . . . .
Guardet su destre par mi un val herbus,

◉ ∞ LXXIX ∞ ◉

LES païens s'arment de hauberts sarrasins, presque tous à triple épaisseur de mailles, lacent leurs très bons heaumes de Saragosse, ceignent des épées d'acier viennois. Ils ont de riches écus, des épieux de Valence et des gonfanons blancs et bleus et vermeils. Ils ont laissé mulets et palefrois, ils montent sur les destriers et chevauchent en rangs serrés. Clair est le jour et beau le soleil : pas une armure qui toute ne flamboie. Mille clairons sonnent, pour que ce soit plus beau. Le bruit est grand : les Français l'entendirent. Olivier dit : « Sire compagnon, il se peut, je crois, que nous ayons affaire aux Sarrasins. » Roland répond : « Ah! que Dieu nous l'octroie! Nous devons tenir ici, pour notre roi. Pour son seigneur on doit souffrir toute détresse, et endurer les grands chauds et les grands froids, et perdre du cuir et du poil. Que chacun veille à y employer de grands coups, afin qu'on ne chante pas de nous une mauvaise chanson! Le tort est aux païens, aux chrétiens le droit. Jamais on ne dira rien de moi qui ne soit exemplaire. »

◉ ∞ LXXX ∞ ◉

OLIVIER est monté sur une hauteur [..]. Il regarde à droite par un val herbeux : il

Si veit venir cele gent paienur,
1020 Sin apelat Rollant, sun cumpaignun :
« Devers Espaigne vei venir tel bruur,
Tanz blancs osbercs, tanz elmes flambius!
Icist ferunt nos Franceis grant irur.
Guenes le sout, li fel, li traïtur,
1025 Ki nus jugat devant l'empereür.
— Tais, Oliver », li quens Rollant respunt;
« Mis parrastre est, ne voeill que mot en suns. »

© ∞ LXXXI ∞ ©

OLIVER est desur un pui muntet.
    Or veit il ben d'Espaigne le regnet
1030 E Sarrazins, ki tant sunt asemblez.
Luisent cil elme, ki ad or sunt gemmez,
E cil escuz e cil osbercs safrez
E cil espiez, cil gunfanum fermez.
Sul les escheles ne poet il acunter :
1035 Tant en i ad que mesure n'en set;
E lui meïsme en est mult esguaret.
Cum il einz pout, del pui est avalet,
Vint as Franceis, tut lur ad acuntet.

© ∞ LXXXII ∞ ©

DIST Oliver : « Jo ai paiens veüz :
1040   Unc mais nuls hom en tere n'en vit plus.

voit venir la gent des païens. Il appelle Roland,
son compagnon : « Du côté de l'Espagne, je
vois venir une telle rumeur, tant de hauberts
qui brillent, tant de heaumes qui flamboient!
Ceux-là mettront nos Français en grande
angoisse. Ganelon le savait, le félon, le traître,
qui devant l'empereur nous désigna. — Tais-
toi, Olivier », répond Roland; « il est mon
parâtre; je ne veux pas que tu en sonnes mot! »

◎ ∞ LXXXI ∞ ◎

OLIVIER est monté sur une hauteur. Il voit
à plein le royaume d'Espagne et les
Sarrasins, qui sont assemblés en si grande
masse. Les heaumes aux gemmes serties d'or
brillent, et les écus, et les hauberts safrés, et
les épieux et les gonfanons fixés aux hampes.
Il ne peut dénombrer même les corps de
bataille : ils sont tant qu'il n'en sait pas le
compte. Au dedans de lui-même il en est gran-
dement troublé. Le plus vite qu'il peut, il
dévale de la hauteur, vient aux Français, leur
raconte tout.

◎ ∞ LXXXII ∞ ◎

OLIVIER dit : « J'ai vu les païens. Jamais
homme sur terre n'en vit plus. Devant
nous ils sont bien cent mille, l'écu au bras,

Cil devant sunt. C. milie ad escuz,
Helmes laciez e blancs osbercs vestuz;
Dreites cez hanstes, luisent cil espiet brun.
Bataille avrez, unches mais tel ne fut.
1045 Seignurs Franceis, de Deu aiez vertut!
El camp estez, que ne seium vencuz! »
Dient Franceis : « Dehet ait ki s'en fuit!
Ja pur murir ne vus en faldrat uns. » AOI.

◎ ∞ LXXXIII ∞ ◎

Dist Oliver : « Paien unt grant esforz;
1050 De noz Franceis m'i semblet aveir mult poi!
Cumpaign Rollant, kar sunez vostre corn :
Si l'orrat Carles, si returnerat l'ost. »
Respunt Rollant : « Jo fereie que fols!
En dulce France en perdreie mun los.
1055 Sempres ferrai de Durendal granz colps;
Sanglant en ert li branz entresqu'a l'or.
Felun paien mar i vindrent as porz :
Jo vos plevis, tuz sunt jugez a mort. » AOI.

◎ ∞ LXXXIV ∞ ◎

« Cumpainz Rollant, l'olifan car sunez,
1060 Si l'orrat Carles, ferat l'ost returner,
Succurrat nos li reis od sun barnet. »
Respont Rollant : « Ne placet Damnedeu
Que mi parent pur mei seient blasmet

le heaume lacé, le blanc haubert revêtu; et leurs épieux bruns luisent, hampe dressée. Vous aurez une bataille, telle qu'il n'en fut jamais. Seigneurs Français, que Dieu vous donne sa force! Tenez fermement, pour que nous ne soyons pas vaincus! » Les Français disent : « Honni soit qui s'enfuit! Jusqu'à la mort, pas un ne voudra vous faillir. »

◎ ∞ LXXXIII ∞ ◎

OLIVIER dit : « Les païens sont très forts; et nos Français, ce me semble, sont bien peu. Roland, mon compagnon, sonnez donc votre cor : Charles l'entendra, et l'armée reviendra. » Roland répond : « Ce serait faire comme un fou. En douce France j'y perdrais mon renom. Sur l'heure je frapperai de Durendal, de grands coups. Sa lame saignera jusqu'à l'or de la garde. Les félons païens sont venus aux ports pour leur malheur. Je vous le jure, tous sont marqués pour la mort. »

◎ ∞ LXXXIV ∞ ◎

« **R**OLAND, mon compagnon, sonnez l'olifant! Charles l'entendra, ramènera l'armée; il nous secourra avec tous ses barons. » Roland répond : « Ne plaise à Dieu que pour moi mes parents soient blâmés et que douce France

Ne France dulce ja cheet en viltet!
1065 Einz i ferrai de Durendal asez,
Ma bone espee que ai ceint al costet :
Tut en verrez le brant ensanglentet.
Felun paien mar i sunt asemblez :
Jo vos plevis, tuz sunt a mort livrez. » AOI.

© ⤬ LXXXV ⤬ ©

1070 « CUMPAINZ Rollant, sunez vostre olifan,
Si l'orrat Carles, ki est as porz passant.
Je vos plevis, ja returnerunt Franc.
— Ne placet Deu », ço li respunt Rollant,
« Que ço seit dit de nul hume vivant,
1075 Ne pur paien, que ja seie cornant!
Ja n'en avrunt reproece mi parent.
Quant jo serai en la bataille grant
E jo ferrai e mil colps e .VII. cenz,
De Durendal verrez l'acer sanglent.
1080 Franceis sunt bon, si ferrunt vassalment;
Ja cil d'Espaigne n'avrunt de mort guarant. »

© ⤬ LXXXVI ⤬ ©

DIST Oliver : « D'iço ne sai jo blasme.
Jo ai veüt les Sarrazins d'Espaigne :
Cuverz en sunt li val e les muntaignes
1085 E li lariz e trestutes les plaignes.
Granz sunt les oz de cele gent estrange;
Nus i avum mult petite cumpaigne. »

tombe dans le mépris! Mais je frapperai de Durendal à force, ma bonne épée que j'ai ceinte au côté! Vous en verrez la lame tout ensanglantée. Les félons païens se sont assemblés pour leur malheur. Je vous le jure, ils sont tous livrés à la mort. »

© ❀❀ LXXXV ❀❀ ©

« ROLAND, mon compagnon, sonnez votre olifant! Charles l'entendra, qui est au passage des ports. Je vous le jure, les Français reviendront. — Ne plaise à Dieu », lui répond Roland, « qu'il soit jamais dit par nul homme vivant que pour des païens j'aie sonné mon cor! Jamais mes parents n'en auront le reproche. Quand je serai en la grande bataille, je frapperai mille coups et sept cents, et vous verrez l'acier de Durendal sanglant. Les Français sont hardis et frapperont vaillamment; ceux d'Espagne n'échapperont pas à la mort. »

© ❀❀ LXXXVI ❀❀ ©

OLIVIER dit : « Pourquoi vous blâmerait-on? J'ai vu les Sarrasins d'Espagne : les vaux et les monts en sont couverts et les collines et toutes les plaines. Grandes sont les armées de cette engeance étrangère et bien petite notre troupe! » Roland répond : « Mon ardeur

Respunt Rollant : « Mis talenz en est graigne.
Ne placet Damnedeu ne ses angles
1090 Que ja pur mei perdet sa valur France!
Melz voeill murir que huntage me venget.
Pur ben ferir l'emperere plus nos aimet. »

◎ ∞ LXXXVII ∞ ◎

Rollant est proz e Oliver est sage.
   Ambedui unt merveillus vasselage :
1095 Puis que il sunt as chevals e as armes,
Ja pur murir n'eschiverunt bataille.
Bon sunt li cunte e lur paroles haltes.
Felun paien par grant irur chevalchent.
Dist Oliver : « Rollant, veez en alques :
1100 Cist nus sunt près, mais trop nus est loinz Carles.
Vostre olifan, suner vos nel deignastes;
Fust i li reis, n'i oüssum damage.
Guardez amunt devers les porz d'Espaigne :
Veeir poez, dolente est la rereguarde;
1105 Ki ceste fait, jamais n'en ferat altre. »
Respunt Rollant : « Ne dites tel ultrage!
Mal seit del coer ki et piz se cuardet!
Nus remeindrum en estal en la place;
Par nos i ert e li colps e li caples. » AOI.

◎ ∞ LXXXVIII ∞ ◎

1110 Quant Rollant veit que la bataille serat,
   Plus se fait fiers que leon ne leupart.

s'en accroît. Ne plaise au Seigneur Dieu ni à
ses anges qu'à cause de moi France perde son
prix! J'aime mieux mourir que choir dans la
honte! Mieux nous frappons, mieux l'empe-
reur nous aime. »

◎ ⤬ LXXXVII ⤬ ◎

ROLAND est preux et Olivier sage. Tous
deux sont de courage merveilleux. Une
fois à cheval et en armes, jamais par peur de la
mort ils n'esquiveront une bataille. Les deux
comtes sont bons et leurs paroles hautes.
Les païens félons chevauchent furieusement.
Olivier dit : « Roland, voyez : ils sont en nombre.
Ceux-ci sont près de nous, mais Charles est
trop loin! Votre olifant, vous n'avez pas daigné
le sonner. Si le roi était là, nous ne serions pas
en péril. Regardez en amont vers les ports
d'Espagne; vous pourrez voir une troupe digne
de pitié : qui aura fait aujourd'hui l'arrière-
garde ne la fera plus jamais. » Roland répond :
« Ne parlez pas si follement! Honni le cœur
qui dans la poitrine s'accouardit! Nous tien-
drons fermement, sur place. C'est nous qui
mènerons joutes et mêlées. »

◎ ⤬ LXXXVIII ⤬ ◎

QUAND Roland voit qu'il y aura bataille,
il se fait plus fier que lion ou léopard. Il

Franceis escriet, Oliver apelat :
« Sire cumpainz, amis, nel dire ja!
Li emperere, ki Franceis nos laisat,
1115 Itels .XX. milie en mist a une part :
Sun escientre n'en i out un cuard.
Pur sun seignur deit hom susfrir granz mals
E endurer e forz freiz e granz chalz,
Sin deit hom perdre del sanc e de la char.
1120 Fier de ta lance e jo de Durendal,
Ma bone espee, que li reis me dunat.
Se jo i moerc, dire poet ki l'avrat
. . . Que ele fut a noble vassal. »

◎ ⚭ LXXXIX ⚭ ◎

D'ALTRE part est li arcevesque Turpin.
1125 Sun cheval broche e muntet un lariz;
Frenceis apelet, un sermun lur ad dit :
« Seignurs baruns, Carles nus laissat ci;
Pur nostre rei devum nus ben murir.
Chrestientet aidez a sustenir!
1130 Bataille avrez, vos en estes tuz fiz,
Kar a vos oilz veez les Sarrazins.
Clamez voz culpes, si preiez Deu mercit;
Asoldrai voz pur vos anmes guarir.
Se vos murez, esterez, seinz martirs,
1135 Sieges avrez el greignor pareïs. »
Franceis descendent, a tere se sunt mis.

appelle les Français et Olivier : « Sire compagnon, ami, ne parlez plus ainsi! L'empereur, qui nous laissa des Français, a trié ces vingt mille : il savait que pas un n'est un couard. Pour son seigneur on doit souffrir de grands maux et endurer les grands chauds et les grands froids, et on doit perdre du sang et de la chair. Frappe de ta lance, et moi de Durendal, ma bonne épée, que me donna le roi. Si je meurs, qui l'aura pourra dire : « Ce fut l'épée d'un noble vassal. »

◎ ∞ LXXXIX ∞ ◎

D'AUTRE part voici l'archevêque Turpin. Il éperonne et monte la pente d'un tertre. Il appelle les Français et les sermonne : « Seigneurs barons, Charles nous a laissés ici : pour notre roi nous devons bien mourir. Aidez à soutenir la chrétienté! Vous aurez une bataille, vous en êtes bien sûrs, car de vos yeux vous voyez les Sarrasins. Battez votre coulpe, demandez à Dieu sa merci; je vous absoudrai pour sauver vos âmes. Si vous mourez, vous serez de saints martyrs, vous aurez des sièges au plus haut paradis. » Les Français descendent de cheval, se prosternent contre terre, et l'archevêque, au

E l'arcevesque de Deu les beneïst :
Par penitence les cumandet a ferir.

◎ ❦ XC ❦ ◎

Franceis se drecent, si se metent sur piez.
1140   Ben sunt asols e quites de lur pecchez,
E l'arcevesque de Deu les ad seignez,
Puis sunt muntez sur lur curanz destrers.
Adobez sunt a lei de chevalers
E de bataille sunt tuit apareillez.
1145 Li quens Rollant apelet Oliver :
« Sire cumpainz, mult ben le saviez,
Que Guenelun nos ad tuz espiez.
Pris en ad or e aveir e deners.
Li emperere nos devreit ben venger.
1150 Li reis Marsilie de nos ad fait marchet;
Mais as espees l'estuvrat esleger. » AOI.

◎ ❦ XCI ❦ ◎

As porz d'Espaigne en est passet Rollant
Sur Veillantif, sun bon cheval curant.
Portet ses armes, mult li sunt avenanz,
1155 Mais sun espiet vait li bers palmeiant,
Cuntre le ciel vait la mure turnant,
Laciet en su un gunfanun tut blanc;
Les renges li batent josqu'as mains.

nom de Dieu, les a bénis. Pour pénitence, il leur ordonne de frapper.

◎ ∞ XC ∞ ◎

L ES Français se redressent et se mettent sur pieds. Ils sont bien absous, quittes de leurs péchés, et l'archevêque, au nom de Dieu, les a bénis. Puis ils sont remontés sur leurs destriers bien courants. Ils sont armés comme il convient à des chevaliers, et tous bien appareillés pour la bataille. Le comte Roland appelle Olivier : « Sire compagnon, vous disiez bien, Ganelon nous a tous trahis. Il en a pris pour son salaire de l'or, des richesses, des deniers. Puisse l'empereur nous venger! Le roi Marsile nous a achetés par marché; mais la marchandise, il ne l'aura que par l'épée! »

◎ ∞ XCI ∞ ◎

A UX ports d'Espagne Roland passe sur Veillantif, son cheval bien courant. Il a revêtu ses armes, qui bien le parent. Et voici qu'il brandit sa lance, le vaillant. Vers le ciel il en tourne la pointe; au fer est lacé un gonfanon tout blanc; les franges [?] battent jusqu'à ses mains. Noble est son corps, son visage

Cors ad mult gent, le vis cler e riant.
1160 Sun cumpaignun après le vait sivant,
E cil de France le cleiment a guarant.
Vers Sarrazins reguardet fierement
E vers Franceis humeles e dulcement,
Si lur ad dit un mot curteisement :
1165 « Seignurs barons, suef, le pas tenant !
Cist paien vont grant martirie querant.
Encoi avrum un eschec bel e gent :
Nuls reis de France n'out unkes si vaillant. »
A cez paroles vunt les oz ajustant. AOI.

◎ ◈◈◈ XCII ◈◈◈ ◎

1170 DIST Oliver : « N'ai cure de parler.
      Vostre olifan ne deignastes suner,
Ne de Carlun mie vos n'en avez.
Il n'en set mot, n'i ad culpes li bers.
Cil ki la sunt ne funt mie a blasmer.
1175 Kar chevalchez a quanque vos puez !
Seignors baruns, el camp vos retenez !
Pur Deu vos pri, ben seiez purpensez
De colps ferir, de receivre e de duner !
L'enseigne Carle n'i devum ublier. »
1180 A icest mot sunt Franceis escriet.
Ki dunc oïst Munjoie demander,
De vasselage li poüst remembrer.
Puis si chevalchent, Deus ! par si grant fiertet !
Brochent ad ait pur le plus tost aler,

clair et riant. Après lui vient son compagnon,
et ceux de France l'appellent leur garant. Il
regarde menaçant vers les Sarrasins, puis,
humble et doux, vers les Français, et leur dit
ces mots, courtoisement : « Seigneurs barons,
doucement, au pas! Ces païens vont en quête
de leur martyre. Avant ce soir nous aurons
gagné un beau et riche butin : nul roi de France
n'eut jamais le pareil. » Comme il parlait, les
armées se joignirent.

© ∞ XCII ∞ ©

OLIVIER dit : « Je n'ai pas le cœur aux paroles.
Votre olifant, vous n'avez pas daigné le
sonner, et Charles, vous ne l'avez pas. Il ne
sait mot de ces choses, le preux, et la faute n'est
pas sienne, et les vaillants que voici ne méritent,
eux non plus, aucun blâme. Or donc, chevau-
chez contre ceux-là de tout votre courage!
Seigneurs barons, tenez fermement en bataille!
Je vous en prie pour Dieu, soyez résolus à bien
frapper, coup rendu pour coup reçu! Et n'ou-
blions pas le cri d'armes de Charles. » A ces
mots les Français poussent le cri d'armes. Qui
les eût ouïs crier : « Montjoie! » aurait le sou-
venir d'une belle vaillance. Puis ils chevauchent
Dieu! si fièrement, et, pour aller au plus vite,
enfoncent les éperons, et s'en vont frapper,

1185 Si vunt ferir, que fereient il el?
E Sarrazins nes unt mie dutez;
Francs e paiens, as les vus ajustez.

◎ ⧉ XCIII ⧉ ◎

Li niés Marsilie, il ad a num Aelroth;
Tut premereins chevalchet devant l'ost.
1190 De noz Franceis vait disant si mals moz :
« Feluns Franceis, hoi justerez as noz.
Traït vos ad ki a guarder vos out.
Fols est li reis ki vos laissat as porz.
Enquoi perdrat France dulce sun los,
1195 Charles li magnes le destre braz del cors. »
Quant l'ot Rolland, Deus! si grand doel en out!
Sun cheval brochet, laiset curre a esforz,
Vait le ferir li quens quanque il pout.
L'escut li freint e l'osberc li desclot,
1200 Trenchet le piz, si li briset les os,
Tute l'eschine li desevret del dos,
Od sun espiet l'anme li getet fors,
Enpeint le ben, fait li brandir le cors,
Pleine sa hanste del cheval l'abat mort,
1205 En dous meitiez li ad briset le col.
Ne leserat, ço dit, que n'i parolt :
« Ultre, culvert! Carles n'est mie fol,
Ne traïsun unkes amer ne volt.
Il fist que proz qu'il nus laisad as porz.
1210 Oi n'en perdrat France dulce sun los.

qu'ont-ils à faire d'autre? et les Sarrasins les
reçoivent sans trembler. Francs et païens, voilà
qu'ils se sont joints.

◎ ◠◠◠ XCIII ◠◠◠ ◎

LE neveu de Marsile — il a nom Aelroth —
tout le premier chevauche devant l'armée.
Il va disant sur nos Français de laides paroles :
« Félons Français, aujourd'hui vous jouterez
contre les nôtres. Il vous a trahis, celui qui
vous avait en sa garde. Bien fou le roi
qui vous laissa aux ports! En ce jour,
douce France perdra sa louange, et Charles,
le Magne, le bras droit de son corps. » Quand
Roland l'entend, Dieu! il en a une si grande
douleur! Il éperonne son cheval, le laisse
courir à plein élan, va frapper Aelroth le plus
fort qu'il peut. Il lui brise l'écu et lui déclôt
le haubert, lui ouvre la poitrine, lui rompt les
os, lui fend toute l'échine. De son épieu, il
jette l'âme dehors. Il enfonce le fer fortement,
ébranle le corps, à pleine hampe l'abat mort du
cheval, et la nuque se brise en deux moitiés.
Il ne laissera point, pourtant, de lui parler :
« Non, fils de serf, Charles n'est pas fou, et
jamais il n'aima trahir. Nous laisser aux ports,
ce fut agir en preux. En ce jour douce France
ne perdra point sa louange. Frappez, Français,

Ferez i, Francs, nostre est li premers colps!
Nos avum dreit, mais cist glutun unt tort. » AOI.

◎ ∞ XCIV ∞ ◎

UN duc i est, si ad num Falsaron;
    Icil er frere al rei Marsiliun.
1215 Il tint la tere Dathan e Abirun.
Suz cel nen at plus encrisme felun.
Entre les douz oilz mult out large le front,
Grant demi pied mesurer i pout hom.
Asez ad doel quant vit mort sun nevold,
1220 Ist de la prese, si se met en bandun,
E si escriet l'enseigne paienor.
Envers Franceis est mult cuntrarius :
« Enquoi perdrat France dulce s'onur! »
Ot le Oliver, sin ad mult grant irur.
1225 Le cheval brochet des oriez esperuns,
Vait le ferir en guise de baron.
L'escut li freint e l'osberc li derumpt,
El cors li met les pans del gunfanun,
Pleine sa hanste l'abat mort des arçuns;
1230 Guardet a tere, veit gesir le glutun,
Si li ad dit par mult fiere raison :
« De voz manaces, culvert, jo n'ai essoign.
Ferez i, Francs, kar trés ben les veintrum! »
« Munjoie! » escriet, ço est l'enseigne Carlun. AOI.

◎ ∞ XCV ∞ ◎

1235 UNS reis i est, si ad num Corsablix,
    Barbarins est, d'un estrange païs,

le premier coup est nôtre. Le droit est devers nous, et sur ces félons le tort. »

◎ ∞ XCIV ∞ ◎

UN duc est là, qui a nom Falsaron. Celui-là était le frère du roi Marsile; il tenait la terre de Dathan et d'Abiron. Sous le ciel il n'y a pire truand. Si large est son front qu'entre les deux yeux on peut mesurer un bon demi-pied. Il a grand deuil quand il voit son neveu mort. Il sort de la presse, s'offre à tout venant, pousse le cri d'armes des païens, lance aux Français une injure : « En ce jour, France douce perdra son honneur! » Olivier l'entend, s'irrite. Il éperonne de ses éperons dorés, en vrai baron va le frapper. Il lui brise l'écu, lui déchire le haubert, lui enfonce au corps les pans de son gonfanon, à pleine hampe le soulève des arçons et l'abat mort. Il regarde à terre, voit le traître qui gît. Alors il lui dit fièrement : « De vos menaces, fils de serf, je n'ai cure! Frappez, Français, car nous les vaincrons très bien! » Il crie : « Montjoie! » — c'est l'enseigne de Charles.

◎ ∞ XCV ∞ ◎

UN roi est là, qui a nom Corsablix. Il est de Barbarie, une terre lointaine. Il crie aux

Si apelad lé altres Sarrazins :
« Ceste bataille ben la puum tenir,
Kar de Franceis i ad asez petit.
1240 Cels ki ci sunt devum aveir mult vil.
Ja pur Charles n'i ert un sul guarit :
Or est le jur qu'els estuvrat murir. »
Ben l'entendit li arcevesques Turpin :
Suz ciel n'at hume que tant voeillet haïr.
1245 Sun cheval brochet des esperuns d'or fin,
Par grant vertut si l'est alet ferir.
L'escut li freinst, l'osberc li descumfist,
Sun grant espiet par mi le cors li mist,
Empeint le ben, que mort le fait brandir,
1250 Pleine sa hanste l'abat mort el chemin.
Guardet arere, veit le glutun gesir,
Ne laisserat que n'i parolt, ço dit :
« Culvert paien, vos i avez mentit!
Carles, mi sire, nus est guarant tuz dis ;
1255 Nostre Franceis n'unt talent de fuïr.
Vos cumpaignuns feruns trestuz restifs.
Nuveles vos di : mort vos estoet susfrir.
Ferez, Franceis! Nul de vus ne s'ublit!
Cist premer colp est nostre, Deu mercit! »
1260 « Munjoie! » escriet por le camp retenir.

◎ ❧ XCVI ❧ ◎

E Gerins fiert Malprimis de Brigal.
Sis bons escuz un dener ne li valt :
Tute li freint la bucle de cristal,

autres Sarrasins : « Nous pouvons bien soutenir cette bataille : les Français sont si peu et nous avons droit de les mépriser : ce n'est pas Charles qui en sauvera un seul. Voici le jour où il leur faut mourir. » L'archevêque Turpin l'a bien entendu. Sous le ciel il n'est homme qu'il haïsse plus. Il pique de ses éperons d'or fin, et vigoureusement va le frapper. Il lui a brisé l'écu, défait le haubert, enfoncé au corps son grand épieu; il appuie fortement, le secoue et l'ébranle; à pleine hampe, il l'abat mort sur le chemin. Il regarde en arrière, voit le félon gisant. Il ne laissera pas de lui parler un peu : « Païen, fils de serf, vous en avez menti! Charles, mon seigneur, peut toujours nous sauver; nos Français n'ont pas le cœur à fuir; vos compagnons, nous les ferons tous rétifs. Je vous dis une nouvelle : il vous faut endurer la mort. Frappez, Français! Que pas un ne s'oublie! Ce premier coup est nôtre, Dieu merci! » Il crie : « Montjoie! » pour rester maître du champ.

◎ ❀❀❀ XCVI ❀❀❀ ◎

ET Gerin frappe Malprimis de Brigal. Le bon écu du païen ne lui vaut pas un denier. Gerin en brise la boucle de cristal; la moitié tombe par terre; il lui rompt le haubert jusqu'à

L'une meitiet li turnet cuntreval;
1265 L'osberc li rumpt entresque a la charn,
Sun bon espiet enz el cors li enbat;
Li paiens chet cuntreval a un quat.
L'anme de lui en portet Sathanas. AOI.

◎ ∞ XCVII ∞ ◎

Esis cumpainz Geres fiert l'amurafle.
1270   L'escut li freint e l'osberc li desmaillet,
Sun bon espiet li met en la curaille,
Empeint le bien, par mi le cors li passet,
Que mort l'abat el camp, pleine sa hanste.
Dist Oliver : « Gente est nostre bataille! »

◎ ∞ XCVIII ∞ ◎

1275 Sansun li dux, il vait ferir l'almaçur.
     L'escut li freinst, ki est ad or e a flurs,
Li bons osbercs ne li est guarant prod,
Trenchet li le coer, le firie e le pulmun,
Que l'abat mort, qui qu'en peist u qui nun.
1280 Dist l'arcevesque : « Cist colp est de baron! »

◎ ∞ XCIX ∞ ◎

E Anseïs laiset le cheval curre,
     Si vait ferir Turgis de Turteluse.
L'escut li freint desuz l'oree bucle,
De sun osberc li derumpit les dubles,
1285 Del bon espiet el cors li met la mure,

la chair, lui enfonce son bon épieu au corps. Le
païen choit comme une masse. Son âme, Satan
l'emporte.

◎ ⚬∽ XCVII ∽⚬ ◎

Et son compagnon Gerier frappe l'amirafle.
Il lui brise l'écu, lui démaille le haubert, lui
plonge aux entrailles son bon épieu; il appuie
fortement, lui passe le fer à travers le corps,
et à pleine hampe l'abat mort dans le champ.
Olivier dit : « Notre bataille est belle! »

◎ ⚬∽ XCVIII ∽⚬ ◎

Le duc Samson va frapper l'almaçour. Il
brise son écu, qui est paré d'or et de fleu-
rons. Son bon haubert ne le garantit guère.
Il lui perce le cœur, le foie et le poumon, et, le
pleure qui veut! l'abat mort. L'archevêque dit :
« Ce coup est d'un vaillant! »

◎ ⚬∽ XCIX ∽⚬ ◎

Et Anseïs laisse aller son cheval, et va frapper
Turgis de Tortelose. Il lui brise son écu
sous la boucle dorée, déchire de part en part
son haubert double, lui met au corps le fer
de son bon épieu. Il enfonce, la pointe ressort
par le dos; à pleine hampe il le renverse mort

Empeinst le ben, tut le fer li mist ultre,
Pleine sa hanste el camp mort le tresturnet.
Ço dist Rollant : « Cist colp est de produme ! »

◎ ∞ C ∞ ◎

E Engelers li Guascuinz de Burdele
1290   Sun cheval brochet, si li laschet la resne,
Si vait ferir Escremiz de Valterne.
L'escut del col li freint e escantelet,
De sun osberc li rumpit la ventaille,
Sil fiert el piz entre les dous furceles,
1295 Pleine sa hanste l'abat mort de la sele.
Après li dist : « Turnet estes a perdre ! » AOI.

◎ ∞ CI ∞ ◎

E Otes fiet un paien, Estorgans,
   Sur sun escut en la pene devant,
Que tut li trenchet le vermeill e le blanc ;
1300 De sun osberc li ad rumput les pans,
El cors li met sun bon espiet trechant,
Que mort l'abat de sun cheval curant.
Après li dist : « Ja n'i avrez guarant ! »

◎ ∞ CII ∞ ◎

E Berenger, il fiert Astramariz.
1305   L'escut li freinst, l'osberc li descumfist,
Sun fort espiet par mi le cors li mist,
Que mort l'abat entre mil Sarrazins.

dans le champ. Roland dit : « Ce coup est d'un preux ! »

◎ ◦◦◦ C ◦◦◦ ◎

ET Englier le Gascon de Bordeaux éperonne son cheval, lâche la rêne et va frapper Escremiz de Valterne. Il brise l'écu qu'il porte au cou, en disjoint les chanteaux, rompt la ventaille du haubert et atteint la poitrine, sous la gorge; à pleine hampe il l'abat mort de sa selle. Puis il lui dit : « Vous voilà donc en perdition ! »

◎ ◦◦◦ CI ◦◦◦ ◎

ET Oton frappe un païen, Estorgans, sur le bord supérieur de son écu, en telle guise qu'il déchire les quartiers de vermeil et de blanc; il a rompu les pans de son haubert, il lui met au corps son épieu qui bien tranche et l'abat mort de son cheval rapide. Puis il lui dit : « Cherchez qui vous sauve ! »

◎ ◦◦◦ CII ◦◦◦ ◎

ET Bérengier frappe Astramariz. Il lui brise l'écu, lui défait le haubert, à travers le corps lui plonge son fort épieu; entre mille Sarrasins il l'abat mort. Des douze pairs en voilà dix de tués; il n'en reste que deux

Des .XII. pers li .X. en sunt ocis;
1310 Ne mès que dous n'en i ad remés vifs;
Ço est Chernubles e li quens Margariz.

◎ ∞ CIII ∞ ◎

Margariz est mult vaillant chevalers,
E bels e forz e isnels e legers.
Le cheval brochet, vait ferir Oliver.
L'escut li freint suz la bucle d'or mer,
1315 Lez le costet li conduist sun espiet.
Deus le guarit, qu'el cors ne l'ad tuchet.
La hanste fruisset, mie n'en abatiet.
Ultre s'en vait, qu'il n'i ad desturber;
Sunet sun gresle pur les soens ralier.

◎ ∞ CIV ∞ ◎

1320 La bataille est merveilluse e cumune.
Li quens Rollant mie ne s'asoüret,
Fiert de l'espiet tant cume hanste li duret;
A .XV. cols l'ad fraite e perdue;
Trait Durendal, sa bone espee, nue,
1325 Sun cheval brochet, si vait ferir Chernuble.
L'elme li freint u li carbuncle luisent,
Trenchet le cors [?] e la cheveleüre,
Si li trenchat les oilz e la faiture,
Le blanc osberc, dunt la maile est menue,
1330 E tut le cors tresqu'en la furcheüre.
Enz en la sele, ki est a or batue,
El cheval est l'espee aresteüe;

vivants : c'est Chernuble et c'est le comte
Margariz.

◎ ◣◇◢ CIII ◣◇◢ ◎

MARGARIZ est chevalier très vaillant, et beau,
et fort, et agile, et léger. Il éperonne, va
frapper Olivier. Il lui brise son écu sous
la boucle d'or pur. Au long des côtes il a
conduit son épieu. Dieu garde Olivier : son
corps n'a pas été touché. La hampe se brise,
il n'est pas renversé. Margariz passe outre,
sans encombre; il sonne sa trompe pour rallier
les siens.

◎ ◣◇◢ CIV ◣◇◢ ◎

LA bataille est merveilleuse; elle tourne à la
mêlée. Le comte Roland ne se ménage pas.
Il frappe de son épieu tant que dure la hampe;
après quinze coups il l'a brisée et détruite.
Il tire Durendal, sa bonne épée, toute nue. Il
éperonne, et va frapper Chernuble. Il lui brise
le heaume où luisent des escarboucles, tranche
la coiffe (?) avec le cuir du crâne, tranche la
face entre les yeux, et le haubert blanc aux
mailles menues et tout le corps jusqu'à l'enfour-
chure. A travers la selle, qui est incrustée d'or,
l'épée atteint le cheval et s'enfonce. Il lui
tranche l'échine sans chercher le joint, il abat

Trenchet l'eschine, hunc n'i out quis jointure.
Tut abat mort el pred sur l'erbe drue.
1335 Après li dist : « Culvert, mar i moüstes!
De Mahumet ja n'i avrez aiude.
Par tel glutun n'ert bataille oi vencue. »

◎ ∞ CV ∞ ◎

Li quens Rollant par mi le champ chevalchet,
Tient Durendal, ki ben trenchet e taillet,
1340 Des Sarrazins lur fait mult grant damage.
Ki lui veïst l'un geter mort su l'altre,
Li sanc tuz clers gesir par cele place!
Sanglant en ad e l'osberc e la brace,
Sun bon cheval le col e les espalles.
1345 E Oliver de ferir ne se target,
Li .XII. per n'en deivent aveir blasme,
E li Franceis i fierent e si caplent.
Moerent paien e alquanz en i pasment.
Dist l'arcevesque : « Ben ait nostre barnage! »
1350 « Munjoie! » escriet, ço est l'enseigne Carle. AOI.

◎ ∞ CVI ∞ ◎

E Oliver chevalchet par l'estor,
Sa hanste est fraite, n'en ad que un trunçun,
E vait ferir un paien, Malun.
L'escut li freint, ki est ad or e a flur,
1355 Fors de la teste li met les oilz ansdous,
E la cervele li chet as piez desuz;

le tout mort dans le pré, sur l'herbe drue. Puis il dit : « Fils de serf, vous vous mîtes en route à la malheure! Mahomet ne vous donnera pas son aide. Un truand tel que vous ne gagnera point de sitôt une bataille! »

◎ ∞ CV ∞ ◎

L E comte Roland chevauche par le champ. Il tient Durendal, qui bien tranche et bien taille. Des Sarrasins il fait grand carnage. Si vous eussiez vu comme il jette le mort sur le mort, et le sang clair s'étaler par flaques! Il en a son haubert ensanglanté, et ses deux bras et son bon cheval, de l'encolure jusqu'aux épaules. Et Olivier n'est pas en reste, ni les douze pairs, ni les Français, qui frappent et redoublent. Les païens meurent, d'autres défaillent. L'archevêque dit : « Béni soit notre baronnage! Montjoie! » crie-t-il, c'est le cri d'armes de Charles.

◎ ∞ CVI ∞ ◎

E T Olivier chevauche à travers la mêlée. Sa hampe s'est brisée, il n'en a plus qu'un tronçon. Il va frapper un païen, Malon. Il lui brise son écu, couvert d'or et de fleurons, hors de la tête fait sauter ses deux yeux, et la cervelle coule jusqu'à ses pieds. Parmi les autres

Mort le tresturnet od tut .VII. C. des lur;
Pois ad ocis Turgis e Esturguz :
La hanste briset e esclicet josqu'as poinz.
1360 Ço dist Rollant : « Cumpainz, que faites vos?
En tel bataille n'ai cure de bastun :
Fers e acers i deit aveir valor.
U est vostre espee, ki Halteclere ad num?
D'or est li helz e de cristal li punz.
1365 — Ne la poi traire », Oliver li respunt,
« Kar de ferir oi jo si grant bosoign! » AOI.

◎ ❀❀ CVII ❀❀ ◎

Danz Oliver trait ad sa bone espee
Que ses cumpainz Rollant li ad tant demandee,
E li il ad cum chevaler mustree.
1370 Fiert un paien, Justin de Val Ferree.
Tute la teste li ad par mi sevree,
Trenchet le cors e la bronie safree,
La bone sele, ki a or est gemmee,
E al ceval a l'eschine trenchee :
1375 Tut abat mort devant loi en la pree.
Ço dist Rollant : « Vos reconois jo, frere!
Por itels colps nos eimet li emperere. »
De tutes parz est « Munjoie! » escriee. AOI.

◎ ❀❀ CVIII ❀❀ ◎

Li quens Gerins set el ceval Sorel
1380 E sis cumpainz Geres en Passecerf.

qui gisent sans nombre, il l'abat mort. Puis il a tué Turgis et Esturgoz. Mais la hampe se brise et se fend jusqu'à ses poings. Roland lui dit : « Compagnon, que faites-vous? En une telle bataille, je n'ai cure d'un bâton. Il n'y a que le fer qui vaille, et l'acier. Où donc est votre épée, qui a nom Hauteclaire? La garde en est d'or, le pommeau de cristal. — Je n'ai pu la tirer », lui répond Olivier, « j'avais tant de besogne! »

◎ ◇◇◇ CVII ◇◇◇ ◎

MON seigneur Olivier a tiré sa bonne épée, celle qu'a tant réclamée son compagnon Roland, et il lui montre, en vrai chevalier, comme il s'en sert. Il frappe un païen, Justin de Val Ferrée. Il lui fend par le milieu toute la tête et tranche le corps et la brogne safrée, et la bonne selle, dont les gemmes sont serties d'or, et à son cheval il a fendu l'échine. Il abat le tout devant lui sur le pré. Roland dit : « Je vous reconnais, frère! Si l'empereur nous aime, c'est pour de tels coups! » De toutes parts « Montjoie! » retentit.

◎ ◇◇◇ CVIII ◇◇◇ ◎

LE comte Gerin monte le cheval Sorel, et son compagnon Gerier, Passecerf. Ils

Laschent lor reisnes, brochent amdui a ait,
E vunt ferir un paien, Timozel,
L'un en l'escut e li altre en l'osberc.
1385 Lur dous espiez enz el cors li unt frait,
Mort le tresturnent trés en mi un guaret.
Ne l'oï dire ne jo mie nel sai,
Liquels d'els dous en fut li plus isnels.
Esp..., icil fut filz... Burdel...

. . . .

1390 E l'arcevesque lor ocist Siglorel,
L'encanteür ki ja fut en enfer :
Par artimal l'i cundoist Jupiter.
Ço dist Turpin : « Icist nos ert forsfait. »
Respunt Rollant : « Vencut est le culvert.
1395 Oliver, frere, itels colps me sunt bel! »

◎ ∞ CIX ∞ ◎

LA bataille est aduree endementres.
Franc e paien merveilus colps i rendent.
Fierent li un, li altre se defendent.
Tant hanste i ad e fraite e sanglente,
1400 Tant gunfanun rumpu e tant' enseigne!
Tant bon Franceis i perdent lor juvente!
Ne reverrunt lor meres ne lor femmes,
Ne cels de France ki as porz les atendent. AOI.
Karles li magnes en pluret, si se demente.
1405 De ço qui calt? N'en avrunt sucurance,
Malvais servis le jur li rendit Guenes
Qu'en Sarraguce sa maisnee alat vendre;

lâchent les rênes, donnent tous deux de l'éperon et vont frapper un païen, Timozel, l'un sur l'écu, l'autre sur le haubert. Les deux épieux se brisent dans le corps. Ils le jettent mort à la renverse dans un guéret. Lequel des deux fut le plus vite? Je ne l'ai pas ouï dire et je ne sais [. .]. Et l'archevêque leur a tué Siglorel, l'enchanteur, celui qui déjà était descendu en enfer : par sortilège, Jupiter l'y avait conduit. Turpin dit : « Celui-là avait mal mérité de nous! » Roland répond : « Il est vaincu, le fils de serf. Olivier, frère, voilà les coups que j'aime! »

◎ ∞ CIX ∞ ◎

Lᴀ bataille s'est faite plus acharnée. Francs et païens frappent des coups merveilleux. L'un attaque, l'autre se défend. Tant de hampes brisées et sanglantes! Tant de gonfanons arrachés et tant d'enseignes! Tant de bons Français qui perdent leur jeune vie! Ils ne verront plus leurs mères ni leurs femmes, ni ceux de France qui aux ports les attendent. Charles le Grand en pleure et se lamente; mais de quoi sert sa plainte? Ils n'auront pas son secours. Ganelon l'a servi malement, au jour où il s'en fut à Saragosse vendre ses fidèles; pour

Puis en perdit e sa vie e ses membres;
El plait ad Ais en fut juget a pendre,
1410 De ses parenz ensembl' od lui tels trente
Ki de murir nen ourent esperance. AOI.

◎ ∞ CX ∞ ◎

L A bataille est merveilluse e pesant.
   Mult ben i fiert Oliver e Rollant,
Li arcevesques plus de mil colps i rent,
1415 Li .XII. per ne s'en targent nient,
E li Franceis i fierent cumunement.
Moerent paien a millers e a cent :
Ki ne s'en fuit de mort n'i ad guarent;
Voillet o nun, tut i laisset sun tens.
1420 Franceis i perdent lor meillors guarnemenz.
Ne reverrunt lor peres ne lor parenz,
Ne Carlemagne, ki as porz les atent.
En France en ad mult merveillus turment :
Orez i ad de tuneire e de vent,
1425 Pluies e gresilz desmesureement;
Chiedent i fuildres e menut e suvent,
E terremoete ço i ad veirement.
De seint Michel del Peril josqu'as Seinz,
Dès Besençun tresqu'al port de Guitsand,
1430 N'en ad recet dunt del mur ne cravent.
Cuntre midi tenebres i ad granz.
N'i ad clartet, se li ciels nen i fent.
Hume nel veit ki mult ne s'espoant.
Dient plusor : « Ço est li definement,

l'avoir fait, il perdit la vie et les membres
par jugement à Aix, où il fut condamné à être
pendu; avec lui trente de ses parents, qui
n'attendaient pas cette mort.

◎ ∞ CX ∞ ◎

L A bataille est merveilleuse et pesante.
Roland y frappe bien, et Olivier; et l'ar-
chevêque y rend plus de mille coups et les
douze pairs ne sont pas en reste, ni les Français,
qui frappent tous ensemble. Par centaines et
par milliers, les païens meurent. Qui ne s'enfuit
ne trouve nul refuge; bon gré mal gré, il y
laisse sa vie. Les Français y perdent leurs
meilleurs soutiens. Ils ne reverront plus leurs
pères ni leurs parents, ni Charlemagne qui les
attend aux ports. En France s'élève une tour-
mente étrange, un orage chargé de tonnerre
et de vent, de pluie et de grêle, démesurément.
La foudre tombe à coups serrés et pressés, la
terre tremble. De Saint-Michel-du-Péril jus-
qu'aux Saints, de Besançon jusqu'au port de
Wissant, il n'y a maison dont un mur ne crève.
En plein midi, il y a de grandes ténèbres;
aucune clarté, sauf quand le ciel se fend. Nul
ne le voit qui ne s'épouvante. Plusieurs disent :
« C'est la consommation des temps, la fin du

1435 La fin del secle ki nus est en present. »
Il nel sevent, ne dient veir nient :
Ço est li granz dulors por la mort de Rollant.

◎ ❀❀ CXI ❀❀ ◎

FRANCEIS i unt ferut de coer e de vigur;
Paien sunt morz a millers e a fuls :
1440 De cent millers n'en poent guarir dous.
Dist l'arcevesque : « Nostre hume sunt mult proz;
Suz ciel n'ad home plus en ait de meillors.
Il est escrit en la Geste Francor
Que vassals est li nostre empereür. »
1445 Vunt par le camp, si requerent les lor,
Plurent des oilz de doel e de tendrur
Por lor parenz par coer e par amor.
Li reis Marsilie od sa grant ost lor surt. AOI.

◎ ❀❀ CXII ❀❀ ◎

MARSILIE vient par mi une valee
1450 Od sa grant ost que il out asemblee.
.XX. escheles ad li reis anumbrees.
Luisent cil elme as perres d'or gemmees,
E cil escuz e cez bronies sasfrees;
.VII. milie graisles i sunent la menee :
1455 Grant est la noise par tute la contree.
Ço dist Rollant : « Oliver, compaign, frere,
Guenes li fels ad nostre mort juree.

monde que voilà venue. » Ils ne savent pas, ils ne disent pas vrai : c'est la grande douleur pour la mort de Roland.

◎ ∞ CXI ∞ ◎

LES Français ont frappé de plein cœur, fortement. Les païens sont morts en foule, par milliers. Sur les cent mille, il ne s'en est pas sauvé deux. L'archevêque dit : « Nos hommes sont très preux; sous le ciel nul n'en a de meilleurs. Il est écrit aux Annales des Frances que [. .]. » Ils vont par le champ et recherchent les leurs; ils pleurent de deuil et de pitié sur leurs parents, du fond du cœur, en leur amour. Vient contre eux, avec sa grande armée, le roi Marsile.

◎ ∞ CXII ∞ ◎

MARSILE vient le long d'une vallée, avec la grande armée qu'il amassa. Il a formé et compté vingt corps de bataille. Les heaumes aux pierreries serties dans l'or brillent, et les écus, et les brognes safrées. Sept mille clairons sonnent la charge, grand est le bruit par toute la contrée. Roland dit : « Olivier, compagnon, frère, Ganelon le félon a juré notre mort. La

La traïsun ne poet estre celee;
Mult grant venjance en prendrat l'emperere.
1460 Bataille avrum e forte e aduree,
Unches mais hom tel ne vit ajustee.
Jo i ferrai de Durendal, m'espee,
E vos, compainz, ferrez de Halteclere.
En tanz lius les avum nos portees!
1465 Tantes batailles en avum afinees!
Male chançun n'en deit estre cantee. » AOI.

◎ ∞ CXIII ∞ ◎

(M. 1628-47) **M**ARSILIES veit de sa gent le martirie,
Si fait suner ses cors e ses buisines,
Puis si chevalchet od sa grant ost banie.
1470 Devant chevalchet un Sarrazin, Abisme :
Plus fel de lui n'out en sa cumpagnie.
Teches ad males e mult granz felonies;
Ne creit en Deu, le filz seinte Marie;
Issi est neirs cume peiz ki est demise;
1475 Plus aimet il traïsun e murdrie
Qu'il ne fesist trestut l'or de Galice;
Unches nuls hom nel vit juer ne rire.
Vasselage ad e mult grant estultie :
Por ço est drud al felun rei Marsilie;
1480 Sun dragun portet a qui sa gent s'alient.
Li arcevesque ne l'amerat ja mie;
Cum il le vit, a ferir le desiret.
Mult quiement le dit a sei meïsme :

trahison ne peut rester cachée; l'empereur en prendra forte vengeance. Nous aurons une bataille âpre et dure; jamais homme n'aura vu pareille rencontre. J'y frapperai de Durendal, mon épée, et vous, compagnon, vous frapperez de Hauteclaire. Par tant de terres nous les avons portées! Nous avons gagné par elles tant de batailles! Il ne faut pas que l'on chante d'elles une mauvaise chanson. »

◎ ∞ CXIII ∞ ◎

MARSILE voit le martyre des siens. Il fait sonner ses cors et ses buccines, puis chevauche avec le ban de sa grande armée. En avant, chevauche un Sarrasin, Abisme : il n'y a plus félon dans sa troupe. Il est plein de vices et de grands crimes, il ne croit pas en Dieu, le fils de sainte Marie. Il est aussi noir que poix fondue; mieux que tout l'or de Galice, il aime le meurtre et la traîtrise. Jamais nul ne le vit jouer ni rire. Mais il est vaillant et très témé-raire, et c'est pourquoi il est cher au félon roi Marsile. Il porte son dragon, auquel se rallie la gent sarrasine. L'archevêque ne saurait guère l'aimer; dès qu'il le voit, il désire le frapper. Tout bas il se dit à lui-même : « Ce

« Cel Sarrazin me semblet mult herite;
1485 Mielz est mult que jo l'alge ocire.
Unches n'amai cuard ne cuardie. » AOI.

◎ ∞ CXIV ∞ ◎

(M. 1648 LI arcevesque cumencet la bataille.
-70)   Siet el cheval qu'il tolit a Grossaille,
Ço ert uns reis qu'il ocist en Denemarche.
1490 Li destrers est e curanz e aates,
Piez a copiez e les gambes ad plates,
Curte la quisse e la crupe bien large,
Lungs les costez e l'eschine ad ben halte,
Blanche le cue e la crignete jalne,
1495 Petites les oreilles, la teste tute falve;
Beste nen est nule ki encontre lui alge.
Li arcevesque brochet, par tant grant vasselage!
Ne laisserat qu'Abisme nen asaillet.
Vait le ferir en l'escut amiracle :
1500 Pierres i ad, ametistes e topazes,
Esterminals e carbuncles ki ardent;
En Val Metas li dunat uns diables,
Si li tramist li amiralz Galafes.
Turpins i fiert, ki nient ne l'esparignet,
1505 Enprès sun colp ne quid qu'un dener vaillet,
Le cors li trenchet trés l'un costet qu'a l'altre,
Que mort l'abat en une voide place.
Dient Franceis : « Ci ad grant vasselage!
En l'arcevesque est ben la croce salve. »

Sarrasin me semble fort hérétique. Le mieux de beaucoup est que j'aille l'occire : jamais je n'aimai couard ni couardise. »

◎ ∞ CXIV ∞ ◎

L'ARCHEVÊQUE commence la bataille. Il monte le cheval qu'il prit à Grossaille, un roi qu'il avait tué en Danemark. Le destrier est bien allant, rapide; il a les fers dégagés, les jambes plates, la cuisse courte et la croupe large, les flancs allongés et l'échine bien haute, la queue blanche et le toupet jaune, les oreilles petites, la tête toute fauve; il n'est nulle bête qui l'égale à la course. L'archevêque éperonne, avec quelle vaillance! Il attaque Abisme, rien ne l'en détournera. Il va le frapper sur son écu [. .], que des pierreries chargent, améthystes et topazes [. .], escarboucles qui flambent : au Val Métas un démon l'avait donné à l'émir Galafe, et l'émir à Abisme. Turpin frappe, il ne le ménage pas; après qu'il a frappé, l'écu, je crois, ne vaut plus un denier. Il transperce le Sarrasin d'un flanc à l'autre et l'abat mort sur la terre nue. Les Français disent : « Voilà une belle vaillance! Aux mains de l'archevêque la crosse ne sera pas honnie! »

© ⧉⧉⧉ CXV ⧉⧉⧉ ©

1510
(M. 1467
-82)

FRANCEIS veient que paiens i ad tant,
    De tutes parz en sunt cuvert li camp.
Suvent regretent Oliver e Rollant,
Les .XII. pers, qu'il lor seient guarant.
Et l'arcevesque lur dist de sun semblant :
1515 « Seignors barons, n'en alez mespensant !
Pur Deu vos pri que ne seiez fuiant,
Que nuls prozdom malvaisement n'en chant.
Asez est mielz que moerium cumbatant.
Pramis nus est fin prendrum a itant,
1520 Ultre cest jurn ne surum plus vivant ;
Mais d'une chose vos soi jo ben guarant :
Seint pareïs vos est abandunant ;
As Innocent vos en serez seant. »
A icest mot si s'esbaldissent Franc
1525 Cel nen i ad Munjoie ne demant. AOI.

© ⧉⧉⧉ CXVI ⧉⧉⧉ ©

(M. 1483
-1501)

UN Sarrazin i out de Sarraguce,
    De la citet l'une meitet est sue :
Ço est Climborins, ki pas ne fut produme.
Fiance prist de Guenelun le cunte,
1530 Par amistiet l'en baisat en la buche,
Si l'en dunat sun helme e s'escarbuncle.
Tere Major, ço dit, metrat a hunte,
A l'emperere si toldrat la curone.

◎ ❤❤❤ CXV ❤❤❤ ◎

LES Français voient que les païens sont tant :
les champs en sont couverts de toutes
parts. Souvent ils appellent Olivier et Roland
et les douze pairs, pour qu'ils les défendent.
Et l'archevêque leur dit sa pensée : « Seigneurs
barons, ne songez à rien qui soit mal. Je vous
en prie par Dieu, ne fuyez pas, (afin que nul
vaillant ne chante de vous une mauvaise chanson.)
Bien mieux vaut que nous mourions en com-
battant. Bientôt, nous en avons la promesse,
nous viendrons à notre fin; nous ne vivrons pas
au-delà de ce jour; mais il est une chose dont
je vous suis garant : le saint paradis vous est
grand ouvert, vous y serez assis près des Inno-
cents. » A ces paroles les Francs sont remplis
de tant de réconfort qu'il n'en est pas un qui
ne crie « Montjoie! »

◎ ❤❤❤ CXVI ❤❤❤ ◎

UN Sarrasin était là, de Saragosse, — une
moitié de la cité est à lui, — Climborin,
qui point n'est prud'homme. C'est lui qui,
ayant reçu le serment du comte Ganelon, par
amitié l'avait baisé sur la bouche et lui avait
donné son heaume et son escarboucle. Il hon-
nira, dit-il, la Terre des Aïeux; à l'empereur
il enlèvera sa couronne. Il monte le cheval qu'il

Siet el ceval qu'il cleimet Barbamusche,
1535 Plus est isnels qu'esprever ne arunde.
Brochet le bien, le frein li abandunet,
Si vait ferir Engeler de Guascoigne.
Nel poet guarir sun escut ne sa bronie :
De sun espiet el cors li met la mure,
1540 Empeint le ben, tut le fer li mist ultre,
Pleine sa hanste el camp mort le tresturnet.
Après escriet : « Cist sunt bon a cunfundre !
Ferez, paien, pur la presse derumpre ! »
Dient Franceis : « Deus, quel doel de prodome ! » AOI.

◎ ⧈⧈⧈ CXVII ⧈⧈⧈ ◎

1545   Li quens Rollant en apelet Oliver :
(M. 1502-18)   « Sire cumpainz, ja est morz Engeler ;
Nus n'avium plus vaillant chevaler. »
Respont li quens : « Deus le me doinst venger ! »
Sun cheval brochet des esperuns d'or mier,
1550 Tient Halteclere, sanglent en est l'acer,
Par grant vertut vait ferir le paien.
Brandist sun colp e li Sarrazins chiet ;
L'anme de lui en portent aversers.
Puis ad ocis le duc Alphaïen ;
1555 Escababi i ad le chef trenchet ;
.VII. Arrabiz i ad deschevalcet :
Cil ne sunt proz ja mais pur guerreier.
Ço dist Rollant : « Mis cumpainz est irez !
Encuntre mei fait asez a preiser.

appelle Barbamousche, lequel est plus rapide qu'épervier ou hirondelle. Il l'éperonne bien, lui abandonne le frein et va frapper Engelier de Gascogne. Ni l'écu ni la brogne ne le peuvent garantir. Le païen lui plonge au corps la pointe de son épieu; il appuie, tout le fer traverse d'outre en outre; à pleine hampe, dans le champ, il l'abat à la renverse, puis s'écrie : « Cette engeance est bonne à détruire! Frappez, païens, pour rompre la presse! » Les Français disent : « Dieu! quel preux nous perdons! »

◎ ∞ CXVII ∞ ◎

L E comte Roland appelle Olivier : « Seigneur compagnon, voilà Engelier mort, nous n'avions pas un chevalier plus vaillant. » Le comte répond : « Que Dieu me donne de le venger! » Il broche son cheval de ses éperons d'or pur. Il dresse Hauteclaire, l'acier en est sanglant; de toute sa force il va frapper le païen. Il secoue la lame dans la plaie et le Sarrasin choit; les démons emportent son âme. Puis il tue le duc Alphaïen, tranche à Escababi la tête et désarçonne sept Arabes : ceux-là désormais ne vaudront plus guère en bataille. Roland dit : « Mon compagnon se fâche! Auprès de moi il vaut bien son prix. Pour de

1560 Pur itels colps nos ad Charles plus cher. »
A voiz escriet : « Ferez i, chevaler! » AOI.

◎ ∞ CXVIII ∞ ◎

(M. 1519-36) D'ALTRE part est un paien, Valdabrun :
Celoi levat le rei Marsiliun.
Sire est par mer de .IIII. C. drodmunz;
1565 N'i ad eschipre quis cleimt se par loi nun.
Jerusalem prist ja par traïsun,
Si violat le temple Salomon,
Le patriarche ocist devant les funz.
Cil ot fiance del cunte Guenelon :
1570 Il li dunat s'espee e mil manguns.
Siet el cheval qu'il cleimet Gramimund,
Plus est isnels que nen est uns falcuns.
Brochet le bien des aguz esperuns,
Si vait ferir li riche duc Sansun.
1575 L'escut li freint e l'osberc li derumpt,
El cors li met les pans del gunfanun,
Pleine sa hanste l'abat mort des arçuns :
« Ferez, paien, car très ben les veintrum! »
Dient Franceis : « Deus, quel doel de baron! » AOI.

◎ ∞ CXIX ∞ ◎

1580 LI quens Rollant, quant il veit Sansun mort,
(M. 1537-49) Poez saveir que mult grant doel en out.
Sun ceval brochet, si li curt ad esforz.
Tient Durendal, qui plus valt que fin or;

tels coups Charles nous chérit mieux. » Très
haut, il crie : « Frappez, chevaliers ! »

◎ ◦✕◦ CXVIII ◦✕◦ ◎

D'AUTRE part voici un païen, Valdabron :
il avait armé chevalier [?] le roi Marsile. Il
est seigneur sur mer de quatre cents dromonts ; *sorte de navire*
pas un marinier qui ne se réclame de lui. Il
avait pris Jérusalem par traîtrise, et violé
le temple de Salomon, et devant les fonts tué le
patriarche. C'est lui qui, ayant reçu le serment
du comte Ganelon, lui avait donné son épée et
mille mangons. Il monte le cheval qu'il appelle
Gramimond : un faucon est moins rapide. Il
l'éperonne bien des éperons aigus et va frapper
Samson, le riche duc. Il lui brise l'écu, lui
rompt le haubert, lui met au corps les pans de
son enseigne, à pleine hampe le désarçonne
et l'abat mort : « Frappez, païens, car nous le
vaincrons très bien ! » Les Français disent :
« Dieu ! quel deuil d'un tel baron ! »

◎ ◦✕◦ CXIX ◦✕◦ ◎

LE comte Roland, quand il voit Samson
mort, sachez qu'il en eut une très grande
douleur. Il pique son cheval, court sus au païen
à toute force. Il tient Durendal, qui vaut mieux

Vait le ferir li bers, quanque il pout,
1585 Desur sun elme, ki gemmet fut ad or,
Trenchet la teste e la bronie e le cors,
La bone sele, ki est gemmet ad or,
E al cheval parfundement le dos;
Ambure ocit, ki quel blasme ne quil lot.
1590 Dient paien : « Cist colp nus est mult fort! »
Respont Rollant : « Ne pois amer les voz;
Devers vos est li orguilz e li torz. » AOI.

◎ ∽∽ CXX ∽∽ ◎

(M. 1550-61) D'AFFRIKE i ad un Affrican venut,
Ço est Malquiant, le filz al rei Malcud.
1595 Si guarnement sunt tut a or batud :
Cuntre le ciel sur tuz les altres luist.
Siet el ceval qu'il cleimet Salt Perdut :
Beste nen est ki poisset curre a lui.
Il vait ferir Anseïs en l'escut :
1600 Tut li trenchat le vermeill e l'azur;
De sun osberc li ad les pans rumput,
El cors li met e le fer e le fust;
Morz est li quens, de sun tens n'i ad plus.
Dient Franceis : « Barun, tant mare fus! »

◎ ∽∽ CXXI ∽∽ ◎

1605 PAR le camp vait Turpin, li arcevesque.
(M. 1562-9) Tel coronet ne chantat unches messe
Ki de sun cors feïst tantes proecces.

que l'or pur. Il va, le preux, et le frappe tant
qu'il peut sur son heaume dont les pierreries
sont serties d'or. Il fend la tête, et la brogne,
et le tronc, et la bonne selle gemmée, et au
cheval il fend l'échine profondément; et, le
blâme, le loue qui voudra! les tue tous deux.
Les païens disent : « Ce coup nous est cruel! »
Roland répond : « Je ne puis aimer les vôtres.
L'orgueil est devers vous et le tort. »

◎ ∞ CXX ∞ ◎

Un Africain est là, venu d'Afrique : c'est
Malquiant, le fils du roi Malcud. Ses
armes sont tout incrustées d'or; au soleil sur tous
les autres il resplendit. Il monte le cheval qu'il
appelle Saut-Perdu : il n'y a bête qui puisse
l'égaler à la course. Il va frapper sur l'écu Anseïs:
il en tranche les quartiers de vermeil et d'azur.
Il lui a rompu les pans de son haubert, il lui
enfonce au corps l'épieu, fer et bois. Le comte
est mort, son temps est fini. Les Français
disent : « Baron, c'est grand'pitié de toi! »

◎ ∞ CXXI ∞ ◎

Par le champ va Turpin, l'archevêque.
Jamais tel tonsuré ne chanta la messe, qui
de sa personne ait fait autant d'exploits. Il

Dist al paien : « Deus tut mal te tramette!
Tel as ocis dunt al coer me regrette. »
1610 Sun bon ceval i ad fait esdemettre,
Si l'ad ferut sur l'escut de Tulette
Que mort l'abat desur l'herbe verte.

◎ ∞ CXXII ∞ ◎

(M. 1570-85) DE l'altre part est un paien, Grandonies,
        Filz Capuel, le rei de Capadoce.
1615 Siet el cheval que il cleimet Marmorie,
Plus est isnels que n'est oisel ki volet.
Laschet la resne, des esperuns le brochet,
Si vait ferir Gerin par sa grant force.
L'escut vermeill li freint, de col li portet;
1620 Aprof li ad sa bronie desclose,
El cors li met tute l'enseingne bloie,
Que mort l'abat en une halte roche.
Sun cumpaignun Gerers ocit uncore
E Berenger e Guiun de Seint Antonie;
1625 Puis vait ferir un riche duc, Austorie,
Ki tint Valeri e Envers sur le Rosne.
Il l'abat mort, paien en unt grant joie.
Dient Franceis : « Mult decheent li nostre! »

◎ ∞ CXXIII ∞ ◎

(M. 1586-92) LI quens Rollant tint s'espee sanglente.
1630 Ben ad oït que Franceis se dementent;
Si grant doel ad que par mi quiet fendre;

dit au païen : « Que Dieu t'envoie tous les maux! Tu en as tué un que mon cœur regrette. » Il lance en avant son bon cheval et frappe le païen sur son écu de Tolède d'un tel coup qu'il l'abat mort sur l'herbe verte.

◎ ❈ CXXII ❈ ◎

D'AUTRE part est un païen, Grandoine, fils de Capuel, le roi de Cappadoce. Il monte le cheval qu'il appelle Marmoire, lequel est plus rapide que nul oiseau qui vole. Il lâche la rêne, pique des éperons et va frapper Gerin de toute sa force. Il brise son écu vermeil, le lui fait choir du cou. Après, il lui déclôt sa brogne, lui plonge toute au corps son enseigne bleue et l'abat mort sur une haute roche. Il tue encore Gerier son compagnon, et Bérengier, et Gui de Saint-Antoine, puis va frapper un riche duc, Austorge, qui tenait en sa seigneurie Valeri [?] et Envers [?] sur le Rhône. Il l'abat mort; les païens se réjouissent. Les Français disent : « Quel déclin des nôtres! »

◎ ❈ CXXIII ❈ ◎

LE comte Roland tient son épée sanglante. Il a bien entendu que les Français se découragent. Il en a si grand deuil qu'il croit que son cœur va se fendre. Il dit au païen :

Dist al paien : « Deus tut mal te consente!
Tel as ocis que mult cher te quid vendre! »
Sun ceval brochet, [ki del cuntence].
1635 Ki quel cumpert, venuz en sunt ensemble.

◎ ⌘ CXXIV ⌘ ◎

(M.1593-1609) GRANDONIE fut e prozdom e vaillant
E vertuus e vassal cumbatant.
En mi sa veie ad encuntret Rollant.
Enceis nel vit, sil recunut veirement
1640 Al fier visage e al cors qu'il out gent
E al reguart e al contenement :
Ne poet muer qu'il ne s'en espoent.
Fuïr s'en voel, mais ne li valt nient :
Li quens le fiert tant vertuusement
1645 Tresqu'al nasel tut le elme li fent,
Trenchet le nés e la buche e les denz,
Trestut le cors e l'osberc jazerenc,
De l'oree sele lé dous alves d'argent
E al ceval le dos parfundement;
1650 Ambure ocist seinz nul recoevrement,
E cil d'Espaigne s'en cleiment tuit dolent.
Dient Franceis : « Ben fiert nostre guarent! »

◎ ⌘ CXXV ⌘ ◎

(M.1610-19) LA bataille est merveilluse e hastive.
Franceis i ferent par vigur e par ire,
1655 Trenchent cez poinz, cez costez, cez eschines,

« Que Dieu t'octroie tous les maux! Tu en as tué un que je compte te vendre très cher! » Il éperonne son cheval [. .]. Lequel vaincra? Les voilà aux prises.

◎ ∞ CXXIV ∞ ◎

GRANDOINE était preux et vaillant, puissant et hardi au combat. Au travers de sa voie, il a rencontré Roland. Jamais il ne l'a vu : il le reconnaît pourtant, à son fier visage, à son beau corps, à son regard, à son allure; il a peur, il ne peut s'en défendre. Il veut fuir, mais vainement. Le comte le frappe d'un coup si merveilleux qu'il lui fend tout le heaume jusqu'au nasal, lui tranche le nez et la bouche et les dents, et tout le tronc, et le haubert aux bonnes mailles, et le pommeau et le troussequin d'argent de sa selle dorée, et profondément le dos de son cheval. Point de remède : il les a tués tous deux, et ceux d'Espagne gémissent tous. Les Français disent : « Notre garant frappe bien! »

◎ ∞ CXXV ∞ ◎

LA bataille est merveilleuse; elle se fait plus précipitée. Les Français y frappent avec vigueur et rage. Ils tranchent les poings, les

Cez vestemenz entresque as chars vives.
Sur l'herbe verte li cler sancs s'en afilet :
« Tere Major, Mahummet te maldie!
1660 Sur tute gent est la tue hardie. »
Cel nen i ad ki ne criet : « Marsilie!
Cevalche, rei! Bosuign avum d'aïe! »

© ∞ CXXVI ∞ ©

(M. 1620-7) LA bataille est e merveillose e grant.
Franceis i fierent des espiez brunisant.
1665 La veïssez si grant dulor de gent,
Tant hume mort e nasfret e sanglent!
L'un gist sur l'altre e envers e adenz.
Li Sarrazin nel poent susfrir tant :
Voelent u nun, si guerpissent le camp.
1670 Par vive force les encacerent Franc. AOI.

© ∞ CXXVII ∞ ©

LI quens Rollant apelet Oliver :
« Sire cumpaign, sel volez otrier,
Li arcevesque est mult bon chevaler,
N'en ad meillor en tere ne suz cel;
1675 Ben set ferir e de lance e d'espiet. »
Respunt li quens : « Kar li aluns aider! »
A icest mot l'unt Francs recumencet.
Dur sunt li colps e li caples est grefs;
Mult grant dulor i ad de chrestiens.
1680 Ki puis veïst Rollant e Oliver

flancs, les échines, transpercent les vêtements jusqu'aux chairs vives, et le sang coule en filets clairs sur l'herbe verte. « Terre des Aïeux, Mahomet te maudisse! Sur tous les peuples ton peuple est hardi! » Pas un Sarrasin qui ne crie : « Marsile! Chevauche, roi! Nous avons besoin d'aide! »

◎ ∞ CXXVI ∞ ◎

LA bataille est merveilleuse et grande. Les Français y frappent des épieux brunis. Si vous eussiez vu tant de souffrance, tant d'hommes morts, blessés, ensanglantés! Ils gisent l'un sur l'autre, face au ciel, face contre terre. Les Sarrasins ne peuvent l'endurer davantage : bon gré mal gré ils vident le champ. Et les Francs, de vive force, leur ont donné la chasse.

◎ ∞ CXXVII ∞ ◎

LE comte Roland appelle Olivier : « Seigneur compagnon, avouez-le, l'archevêque est très bon chevalier; il n'y a meilleur sous le ciel; il sait bien frapper de la lance et de l'épieu. » Le comte répond : « Donc, allons lui aider! » A ces mots les Francs ont recommencé. Durs sont les coups, lourde est la mêlée. Les chrétiens sont en grande détresse. Il eût fait beau voir

De lur espees e ferir e capler!
Li arcevesque i fiert de sun espiet.
Cels qu'il unt mort, ben les poet hom preiser,
Il est escrit es cartres e es brefs,
1685 Ço dit la Geste, plus de .IIII. milliers.
As quatre esturs lor est avenut ben;
Li quint après lor est pesant e gref.
Tuz sunt ocis cist franceis chevalers,
Ne mès seisante, que Deus i ad esparniez :
1690 Einz que il moergent se vendrunt mult cher. AOI.

◎ ❧ CXXVIII ❧ ◎

Li quens Rollant des soens i veit grant perte,
Sun cumpaignun Oliver en apelet :
« Bel sire, chers cumpainz, pur Deu, que vos en haitet
Tanz bons vassals veez gesir par tere!
1695 Pleindre poüms France dulce, la bele :
De tels barons cum or remeint deserte!
E! reis, amis, que vos ici nen estes?
Oliver, frere, cum le purrum nus faire?
Cum faitement li manderum nuveles? »
1700 Dist Oliver : « Jo nel sai cument quere.
Mielz voeill murir que hunte nus seit retraite. » AOI.

◎ ❧ CXXIX ❧ ◎

Ço dist Rollant : « Cornerai l'olifant,
Si l'orrat Carles, ki est as porz passant.

Roland et Olivier frapper, tailler de l'épée!
L'archevêque frappe de son épieu. De ceux
qu'ils ont tués, on peut estimer le nombre; il
est écrit, dit la Geste, dans les chartes et les
brefs : ils en tuèrent plus de quatre milliers.
Aux quatre premiers assauts, ils ont bien tenu
coup; le cinquième leur pesa lourdement. Ils
sont tous tués, les chevaliers français, hormis
soixante que Dieu a épargnés. Avant qu'ils
meurent, ils se vendront très cher.

◎ ⚬◎⚬ CXXVIII ⚬◎⚬ ◎

LE comte Roland voit le grand massacre
des siens. Il appelle Olivier, son compa-
gnon : « Beau seigneur, cher compagnon,
par Dieu! que vous en semble? Voyez tant
de vaillants qui gisent là contre terre! Nous
avons bien sujet de plaindre douce France, la
belle! Vidée de tels barons, comme elle reste
déserte! Ah! roi, ami, que n'êtes-vous ici?
Olivier, frère, comment pourrons-nous faire?
Comment lui mandrons-nous des nouvelles? »
Olivier dit : « Comment? Je ne sais pas. On
en pourrait parler à notre honte, et j'aime
mieux mourir! »

◎ ⚬◎⚬ CXXIX ⚬◎⚬ ◎

ROLAND dit : « Je sonnerai l'olifant. Charles
l'entendra, qui passe les ports. Je vous

Jo vos plevis ja returnerunt Franc. »
1705 Dist Oliver : « Vergoigne sereit grant
E repruver a trestuz vos parenz;
Iceste hunte dureit al lur vivant!
Quant jel vos dis, n'en feïstes nient;
Mais nel ferez par le men loement.
1710 Se vos cornez, n'er mie hardement.
Ja avez vos ambsdous les braz sanglanz! »
Respont li quens : « Colps i ai fait mult genz! » AOI.

◎ ⨋ CXXX ⨌ ◎

Ço dist Rollant : « Forz est nostre bataille!
Jo cornerai, si l'orrat li reis Karles. »
1715 Dist Oliver : « Ne sereit vasselage!
Quant jel vos dis, cumpainz, vos ne deignastes.
S'i fust li reis, n'i oüsum damage.
Cil ki la sunt n'en deivent aveir blasme. »
Dist Oliver : « Par ceste meie barbe,
1720 Se puis veeir ma gente sorur Alde,
Ne jerreiez ja mais entre sa brace! » AOI.

◎ ⨋ CXXXI ⨌ ◎

Ço dist Rollant : « Por quei me portez ire? »
E il respont : « Cumpainz, vos le feïstes,
Kar vasselage par sens nen est folie;

le jure, les Francs reviendront. » Olivier dit :
« Ce serait pour tous vos parents un grand
déshonneur et un opprobre et cette honte
serait sur eux toute leur vie! Quand je vous
demandais de le faire, vous n'en fîtes rien.
Faites-le maintenant : ce ne sera plus par
mon conseil. Sonner votre cor, ce ne serait pas
d'un vaillant! Mais comme vos deux bras sont
sanglants! » Le comte répond : « J'ai frappé de
beaux coups. »

◎ ∞ CXXX ∞ ◎

ROLAND dit : « Notre bataille est dure! Je
sonnerai mon cor, le roi Charles l'entendra.»
Olivier dit : « Ce ne serait pas d'un preux!
Quand je vous disais de le faire, compagnon,
vous n'avez pas daigné. Si le roi avait été
avec nous, nous n'eussions rien souffert. Ceux
qui gisent là ne méritent aucun blâme.
Par cette mienne barbe, si je puis revoir ma
gente sœur Aude, vous ne coucherez jamais
entre ses bras! »

◎ ∞ CXXXI ∞ ◎

ROLAND dit : « Pourquoi, contre moi, de
la colère? » Et Olivier répond : « Com-
pagnon, c'est votre faute, car vaillance sensée
et folie sont deux choses, et mesure vaut mieux
qu'outrecuidance. Si les Français sont morts,

1725 Mielz valt mesure que ne fait estultie.
Franceis sunt morz par vostre legerie.
Jamais Karlon de nus n'avrat servise.
Sem creïsez, venuz i fust mi sire;
Ceste bataille oüsum [faite u prise];
1730 U pris u mort i fust li reis Marsilie.
Vostre proecce, Rollant, mar la veïmes!
Karles li Magnes de nos n'avrat aïe.
N'ert mais tel home dès qu'a Deu juïse.
Vos i murrez e France en ert hunie.
1735 Oi nus defalt la leial cumpaignie :
Einz le vespre mult ert gref la departie. » AOI.

◎ ⧝ CXXXII ⧝ ◎

Li arcevesques les ot cuntrarier,
Le cheval brochet des esperuns d'or mer,
Vint tresqu'a els, sis prist a castier :
1740 « Sire Rollant, e vos, sire Oliver,
Pur Deu vos pri, ne vos cuntraliez!
Ja li corners ne nos avreit mester,
Mais nepurquant si est il asez melz :
Venget li reis, si nus purrat venger;
1745 Ja cil d'Espaigne ne s'en deivent turner liez.
Nostre Franceis i descendrunt a pied,
Truverunt nos e morz e detrenchez,
Leverunt nos en bieres sur sumers,
Si nus plurrunt de doel e de pitet,
1750 Enfuerunt nos en aitres de musters;

c'est par votre légèreté. Jamais plus nous ne ferons le service de Charles. Si vous m'aviez cru, mon seigneur serait revenu; cette bataille nous l'aurions gagnée; le roi Marsile eût été tué ou pris. Votre prouesse, Roland, c'est à la malheure que nous l'avons vue. Charles le Grand — jamais il n'y aura un tel homme jusqu'au dernier jugement! — ne recevra plus notre aide. Vous allez mourir et France en sera honnie. Aujourd'hui prend fin notre loyal compagnonnage : avant ce soir nous nous séparerons, et ce sera dur. »

◎ ∞ CXXXII ∞ ◎

L'ARCHEVÊQUE les entend qui se querellent. Il éperonne de ses éperons d'or pur, vient jusqu'à eux, et les reprend tous deux : « Sire Roland, et vous, sire Olivier, je vous en prie de par Dieu, ne vous querellez point! Sonner du cor ne nous sauverait plus. Et pourtant, sonnez, ce sera bien mieux. Vienne le roi, il pourra nous venger : il ne faut pas que ceux d'Espagne s'en retournent joyeux. Nos Français descendront ici de cheval; ils nous trouveront tués et démembrés; ils nous mettront en bière, nous emporteront sur des bêtes de somme et nous pleureront, pleins de douleur et de pitié. Ils nous enterreront en des aîtres d'églises; nous ne serons pas mangés par les loups, les

N'en mangerunt ne lu ne porc ne chen. »
Respunt Rollant : « Sire, mult dites bien. » AOI.

◎ ⤫ CXXXIII ⤫ ◎

Rollant ad mis l'olifan a sa buche,
    Empeint le ben, par grant vertut le sunet.
1755 Halt sunt li pui e la voiz est mult lunge,
Granz .XXX. liwes l'oïrent il respundre.
Karles l'oït e ses cumpaignes tutes.
Ço dit li reis : « Bataille funt nostre hume ! »
E Guenelun li respundit encuntre :
1760 « S'altre le desist, ja semblast grant mençunge ! » AOI.

◎ ⤫ CXXXIV ⤫ ◎

Li quens Rollant, par peine e par ahans,
    Par grant dulor sunet sun olifan.
Par mi la buche en salt fors li cler sancs.
1765 De sun cervel le temple en est rumpant.
Del corn qu'il tient l'oïe en est mult grant :
Karles l'entent, ki est as porz passant.
Naimes li duc l'oïd, si l'escultent li Franc.
Ce dist li reis : « Jo oi le corn Rollant !
1770 Unc nel sunast, se ne fust cumbatant. »
Guenes respunt : « De bataille est nient !
Ja estes veilz e fluriz e blancs ;
Par tels paroles vus resemblez enfant.
Asez savez le grant orgoill Rollant ;
Ço est merveille que Deus le soefret tant.

porcs et les chiens. » Roland répond : « Seigneur, vous avez bien dit. »

◎ ∞ CXXXIII ∞ ◎

ROLAND a mis l'olifant à ses lèvres. Il l'embouche bien, sonne à pleine force. Hauts sont les monts, et longue la voix du cor ; à trente grandes lieues on l'entend qui se prolonge. Charles l'entend et l'entendent tous ses corps de troupe. Le roi dit : « Nos hommes livrent bataille ! » Et Ganelon lui répond à l'encontre : « Qu'un autre l'eût dit, certes on y verrait un grand mensonge. »

◎ ∞ CXXXIV ∞ ◎

LE comte Roland, à grand effort, à grand ahan, très douloureusement, sonne son olifant. Par sa bouche le sang jaillit clair. Sa tempe se rompt. La voix de son cor se répand au loin. Charles l'entend, au passage des ports. Le duc Naimes écoute, les Francs écoutent. Le roi dit : « C'est le cor de Roland ! Il n'en sonnerait pas s'il ne livrait une bataille. » Ganelon répond : « Il n'y a pas de bataille ! Vous êtes vieux, votre chef est blanc et fleuri ; par de telles paroles vous semblez un enfant. Vous connaissez bien le grand orgueil de Roland : c'est merveille que Dieu si longtemps l'endure. N'a-t-il pas été jusqu'à prendre

1775 Ja prist il Noples seinz le vostre comant;
Fors s'en eissirent li Sarrazins dedenz,
Sis cumbatirent al bon vassal Rollant,
Puis od les ewes lavat les prez del sanc;
Pur cel le fist ne fust... arissant.
1780 Pur un sul levre vait tute jur cornant.
Devant ses pers vait il ore gabant.
Suz cel n'ad gent ki l'osast querre en champ.
Car chevalcez! Pur qu'alez arestant?
Tere Major mult est loinz ça devant. » AOI.

◎ ⨋ CXXXV ⨋ ◎

1785 Li quens Rollant ad la buche sanglente.
De sun cervel rumput en est li temples.
L'olifan sunet a dulor e a peine.
Karles l'oït e ses Franceis l'entendent.
Ço dist li reis : « Cel corn ad lunge aleine! »
1790 Respont dux Neimes : « Baron i fait la peine!
Bataille i ad, par le men escientre.
Cil l'at traït ki vos en roevet feindre.
Adubez vos, si criez vostre enseigne,
Si sucurez vostre maisnee gente :
1795 Asez oez que Rollant se dementet! »

◎ ⨋ CXXXVI ⨋ ◎

Li emperere ad fait suner ses corns.
Franceis descendent, si adubent lor cors
D'osbercs e de helmes e d'espees a or.

Noples sans votre ordre? Les Sarrasins firent une sortie et combattirent le bon vassal Roland; pour effacer les traces [?], il inonda les prés ensanglantés. Pour un seul lièvre, il va tout un jour sonnant du cor. Aujourd'hui, c'est quelque jeu qu'il fait devant ses pairs. Qui donc sous le ciel oserait lui offrir la bataille? Chevauchez donc! Pourquoi vous arrêter? La Terre des Aïeux est encore loin là-bas devant nous. »

◎ ∞ CXXXV ∞ ◎

LE comte Roland a la bouche sanglante. Sa tempe s'est rompue. Il sonne l'olifant douloureusement, avec angoisse. Charles l'entend, et ses Français l'entendent. Le roi dit : « Ce cor a longue haleine! » Le duc Naimes répond : « C'est qu'un vaillant y prend peine. Il livre bataille, j'en suis sûr. Celui-là même l'a trahi qui maintenant vous demande de faillir à votre tâche. Armez-vous, criez votre cri d'armes et secourez votre belle mesnie. Vous l'entendez assez : c'est Roland qui désespère. »

◎ ∞ CXXXVI ∞ ◎

L'EMPEREUR a fait sonner ses cors. Les Français mettent pied à terre et s'arment de hauberts, de heaumes et d'épées parées

Escuz unt genz e espiez granz e forz,
1800 E gunfanuns blancs e vermeilz e blois.
Es destrers muntent tuit li barun de l'ost.
Brochent ad ail tant cum durent li port.
N'i ad celoi a l'altre ne parolt :
« Se veïssum Rollant einz qu'il fust mort,
1805 Ensembl' od lui i durriums granz colps. »
De ço qui calt? car demuret i unt trop.

◎ ᎒᎒᎒ CXXXVII ᎒᎒᎒ ◎

Esclargiz est li vespres e li jurz.
    Cuntre le soleil reluisent cil adub,
Osbercs e helmes i getent grant flabur,
1810 E cil escuz, ki ben sunt peinz a flurs,
E cil espiez, cil oret gunfanun.
Li empereres cevalchet par irur
E li Franceis dolenz a curoçus;
N'i ad celoi ki durement ne plurt,
1815 E de Rollant sunt en grant poür.
Li reis fait prendre le cunte Guenelun,
Sil cumandat as cous de sa maisun.
Tut li plus maistre en apelet, Besgun :
« Ben le me guarde, si cume tel felon!
1820 De ma maisnee ad faite traïsun. »
Cil le receit, s'i met .C. cumpaignons
De la quisine, des mielz e des peiurs.
Icil li peilent la barbe e les gernuns,
Cascun le fiert .IIII. colps de son puign,

d'or. Ils ont des écus bien ouvrés, et des épieux forts et grands, et des gonfanons blancs, vermeils et bleus. Tous les barons de l'armée montent sur les destriers. Ils donnent de l'éperon tant que durent les défilés. Pas un qui ne dise à l'autre : « Si nous revoyions Roland encore vivant, avec lui nous frapperions de grands coups! » A quoi bon les paroles? Ils ont trop tardé.

◎ ❀❀ CXXXVII ❀❀ ◎ – LXXIX

LE jour avance, la vêprée brille. Contre le soleil resplendissent les armures. Hauberts et heaumes flamboient, et les écus où sont peintes des fleurs, et les épieux et les gonfanons dorés. L'empereur chevauche plein de colère, et les Français marris et courroucés. Pas un qui ne pleure douloureusement; pour Roland, tous sont transis d'angoisse. Le roi a fait saisir le comte Ganelon. Il l'a remis aux cuisiniers de sa maison. Il appelle Besgon, leur chef : « Garde-le-moi bien, comme on doit faire d'un félon pareil : il a livré ma mesnie par traîtrise. » Besgon le reçoit en sa garde, et met après lui cent garçons de la cuisine, des meilleurs et des pires. Ils lui arrachent les poils de la barbe et des moustaches, le frappent chacun par quatre fois du poing, le battent à

1825 Ben le batirent a fuz e a bastuns
E si li metent el col un caeignun,
Si l'encaeinent altresi cum un urs;
Sur un sumer l'unt mis a deshonor.
Tant le guardent quel rendent a Charlun.

◎ ∞ CXXXVIII ∞ ◎

1830 Halt sunt li pui e tenebrus e grant, AOI.
Li val parfunt e les ewes curant.
Sunent cil graisle e derere e devant
E tuit rachatent encuntre l'olifant.
Li empereres chevalchet ireement
1835 E li Franceis curuçus e dolent;
N'i ad celoi n'i plurt e se dement,
E prient Deu qu'il guarisset Rollant
Josque il vengent el camp cumunement :
Ensembl' od lui i ferrunt veirement.
1840 De ço qui calt? car ne lur valt nient.
Demurent trop, n'i poedent estre a tens. AOI.

◎ ∞ CXXXIX ∞ ◎

Par grant irur chevalchet li reis Charles;
Desur sa brunie li gist sa blanche barbe.
Puignent ad ait tuit li barun de France;
1845 N'i ad icel ne demeint irance
Que il ne sunt a Rollant le cataigne,
Ki se cumbat as Sarrazins d'Espaigne,

coups de triques et de bâtons et lui mettent au cou une chaîne comme à un ours. Honteusement ils le hissent sur une bête de somme. Ainsi le gardent-ils jusqu'au jour de le rendre à Charles.

◎ ❀ CXXXVIII ❀ ◎

HAUTS sont les monts, et ténébreux et grands, les vaux profonds, les eaux violentes. A l'arrière, à l'avant, les clairons sonnent et tous ensemble répondent à l'olifant. L'empereur chevauche irrité, et les Français courroucés et marris. Pas un qui ne pleure et ne se lamente. Ils prient Dieu qu'il préserve Roland jusqu'à ce qu'ils parviennent au champ de bataille, tous ensemble : alors, tous avec lui, ils frapperont. A quoi bon les prières ? Elles ne leur servent de rien. Ils tardent trop, ils ne peuvent arriver à temps.

◎ ❀ CXXXIX ❀ ◎

PLEIN de courroux, le roi Charles chevauche. Sur sa brogne s'étale sa barbe blanche. Tous les barons de France donnent fortement de l'éperon. Pas un qui ne se lamente de n'être pas avec Roland le capitaine, quand il combat les Sarrasins d'Espagne. Il est dans une telle détresse qu'il n'y survivra pas, je crois. Dieu !

Si est blecet, ne quit qu'anme i remaigne.
Deus! quels seisante humes i ad en sa cumpaigne!
1850 Unches meillurs n'en out reis ne cataignes. AOI.

◎ ∞ CXL ∞ ◎

ROLLANT reguardet es munz e es lariz;
    De cels de France i veit tanz morz gesir,
E il les pluret cum chevaler gentill :
« Seignors barons, de vos ait Deus mercit!
1855 Tutes voz anmes otreit il pareïs!
En saintes flurs il les facet gesir!
Meillors vassals de vos unkes ne vi.
Si lungement tuz tens m'avez servit,
A oes Carlon si granz païs cunquis!
1860 Li empereres tant mare vos nurrit!
Tere de France, mult estes dulz païs,
Oi desertet [a tant rubostl exill].
Barons franceis, pur mei vos vei murir :
Jo ne vos pois tenser ne guarantir;
1865 Aït vos Deus, ki unkes ne mentit!
Oliver, frere, vos ne dei jo faillir.
De doel murra, s'altre ne m'i ocit.
Sire cumpainz, alum i referir! »

◎ ∞ CXLI ∞ ◎

LI quens Rollant el champ est repairet.
1870   Tient Durendal, cume vassal i fiert.

quels barons, les soixante qui restent en sa compagnie! Jamais roi ni capitaine n'en eut de meilleurs.

◎ ∞ CXL ∞ ◎

ROLAND regarde par les monts, par les collines. De ceux de France, il en voit tant qui gisent morts, et il les pleure en gentil chevalier : « Seigneurs barons, que Dieu vous fasse merci! Qu'il octroie à toutes vos âmes le paradis! Qu'il les couche parmi les saintes fleurs! Jamais je ne vis vassaux meilleurs que vous. Vous avez si longuement, sans répit, fait mon service, conquis pour Charles de si grands pays! L'empereur vous a nourris pour son malheur. Terre de France, vous êtes un doux pays; en ce jour le pire fléau (?) vous a désolée! Barons français, je vous vois mourir pour moi, et je ne puis vous défendre ni vous sauver : que Dieu vous aide, qui jamais ne mentit! Olivier, frère, je ne dois pas vous faillir. Je mourrai de douleur, si rien d'autre ne me tue. Sire compagnon, remettons-nous à frapper! »

◎ ∞ CXLI ∞ ◎

LE comte Roland est retourné à la bataille. Il tient Durendal : il frappe en vaillant.

Faldrun de Pui i ad par mi trenchet,
E .XXIIII. de tuz les melz preisez :
Jamais n'iert home plus se voeillet venger.
Si cum li cerfs s'en vait devant les chiens,
1875 Devant Rollant si s'en fuient paiens.
Dist l'arcevesque : « Asez le faites ben!
Itel valor deit aveir chevaler
Ki armes portet e en bon cheval set :
En bataille deit estre forz e fiers,
1880 U altrement ne valt .IIII. deners,
Einz deit monie estre en un de cez mustiers,
Si prierat tuz jurz por noz peccez. »
Respunt Rollant : « Ferez, nes esparignez! »
A icest mot l'unt Francs recumencet.
1885 Mult grant damage i out de chrestiens.

© ◎ ∞ CXLII ∞ ◎ ©

Home ki ço set que ja n'avrat prisun
En tel bataill fait grant defension :
Pur ço sunt Francs si fiers cume leuns.
As vus Marsilie en guise de barunt.
1890 Siet el cheval qu'il apelet Gaignun,
Brochet le ben, si vait ferir Bevon :
Icil ert sire de Belne e de Digun.
L'escut li freint e l'osberc li derumpt,
Que mort l'abat seinz altre descunfisun,
1895 Puis ad ocis Yvoeries e Ivon,
Ensembl' od els Gerard de Russillun.
Li quens Rollant ne li est guaires loign;

Il a taillé en pièces Faldrun de Pui et vingt-quatre autres, des mieux prisés. Jamais homme ne désirera tant se venger. Comme le cerf devant les chiens, ainsi devant Roland les païens fuient. L'archevêque dit : « Voilà qui est bien ! Ainsi doit se montrer un chevalier qui porte de bonnes armes et monte un bon cheval; il doit en bataille être fort et fier, ou autrement il ne vaut pas quatre deniers : qu'il se fasse plutôt moine dans un moutier et qu'il y prie chaque jour pour nos péchés ! » Roland répond : « Frappez, ne les épargnez pas ! » A ces mots les Francs recommencent. Les chrétiens y souffrirent grandement.

◎ ∞ CXLII ∞ ◎

QUAND on sait qu'il ne sera pas fait de prisonniers, on se défend fortement dans une telle bataille. C'est pourquoi les Francs se font hardis comme des lions. Voici que vient contre eux, en vrai baron, Marsile. Il monte le cheval qu'il appelle Gaignon. Il l'éperonne bien et va frapper Bevon : celui-là était sire de Dijon et de Beaune; il brise son écu, rompt son haubert et, sans redoubler le coup, l'abat mort. Puis il tue Ivod et Ivoire; avec eux Gérard de Roussillon. Le comte Roland n'est guère loin. Il dit au païen : « Dieu te maudisse ! A si

Dist al paien : « Damnesdeus mal te duinst!
A si grant tort m'ociz mes cumpaignuns!
1900 Colp en avras einz que nos departum,
E de m'espee enquoi savras le nom. »
Vait le ferir en guise de baron.
Trenchet li ad li quens le destre poign,
Puis prent la teste de Jurfaleu le Blund;
1905 Icil ert filz al rei Marsiliun.
Paien escrient : « Aïe nos, Mahum!
Li nostre deu, vengez nos de Carlun!
En ceste tere nus ad mis tels feluns
Ja pur murir le camp ne guerpirunt. »
1910 Dist l'un a l'altre : « E! car nos en fuiums! »
A icest mot tels .C. milie s'en vunt,
Ki ques rapelt, ja n'en returnerunt. AOI.

◎ ∞ CXLIII ∞ ◎

DE ço qui calt? Se fuït s'en est Marsilies,
Remès i est sis uncles, Marganices,
1915 Ki tint Kartagene, Alfrere, Garmalie
E Ethiope, une tere maldite.
La neire gent en ad en sa baillie;
Granz unt les nés e lees les oreilles,
E sunt ensemble plus de cinquante milie.
1920 Icil chevalchent fierement e a ire,
Puis escrient l'enseigne paenime.
Ço dist Rollant : « Ci recevrums martyrie,
E or sai ben n'avons guaires a vivre;
Mais tut seit fel cher ne se vende primes!

grand tort tu m'occis mes compagnons! Tu le
paieras avant que nous nous séparions et tu vas
apprendre le nom de mon épée. » En vrai
baron, il va le frapper; il lui tranche le poing
droit. Puis il prend la tête à Jurfaleu le Blond :
celui-là était fils du roi Marsile. Les païens
s'écrient : « Aide-nous, Mahomet! Vous, nos
dieux, vengez-nous de Charles! En cette terre
il nous a mis de tels félons que, dussent-ils
mourir, ils ne videront pas le champ. » L'un
dit à l'autre : « Or donc fuyons! » Et cent mille
s'en vont : les rappelle qui veut, ils ne revien-
dront pas.

◉ ⚬∞⚬ CXLIII ⚬∞⚬ ◉

DE quoi sert leur déroute? Si Marsile s'est
enfui, son oncle est resté, Marganice, qui
tient Carthage, Alfrere (?) et Garmalie et
l'Éthiopie, une terre maudite : il a en sa sei-
gneurie l'engeance des Noirs. Leurs nez sont
grands, leurs oreilles larges; ils sont là plus
de cinquante mille ensemble. Ils lancent leurs
chevaux hardiment, avec fureur, puis crient le
cri d'armes des païens. Alors Roland dit :
« Ici nous recevrons le martyre, et je sais bien
maintenant que nous n'avons plus guère à
vivre. Mais honte à qui d'abord ne se sera
vendu cher! Frappez, seigneurs, des épées
fourbies, et disputez et vos morts et vos vies

1925 Ferez, seignurs, des espees furbies,
Si calengez e voz mors e voz vies,
Que dulce France par nus ne seit hunie!
Quant en cest camp vendrat Carles, mi sire,
De Sarrazins verrat tel discipline,
1930 Cuntre un des noz en truverat morz .XV.,
Ne lesserat que nos ne beneïsse. » AOI.

◎ ⚭ CXLIV ⚭ ◎

Q UANT Rollant veit la contredite gent
Ki plus sunt neirs que nen est arrement
Ne n'unt de blanc ne mais que sul les denz,
1935 Ço dist li quens : « Or sai jo veirement
Que hoi murrum, par le mien escient.
Ferez, Franceis, car jol vos recumenz! »
Dist Oliver : « Dehet ait li plus lenz! »
A icest mot Franceis se fierent enz.

◎ ⚭ CXLV ⚭ ◎

1940 Q UANT paien virent que Franceis i out poi,
Entr'els en unt e orgoil e cunfort.
Dist l'un a l'altre : « L'empereor ad tort. »
Li Marganices sist sur un ceval sor,
Brochet le ben des esperuns a or,
1945 Fiert Oliver derere en mi le dos.
Le blanc osberc li ad descust el cors,
Par mi le piz sun espiet li mist fors,

afin que douce France ne soit pas honnie par nous! Quand en ce champ viendra Charles, mon seigneur, et qu'il verra quelle justice nous aurons faite des Sarrasins, et que, pour un des nôtres, il en trouvera quinze de morts, il ne laissera pas, certes, de nous bénir. »

◎ ∞ CXLIV ∞ ◎

QUAND Roland voit la gent maudite, qui est plus noire que l'encre et qui n'a rien de blanc que les dents, il dit : « Je le sais maintenant, en vérité, c'est aujourd'hui que nous mourrons. Frappez, Français, car je recommence! » Olivier dit : « Honni soit le plus lent! » A ces mots les Français foncent dans leur masse.

◎ ∞ CXLV ∞ ◎

QUAND les païens voient que les Français sont peu, ils s'enorgueillissent entre eux et se réconfortent. Ils se disent l'un à l'autre : « C'est que le tort est devers l'empereur! » Le Marganice monte un cheval sauré. Il l'éperonne fortement des éperons dorés, frappe Olivier par derrière, en plein dos. Le choc contre le corps a fendu [?] le haubert brillant; l'épieu traverse la poitrine et ressort. Puis il dit : « Vous avez pris un rude coup! Charles,

E dit après : « Un col avez pris fort!
Carles li Magnes mar vos laissat as porz!
1950 Tort nos ad fait, nen est dreiz qu'il s'en lot,
Kar de vos sul ai ben venget les noz. »

© ∞ CXLVI ∞ ©

OLIVER sent que a mort est ferut.
     Tient Halteclere, dunt li acer fut bruns,
Fiert Marganices sur l'elme a or, agut,
1955 E flurs e cristaus, en acraventet jus;
Trenchet la teste d'ici qu'as denz menuz,
Brandist sun colp, si l'ad mort abatut,
E dist après : « Paien, mal aies tu!
Iço ne di que Karles n'i ait perdut.
1960 Ne a muiler ne a dame qu'aies veüd
N'en vanteras el regne dunt tu fus
Vaillant a un dener que m'i aies tolut,
Ne fait damage ne de mei ne d'altrui. »
Après escriet Rollant qu'il li aiut. AOI.

© ∞ CXLVII ∞ ©

1965 OLIVER sent qu'il est a mort nasfret.
     De lui venger jamais de li ert sez.
En la grant presse or i fiert cume ber,
Trenchet cez hanstes e cez escuz buclers
E piez e poinz e seles e costez.
1970 Ki lui veïst Sarrazins desmembrer,

le roi Magne, vous laissa aux ports pour votre
malheur. S'il nous a fait du mal, il n'a pas
sujet de s'en louer : car, rien que sur vous,
j'ai bien vengé les nôtres. »

© ∞ **CXLVI** ∞ ©

OLIVIER sent qu'il est frappé à mort. Il
tient Hauteclaire, dont l'acier est bruni.
Il frappe Marganice sur le heaume aigu, tout
doré. Il en fait sauter par terre les fleurons et
les cristaux, lui fend la tête jusqu'aux dents de
devant. Il secoue sa lame dans la plaie et l'abat
mort. Il dit ensuite : « Païen, maudit sois-tu!
Je ne dis pas que Charles n'ait rien perdu; du
moins, tu n'iras pas, au royaume dont tu fus,
te vanter à aucune femme, à aucune dame, de
m'avoir pris un denier vaillant ni d'avoir fait
tort soit à moi, soit à personne au monde. »
Puis il appelle Roland pour qu'il l'aide.

© ∞ **CXLVII** ∞ ©

OLIVIER sent qu'il est blessé à mort. Jamais
il ne se vengera tout son saoul. Au plus
épais de la masse, il frappe en vrai baron. Il
taille en pièces épieux et boucliers, les pieds
et les poings, les selles, les échines. Qui l'aurait
vu démembrer les païens, jeter le mort sur le

Un mort sur altre geter,
De bon vassal li poüst remembrer.
L'enseigne Carle n'i volt mie ublier :
« Munjoie! » escriet e haltement e cler,
1975 Rollant apelet, sun ami e sun per :
« Sire cumpaign, a mei car vus justez!
A grant dulor ermes hoi desevrez. » AOI.

◎ ❀ CXLVIII ❀ ◎

Rollant reguardet Oliver al visage :
Teint fut e pers, desculuret e pale.
1980 Li sancs tuz clers par mi le cors li raiet :
Encuntre tere en cheent les esclaces.
« Deus! » dist li quens, « or ne sai jo que face.
Sire cumpainz, mar fut vostre barnage!
Jamais n'iert hume ki tun cors cuntrevaillet.
1985 E! France dulce, cun hoi remendras guaste
De bons vassals, cunfundue e chaiete!
Li emperere en avrat grant damage. »
A icest mort sur sun cheval se pasmet. AOI.

◎ ❀ CXLIX ❀ ◎

As vus Rollant sur sun cheval pasmet
1990 E Oliver ki est mort naffret.
Tant ad seinet li oil li sunt trublet.
Ne loinz ne près ne poet vedeir si cler
Que reconoistre poisset nuls hom mortel.

mort, pourrait se souvenir d'un bon chevalier.
L'enseigne de Charles, il n'a garde de l'oublier :
« Montjoie! » crie-t-il, haut et clair. Il appelle
Roland, son pair et son ami : « Sire compagnon,
venez vers moi, tout près; à grande douleur,
en ce jour, nous serons séparés. »

◎ ᙍᙍᙍ CXLVIII ᙍᙍᙍ ◎

ROLAND regarde Olivier au visage : il le
voit terni, blêmi, tout pâle, décoloré.
Son sang coule clair au long de son corps;
sur la terre tombent les caillots. « Dieu! dit
le comte, je ne sais plus quoi faire. Sire
compagnon, c'est grand'pitié de votre vaillance!
Jamais nul ne te vaudra. Ah! France douce,
comme tu resteras aujourd'hui dépeuplée de
bons vassaux, humiliée et déchue! L'empereur
en aura grand dommage. » A ces mots, sur
son cheval il se pâme.

◎ ᙍᙍᙍ CXLIX ᙍᙍᙍ ◎

VOILA sur son cheval Roland pâmé, et Olivier
qui est blessé à mort. Il a tant saigné,
ses yeux se sont troublés : il n'y voit plus assez
clair pour reconnaître, loin ou près, homme
qui vive. Comme il aborde son compagnon,
il le frappe sur son heaume couvert d'or et

Sun cumpaignun, cum il l'at encuntret,
1995 Sil fiert amunt sur l'elme a or gemet,
Tut li detrenchet d'ici qu'al nasel;
Mais en la teste ne l'ad mie adeset.
A icel colp l'ad Rollant reguardet,
Si li demandet dulcement e suef :
2000 « Sire cumpain, faites le vos de gred?
Ja est ço Rollant, ki tant vos soelt amer!
Par nule guise ne m'aviez desfiet! »
Dist Oliver : « Or vos oi jo parler.
Jo ne vos vei, veied vus Damnedeu!
2005 Ferut vos ai, car le me pardunez! »
Rollant respunt : « Jo n'ai nient de mel.
Jol vos parduins ici e devant Deu. »
A icel mot l'un a l'altre ad clinet.
Par tel amur as les vus desevred.

◎ ❦ CL ❦ ◎

2010 OLIVER sent que la mort mult l'angoisset.
Ansdous les oilz en la teste li turnent,
L'oïe pert e la veüe tute;
Descent a piet, a la tere se culchet,
Durement en halt si recleimet sa culpe,
2015 Cuntre le ciel ambesdous ses mains juintes,
Si priet Deu que pareïs li dunget
E beneïst Karlun e France dulce,
Sun cumpaignun Rollant sur tuz humes.
Falt li le coer, le helme li embrunchet,
2020 Trestut le cors a la tere li justet.

de gemmes, qu'il fend tout jusqu'au nasal; mais il n'a pas atteint la tête. A ce coup Roland l'a regardé et lui demande doucement, par amour : « Sire compagnon, le faites-vous de votre gré? C'est moi, Roland, celui qui vous aime tant! Vous ne m'aviez porté aucun défi! » Olivier dit : « Maintenant j'entends votre voix. Je ne vous vois pas : veuille le Seigneur Dieu vous voir! Je vous ai frappé, pardonnez-le-moi. » Roland répond : « Je n'ai aucun mal. Je vous pardonne, ici et devant Dieu. » A ces mots, l'un vers l'autre ils s'inclinèrent. C'est ainsi, à grand amour, qu'ils se sont séparés.

© ∞ CL ∞ ©

OLIVIER sent que la mort l'angoisse. Les deux yeux lui virent dans la tête, il perd l'ouïe et tout à fait la vue. Il descend à pied, se couche contre terre. A haute voix il dit sa coulpe, les deux mains jointes et levées vers le ciel, et prie Dieu qu'il lui donne le paradis et qu'il bénisse Charles et douce France et, par-dessus tous les hommes, Roland, son compagnon. Le cœur lui manque, son heaume retombe, tout son corps s'affaisse contre terre. Le comte est mort, il n'a pas fait plus longue demeure; le preux Roland le pleure et gémit. Jamais

Morz est li quens, que plus ne se demuret.
Rollant li ber le pluret, sil duluset;
Jamais en tere n'orrez plus dolent hume.

◎ ∞ CLI ∞ ◎

O R veit Rollant que mort est sun ami,
2025   Gesir adenz, a la tere sun vis.
Mult dulcement a regreter le prist :
« Sire cumpaign, tant mar fustes hardiz!
Ensemble avum estet e anz e dis,
Nem fesis mal ne jo nel te forsfis.
2030 Quant tu es mor, dulur est que jo vif. »
A icest mot se pasmet li marchis
Sur sun ceval que cleimet Veillantif.
Afermet est a ses estreus d'or fin :
Quel part qu'il alt, ne poet mie chaïr.

◎ ∞ CLII ∞ ◎

2035 A INZ que Rollant se seit aperceüt,
    De pasmeisuns guariz ne revenuz,
Mult grant damage li est apareüt :
Morz sunt Franceis, tuz les i ad perdut,
Senz l'arcevesque e senz Gualter de l'Hum.
2040 Repairez est des muntaignes jus;
A cels d'Espaigne mult s'i est cumbatuz;
Mort sunt si hume, sis unt paiens vencut;
Voeillet o nun, desuz cez vals s'en fuit,
Si reclaimet Rollant, qu'il li aiut :

vous n'entendrez sur terre un homme plus
douloureux.

◎ ∞ CLI ∞ ◎

ROLAND voit que son ami est mort, et qu'il
gît, la face contre terre. Très doucement
il dit sur lui l'adieu : « Sire compagnon, c'est
pitié de votre hardiesse ! Nous fûmes ensemble
et des ans et des jours : jamais tu ne me fis
de mal, jamais je ne t'en fis. Quand te voilà
mort, ce m'est douleur de vivre. » A ces mots,
le marquis se pâme sur son cheval, qu'il nomme
Veillantif. Ses étriers d'or fin le maintiennent
droit en selle : par où qu'il penche, il ne peut
choir.

◎ ∞ CLII ∞ ◎

AVANT que Roland se fût reconnu, ranimé
et remis de sa pâmoison, un grand
dommage lui vint : les Français sont morts,
il les a tous perdus, hormis l'archevêque
et Gautier de l'Hum. Gautier est redescendu
des montagnes. Contre ceux d'Espagne il a
combattu fortement. Ses hommes sont morts,
les païens les ont vaincus. Bon gré mal gré,
il fuit vers les vallées ; il invoque Roland
pour qu'il l'aide : « Ah ! gentil comte, vaillant
homme, où es-tu ? Jamais je n'eus peur, quand
tu étais là. C'est moi, Gautier, celui qui

2045 « E! gentilz quens, vaillanz hom, u ies tu?
Unkes nen oi poür, la u tu fus.
Ço est Gualter, ki cunquist Maelgut,
Li niés Droün, al vieill e al canut!
Pur vasselage suleie estre tun drut.
2050 Ma hanste est fraite e percet mun escut
E mis osbercs desmailet e rumput;
Par mi le cors. . . . .
Sempres murrai, mais cher me sui vendut. »
A icel mot l'at Rollant entendut;
2055 Le cheval brochet, si vient poignant vers lui. AOI.

. . . .

◉ ∞ CLIII ∞ ◉

ROLLANT ad doel, si fut maltalentifs;
En la grant presse cumencet a ferir.
De cels d'Espaigne en ad getet mort .XX.
E Gualter .VI. e l'arcevesque .V.
2060 Dient paien : « Feluns humes ad ci!
Guardez, seignurs, qu'il n'en algent vif.
Tut par seit fel ki nes vait envaïr
E recreant ki les lerrat guarir! »
Dunc recumencent e le hu e le cri;
2065 De tutes parz lé revunt envaïr. AOI.

◉ ∞ CLIV ∞ ◉

LI quens Rollant fut noble guerrer,
Gualter de Hums est bien bon chevaler,

conquit Maelgut, moi, le neveu de Droon, le vieux et le chenu. Pour ma prouesse tu me chérissais entre tes hommes. Ma lance est brisée et mon écu percé, et mon haubert démaillé et déchiré... Je vais mourir, mais je me suis vendu cher. » A ces derniers mots, Roland l'a entendu. Il éperonne et, poussant son cheval, vient vers lui [.....].

◎ ∞ CLIII ∞ ◎

ROLAND est rempli de douleur et de colère. Au plus épais de la presse il se met à frapper. De ceux d'Espagne, il en jette morts vingt, et Gautier six, et l'archevêque cinq. Les païens disent : « Les félons que voilà ! Gardez, seigneurs, qu'ils ne s'en aillent vivants ! Traître qui ne va pas les attaquer, et couard qui les laissera échapper ! » Alors recommencent leurs huées et leurs cris. De toutes parts ils reviennent à l'assaut.

◎ ∞ CLIV ∞ ◎

LE comte Roland est un noble guerrier, Gautier de l'Hum un chevalier très bon, l'archevêque un prud'homme éprouvé. Pas un des trois ne veut faillir aux autres. Au plus fort de la presse ils frappent sur les

Li arcevesque prozdom e essaiet :
Li uns ne volt l'altre nient laisser.
2070 En la grant presse i fierent as paiens.
Mil Sarrazins i descendent a piet
E a cheval sunt .XL. millers.
Men escientre nes osent aproismer.
Il lor lancent e lances e espiez
2075 E wigres e darz e museras e agiez e gieser.
As premers colps i unt ocis Gualter,
Turpins de Reins tut sun escut percet,
Quasset sun elme, si l'unt nasfret el chef,
E sun osberc rumput e desmailet,
2080 Par mi le cors nasfret de .IIII. espiez;
Dedesuz lui ocient sun destrer.
Or est grant doel, quant l'arcevesque chiet. AOI.

© ∞ CLV ∞ ©

Turpins de Reins, quant se sent abatut,
De .IIII. espiez par mi le cors ferut,
2085 Isnelement li ber resailit sus,
Rollant reguardet, puis si li est curut,
E dist un mot : « Ne sui mie vencut!
Ja bon vassal nen ert vif recreüt. »
Il trait Almace, s'espee d'acer brun,
2090 En la grant presse mil colps i fiert e plus.
Puis le dist Carles qu'il n'en esparignat nul :
Tels .IIII. cenz i troevet entur lui,
Alquanz nafrez, alquanz par mi ferut,
S'i out d'icels ki les chefs unt perdut.

païens. Mille Sarrasins mettent pied à terre;
à cheval, ils sont quarante milliers. Voyez-les
qui n'osent approcher! De loin ils jettent
contre eux lances et épieux, guivres et dards,
et des museraz, et des agiers... Aux premiers
coups ils ont tué Gautier. A Turpin de Reims
ils ont tout percé l'écu, brisé le heaume et ils
l'ont navré à la tête; ils ont rompu et démaillé
son haubert, transpercé son corps de quatre
épieux. Ils tuent sous lui son destrier. C'est
grand deuil quand l'archevêque tombe.

◎ ∞ CLV ∞ ◎

Turpin de Reims, quand il se voit abattu
de cheval, le corps percé de quatre épieux,
rapidement il se redresse debout, le vaillant.
Il cherche Roland du regard, court à lui, et
ne dit qu'une parole : « Je ne suis pas vaincu.
Un vaillant, tant qu'il vit, ne se rend pas! »
Il dégaine Almace, son épée d'acier brun;
au plus fort de la presse, il frappe mille coups
et plus. Bientôt, Charles dira qu'il ne ména-
gea personne, car il trouvera autour de lui
quatre cents Sarrasins, les uns blessés, d'autres
transpercés d'outre en outre et d'autres dont
la tête est tranchée. Ainsi le rapporte la Geste;
ainsi le rapporte celui-là qui fut présent à la
bataille : le baron Gilles, pour qui Dieu fait

2095 Ço dit la Geste e cil ki el camp fut :
Li ber Gilie, por qui Deus fait vertuz,
E fist la chartre el muster de Loüm.
Ki tant ne set ne l'ad prod entendut.

◎ ∞ CLVI ∞ ◎

Li quens Rollant gentement se cumbat,
2100 Mais le cors ad tressuet e mult chalt.
En la teste ad e dulor e grant mal :
Rumput est li temples, por ço que il cornat.
Mais saveir volt se Charles i vendrat :
Trait l'olifan, fieblement le sunat.
2105 Li emperere s'estut, si l'escultat :
« Seignurs », dist il, « mult malement nos vait!
Rollant mis niés hoi cest jur nus defalt.
Jo oi al corner que guares ne vivrat.
Ki estre i voelt isnelement chevalzt!
2110 Sunez vos grasles tant que en cest ost ad! »
Seisante milie en i cornent si halt
Sunent li munt e respondent li val :
Paien l'entendent, nel tindrent mie en gab;
Dit l'un à l'altre : « Karlun avrum nus ja! »

◎ ∞ CLVII ∞ ◎

2115 Dient paien : « L'emperere repairet : AOI.
De cels de France oez suner les graisles!
Se Carles vient, de nus i avrat perte.
Se Rollant vit, nostre guerre novelet,

des miracles, en fit jadis la charte au moutier de
Laon. Qui ne sait pas ces choses n'entend rien
à cette histoire.

◎ ◎◎◎ CLVI ◎◎◎ ◎

LE comte Roland combat noblement, mais
son corps est trempé de sueur et brûle;
et dans sa tête il sent un grand mal : parce
qu'il a sonné son cor, sa tempe s'est rompue.
Mais il veut savoir si Charles viendra. Il
prend l'olifant, sonne, mais faiblement. L'em-
pereur s'arrête, écoute : « Seigneurs », dit-il,
« malheur à nous! Roland, mon neveu, en
ce jour, nous quitte. A la voix de son cor
j'entends qu'il ne vivra plus guère. Qui veut
le joindre, qu'il presse son cheval! Sonnez
vos clairons, tant qu'il y en a dans cette armée! »
Soixante mille clairons sonnent, et si haut que
les monts retentissent et que répondent les
vallées. Les païens l'entendent, ils n'ont garde
d'en rire. L'un dit à l'autre : « Bientôt Charles
sera sur nous. »

◎ ◎◎◎ CLVII ◎◎◎ ◎

LES païens disent : « L'empereur revient :
de ceux de France entendez sonner les
clairons. Si Charles vient, il y aura parmi
nous du dommage. Si Roland survit, notre
guerre recommence; l'Espagne, notre terre,

Perdud avuns Espaigne, nostre tere. »
2120 Tels .IIII. cenz s'en asemblent a helmes,
E des meillors ki el camp quient estre :
A Rollant rendent un estur fort e pesme.
Or ad li quens endreit sei asez que faire. AOI.

◎ ∞ CLVIII ∞ ◎

LI quens Rollant, quant il les veit venir,
2125   Tant se fait fort e fiers e maneviz!
Ne lur lerat tant cum il serat vif.
Siet el cheval qu'om cleimet Veillantif,
Brochet le bien des esperuns d'or fin,
En la grant presse les vait tuz envaïr,
2130 Ensembl' od lui arcevesques Turpin.
Dist l'un a l'altre : « Ça vus traiez, ami!
De cels de France les corns avuns oït :
Carles repairet, li reis poesteïfs. »

◎ ∞ CLIX ∞ ◎

LI quens Rollant unkes n'amat cuard,
2135   Ne orguillos, ne malvais hume de male part,
Ne chevaler, s'il ne fust bon vassal.
Li arcevesques Turpin en apelat :
« Sire, a pied estes e jo sui a ceval :
Pur vostre amur ici prendrai estal;
2140 Ensemble avruns e le ben e le mal,
Ne vos lerrai pur nul hume de car.
Encui rendruns a paiens cest asalt.

est perdue. » Quatre cents se rassemblent, portant le heaume, de ceux qui s'estiment les meilleurs en bataille. Ils livrent à Roland un assaut dur et âpre. Le comte a de quoi besogner pour sa part.

◎ ✇ CLVIII ✇ ◎

LE comte Roland, quand il les voit venir, se fait plus fort, plus fier, plus ardent. Il ne leur cédera pas tant qu'il sera en vie. Il monte le cheval qu'on appelle Veillantif. Il l'éperonne bien de ses éperons d'or fin; au plus fort de la presse, il va tous les assaillir. Avec lui, l'archevêque Turpin. Les païens l'un à l'autre se disent : « Ami, venez-vous-en! De ceux de France nous avons entendu les cors : Charles revient, le roi puissant. »

◎ ✇ CLIX ✇ ◎

LE comte Roland jamais n'aima un couard, ni un orgueilleux, ni un méchant, ni un chevalier qui ne fût bon guerrier. Il appela l'archevêque Turpin : « Sire, vous êtes à pied et je suis à cheval. Pour l'amour de vous je tiendrai ferme en ce lieu. Ensemble nous y recevrons et le bien et le mal; je ne vous laisserai pour nul homme fait de chair. Nous allons rendre aux païens cet assaut. Les meilleurs coups sont ceux de Durendal. » L'archevêque

Les colps des mielz, cels sunt de Durendal. »
Dist l'arcevesque : « Fel seit ki ben n'i ferrat!
2145 Carles repairet, ki bien nus vengerat. »

◎ ∞ CLX ∞ ◎

PAIEN dient : « Si mare fumes nez!
  Cum pesmes jurz nus est hoi ajurnez!
Perdut avum noz seignurs e noz pers;
Carles repeiret od sa grant ost, li ber;
2150 De cels de France odum les graisles clers;
Grant est la noise de « Munjoie! » escrier.
Li quens Rollant est de tant grant fiertet
Ja n'ert vencut pur nul hume carnel.
Lançuns a lui, puis sil laissums ester. »
2155 E il si firent, darz e wigers asez,
Espiez e lances e museraz enpennez;
L'escut Rollant unt frait e estroet
E sun osberc rumput e desmailet;
Mais enz el cors ne l'unt mie adeset.
2160 Mais Veillantif unt en .XXX. lius nafret
Desuz le cunte, si l'i unt mort laisset.
Paien s'en fuient, puis sil laisent ester.
Li quens Rollant i est remés a pied. AOI.

◎ ∞ CLXI ∞ ◎

PAIEN s'en fuient, curuçus e irez;
2165   Envers Espaigne tendent de l'espleiter.

dit : « Honni qui bien ne frappe! Charles
revient, qui bien nous vengera! »

◎ ⪥ CLX ⪤ ◎

LES païens disent : « Nous sommes nés à
la malheure! Quel douloureux jour s'est
levé pour nous! Nous avons perdu nos sei
gneurs et nos pairs. Charles revient, le vaillant,
avec sa grande armée. De ceux de France,
nous entendons les clairons sonner clair; ils
crient « Montjoie! » à grand bruit. Le comte
Roland est de si fière hardiesse que nul homme
fait de chair ne le vaincra jamais. Lançons
contre lui nos traits, puis laissons-lui le champ. »
Et ils lancèrent contre lui des dards et des
guivres sans nombre, des épieux, des lances,
des museraz empennés. Ils ont brisé et troué
son écu, rompu et démaillé son haubert; mais
son corps, ils ne l'ont pas atteint. Pourtant,
ils lui ont blessé Veillantif de trente blessures;
sous le comte ils l'ont abattu mort. Les païens
s'enfuient, ils lui laissent le champ. Le comte
Roland est resté, démonté.

◎ ⪥ CLXI ⪤ ◎

LES païens s'enfuient, marris et courroucés.
Vers l'Espagne, ils se hâtent, à grand effort.
Le comte Roland ne peut leur donner la

Li quens Rollant nes ad dunt encalcer :
Perdut i ad Veillantif, sun destrer;
Voeillet o nun, remés i est a piet.
A l'arcevesque Turpin alat aider.
2170 Sun elme ad or li deslaçat del chef,
Si li tolit le blanc osberc leger,
E sun blialt li ad tut detrenchet,
En ses granz plaies les pans li ad butet;
Cuntre sun piz puis si l'ad enbracet;
2175 Sur l'erbe verte puis l'at suef culchet.
Mult dulcement li ad Rollant preiet :
« E! gentilz hom, car me dunez cunget!
Noz cumpaignuns, que oümes tanz chers,
Or sunt il morz, nes i devuns laiser.
2180 Joes voell aler querre e entercer,
Dedevant vos juster e enrenger. »
Dist l'arcevesque : « Alez e repairez!
Cist camp est vostre, mercit Deu, vostre e mien. »

◎ ❧ CLXII ❧ ◎

R OLLANT s'en turnet, par le camp vait tut suls,
2185   Cerclet les vals e si cercet les munz...
Iloec truvat Gerin e Gerer sun cumpaignun,
E si truvat Berenger e Attun;
Iloec truvat Anseïs e Sansun,
Truvat Gerard le veill de Russillun.
2190 Par uns e uns les ad pris le barun,
A l'arcevesque en est venuz a tut,
Sis mist en reng dedevant ses genuilz.

chasse : il a perdu Veillantif, son destrier;
bon gré mal gré, il reste, démonté. Vers l'arche-
vêque Turpin, il va, pour lui porter son aide.
Il lui délaça du chef son heaume paré d'or
et lui retira son blanc haubert léger. Il prit
son bliaut et le découpa tout; dans ses grandes
plaies il en a bouté les pans. Puis il l'a pris
dans ses bras, serré contre sa poitrine; sur
l'herbe verte il l'a mollement couché. Très
doucement il lui fit une prière : « Ah! gentil
seigneur, donnez-m'en le congé : nos compa-
gnons, qui nous furent si chers, les voilà morts,
nous ne devons pas les laisser. Je veux aller
les chercher et les reconnaître, et devant vous
les déposer sur un rang, côte à côte. » L'arche-
vêque dit : « Allez et revenez! Ce champ est
vôtre, Dieu merci! vôtre et mien. »

◎ ❧❧ CLXII ❧❧ ◎

ROLAND part. Il va à travers le champ, tout
seul. Il cherche par les vaux, il cherche
par les monts. [Là il trouva Ivoire et Ivon,
et puis il trouva le Gascon Engelier.] Là il
trouva Gerin et Gerier son compagnon, et
puis il trouva Bérengier et Aton. Là il trouva
Anseïs et Samson, et puis il trouva Gérard le
Vieux, de Roussillon. Un par un il les a pris,
le vaillant, et il revient avec, vers l'archevêque.

Li arcevesque ne poet muer n'en plurt,
Lievet sa main, fait sa beneïçun,
2195 Après ad dit : « Mare fustes, seignurs!
Tutes voz anmes ait Deus li Glorius!
En pareïs les metet en sentes flurs!
La meie mort me rent si anguissus!
Ja ne verrai le riche empereür. »

◎ ∞ CLXIII ∞ ◎

2200 ROLLANT s'en turnet, le camp vait recercer,
Sun cumpaignun ad truvet, Oliver :
Encuntre sun piz estreit l'ad enbracet;
Si cum il poet a l'arcevesques en vent,
Sur un escut l'ad as altres culchet,
2205 E l'arcevesque l'ad asols e seignet.
Idunc agreget le doel e la pitet.
Ço dit Rollant : « Bels cumpainz Oliver,
Vos fustes filz al duc Reiner
Ki tint la marche del val de Runers.
2210 Pur hanste freindre e pur escuz peceier,
Pur orgoillos veintre e esmaier
E pur prozdomes tenir e cunseiller
E pur glutun veintre e esmaier,
En nule tere n'ad meillor chevaler. »

◎ ∞ CLXIV ∞ ◎

2215 LI quens Rollant, quant il veit mort ses pers
E Oliver, qu'il tant poeit amer,

Devant ses genoux il les a mis sur un rang.
L'archevêque pleure, il ne peut s'en tenir.
Il lève la main, fait sa bénédiction. Après il
dit : « C'est pitié de vous, seigneurs! Que Dieu
reçoive toutes vos âmes, le Glorieux! En
paradis qu'il les mette dans les saintes fleurs!
A mon tour, combien la mort m'angoisse! Je
ne reverrai plus l'empereur puissant. »

◎ ⚭ CLXIII ⚭ ◎

ROLAND repart; à nouveau il va chercher
par le champ. Il retrouve son compagnon,
Olivier. Contre sa poitrine il le presse, étroi-
tement embrassé. Comme il peut, il revient
vers l'archevêque. Sur un écu il couche Olivier
auprès des autres, et l'archevêque l'a absous
et signé du signe de la croix. Alors redoublent
la douleur et la pitié. Et Roland dit : « Olivier,
beau compagnon, vous étiez fils du duc Renier,
qui tenait la marche du Val de Runers. Pour
rompre une lance et pour briser des écus,
pour vaincre et abattre les orgueilleux, pour
soutenir et conseiller les prud'hommes [. .], en
nulle terre il n'y a chevalier meilleur que vous
ne fûtes! »

◎ ⚭ CLXIV ⚭ ◎

LE comte Roland, quand il voit morts ses
pairs, et Olivier qu'il aimait tant,

Tendrur en out, cumencet a plurer.
En sun visage fut mult desculurez;
Si grant doel out que mais ne pout ester :
2220 Voeillet o nun, a tere chet pasmet.
Dist l'arcevesque : « Tant mare fustes, ber! »

© ❦ CLXV ❦ ©

L I arcevesques, quant vit pasmer Rollant,
   Dunc out tel doel unkes mais n'out si grant.
2225 Tendit sa main, si ad pris l'olifan :
En Rencesvals ad un' ewe curant;
Aler i volt, sin durrat a Rollant.
Sun petit pas s'en turnet cancelant.
Il est si fieble qu'il ne poet en avant;
2230 N'en ad vertut, trop ad perdut del sanc.
Einz qu'om alast un sul arpent de camp,
Falt li le coer, si est chaeit avant.
La sue mort l'i vait mult angoissant.

© ❦ CLXVI ❦ ©

L I quens Rollant revient de pasmeisuns :
   Sur piez se drecet, mais il ad grant dulur.
2235 Guardet aval e si guardet amunt :
Sur l'erbe verte, ultre ses cumpaignuns,
La veit gesir le nobilie barun,
Ço est l'arcevesque, que Deus mist en sun num.

s'attendrit : il se met à pleurer. Son visage a perdu sa couleur. Si grand est son deuil, il ne peut plus rester debout ; qu'il le veuille ou non, il choit contre terre, pâmé. L'archevêque dit : « Baron, c'est pitié de vous ! »

◉ ❀❀ CLXV ❀❀ ◉

L'ARCHEVÊQUE, quand il vit se pâmer Roland, en ressentit une douleur, la plus grande douleur qu'il eût ressentie. Il étendit la main : il a pris l'olifant. A Roncevaux il y a une eau courante : il veut y aller, il en donnera à Roland. A petits pas, il s'éloigne, chancelant. Il est si faible qu'il ne peut avancer. Il n'en a pas la force, il a perdu trop de sang ; en moins de temps qu'il n'en faut pour traverser un seul arpent, le cœur lui manque, il tombe, la tête en avant. La mort l'étreint durement.

◉ ❀❀ CLXVI ❀❀ ◉

LE comte Roland revient de pâmoison. Il se dresse sur ses pieds, mais il souffre d'une grande souffrance. Il regarde en aval, il regarde en amont : sur l'herbe verte, par delà ses compagnons, il voit gisant le noble baron, l'archevêque, que Dieu avait placé en son nom parmi les hommes. L'archevêque dit sa coulpe,

Cleimet sa culpe, si reguardet amunt,
2240 Cuntre le ciel amsdous ses mains ad juinz,
Si priet Deu que pareïs li duinst.
Morz est Turpin, le guerreier Charlun.
Par granz batailles e par mult bels sermons
Cuntre paiens fut tuz tens campiuns.
2245 Deus li otreit seinte beneïçun! AOI.

© ∞ CLXVII ∞ ©

Li quens Rollant veit l'arcevesque a tere :
Defors sun cors veit gesir la buele.
Desuz le frunt li buillit la cervele;
Desur sun piz, entre les dous furceles,
2250 Cruisiedes ad ses blanches mains, les beles.
Forment le pleignet a la lei de sa tere :
« E! gentilz hom, chevaler de bon aire,
Hoi te cumant al Glorius celeste.
Jamais n'ert hume plus volenters le serve.
2255 Dès les apostles ne fut hom tel prophete
Pur lei tenir e pur humes atraire.
Ja la vostre anme nen ait sufraite!
De pareïs li seit la porte uverte! »

© ∞ CLXVIII ∞ ©

Ço sent Rollant que la mort li est près :
2260 Par les oreilles fors s'e ist li cervel.
De ses pers priet Deu ques apelt,
E pois de lui a l'angle Gabriel.

il a tourné ses yeux vers le ciel, il a joint ses
deux mains et les élève : il prie Dieu pour qu'il
lui donne le paradis. Puis il meurt, le guerrier
de Charles. Par de grandes batailles et par de
très beaux sermons, il fut contre les païens,
toute sa vie, son champion. Que Dieu lui octroie
sa sainte bénédiction !

◎ ⦿⦿ CLXVII ⦿⦿ ◎

LE comte Roland voit l'archevêque contre
terre. Hors de son corps il voit ses entrailles
qui gisent : la cervelle dégoutte de son front.
Sur sa poitrine, bien au milieu, il a croisé
ses blanches mains, si belles. Roland dit sur
lui sa plainte, selon la loi de sa terre : « Ah !
gentil seigneur, chevalier de bonne souche, je
te recommande à cette heure au Glorieux du
ciel. Jamais nul ne fera plus volontiers son
service. Jamais, depuis les apôtres, il n'y eut
tel prophète pour maintenir la loi et pour y
attirer les hommes. Puisse votre âme n'endurer
nulle privation ! Que la porte du paradis lui
soit ouverte ! »

◎ ⦿⦿ CLXVIII ⦿⦿ ◎

ROLAND sent que sa mort est prochaine.
Par les oreilles sa cervelle se répand.
Il prie Dieu pour ses pairs, afin qu'il les
appelle ; puis, pour lui-même, il prie l'ange

Prist l'olifan, que reproce n'en ait,
E Durendal, s'espee, en l'altre main.
2265 Plus qu'arcbaleste ne poet traire un quarrel,
Devers Espaigne en vait en un guaret;
Muntet sur un tertre; desuz dous arbres bels
Quatre perruns i ad, de marbre faiz;
Sur l'erbe verte si est caeit envers :
2270 La s'est pasmet, kar la mort li est près.

◎ ⌘ CLXIX ⌘ ◎

Halt sunt li pui e mult halt les arbres.
Quatre perruns i ad luisant, de marbre.
Sur l'erbe verte li quens Rollant se pasmet.
Uns Sarrazins tute veie l'esguardet,
2275 Si se feinst mort, si gist entre les altres.
Del sanc luat sun cors e sun visage.
Met sei en piez e de curre s'astet.
Bels fut e forz e de grant vasselage;
Par sun orgoill cumencet mortel rage;
2280 Rollant saisit e sun cors e ses armes
E dist un mot : « Vencut est li niés Carles!
Iceste espee porterai en Arabe. »
En cel tirer li quens s'aperçut alques.

◎ ⌘ CLXX ⌘ ◎

Ço sent Rollant que s'espee li tolt.
2285 Uvrit les oilz, si li ad dit un mot :

Gabriel. Il prend l'olifant, pour que personne ne lui fasse reproche, et Durendal, son épée, en l'autre main. Un peu plus loin qu'une portée d'arbalète, vers l'Espagne, il va dans un guéret. Il monte sur un tertre. Là, sous deux beaux arbres, il y a quatre perrons, faits de marbre. Sur l'herbe verte, il est tombé à la renverse. Il se pâme, car sa mort approche.

◎ ∞ CLXIX ∞ ◎

Hauts sont les monts, hauts sont les arbres. Il y a là quatre perrons, faits de marbre, qui luisent. Sur l'herbe verte, le comte Roland se pâme. Or un Sarrasin ne cesse de le guetter : il a contrefait le mort et gît parmi les autres, ayant souillé son corps et son visage de sang. Il se redresse debout, accourt. Il était beau et fort, et de grande vaillance; en son orgueil il fait la folie dont il mourra; il se saisit de Roland, de son corps et de ses armes, et dit une parole : « Il est vaincu, le neveu de Charles! Cette épée, je l'emporterai en Arabie! » Comme il tirait, le comte reprit un peu ses sens.

◎ ∞ CLXX ∞ ◎

Roland sent qu'il lui prend son épée. Il ouvre les yeux et lui dit un mot : « Tu

« Men escientre, tu n'ies mie des noz! »
Tient l'olifan, qu'unkes perdre ne volt,
Sil fiert en l'elme, ki gemmet fut a or :
Fruisset l'acer e la teste e les os,
2290 Amsdous les oilz del chef li ad mis fors,
Jus a ses piez si l'ad tresturnet mort.
Après li dit : « Culvert paien, cum fus unkes si os
Que me saisis, ne a dreit ne a tort?
Ne l'orrat hume ne t'en tienget por fol.
2295 Fenduz en est mis olifans el gros,
Caiuz en est li cristals e li ors. »

◎ ⧓ CLXXI ⧓ ◎

Ço sent Rollant la veüe ad perdue,
    Met sei sur piez, quanqu'il poet s'esvertuet;
En sun visage sa culur ad perdue.
2300 Dedevant lui ad une perre byse.
.X. colps i fiert par doel e par rancune.
Cruist li acers, ne freint ne ne s'esgruignet.
« E! » dist li quens, « seinte Marie, aiue!
E! Durendal, bone, si mare fustes!
2305 Quant jo mei perd, de vos n'en ai mais cure.
Tantes batailles en camp en ai vencues
E tantes teres larges escumbatues,
Que Carles tient, ki la barbe ad canue!
Ne vos ait hume ki pur altre fuiet!

n'es pas des nôtres, que je sache! » Il tenait l'olifant, qu'il n'a pas voulu perdre. Il l'en frappe sur son heaume gemmé, paré d'or; il brise l'acier, et le crâne, et les os, lui fait jaillir du chef les deux yeux et devant ses pieds le renverse mort. Après il lui dit : « Païen, fils de serf, comment fus-tu si osé que de te saisir de moi, soit à droit, soit à tort? Nul ne l'entendra dire qui ne te tienne pour un fou! Voilà fendu le pavillon de mon olifant; l'or en est tombé, et le cristal. »

◎ ∞ CLXXI ∞ ◎

ROLAND sent que sa vue se perd. Il se met sur pieds, tant qu'il peut s'évertue. Son visage a perdu sa couleur. Devant lui est une pierre bise. Il y frappe dix coups, plein de deuil et de rancœur. L'acier grince, il ne se brise, ni ne s'ébrèche. « Ah! » dit le comte, « sainte Marie, à mon aide! Ah! Durendal, bonne Durendal, c'est pitié de vous! Puisque je meurs, je n'ai plus charge de vous. Par vous j'ai gagné en rase campagne tant de batailles, et par vous dompté tant de larges terres, que Charles tient, qui a la barbe chenue! Ne venez jamais aux mains d'un homme qui puisse fuir devant un autre! Un bon vassal vous a long-

2310 Mult bon vassal vos ad lung tens tenue.
Jamais n'ert tel en France l'asolue. »

◎ ∽∞∽ CLXXII ∽∞∽ ◎

ROLLANT ferit el perrun de sardonie.
    Cruist li acers, ne briset ne s'esgrunie.
Quant il ço vit que n'en pout mie freindre,
2315 A sei meïsme la cumencet a pleindre :
« E! Durendal, cum es bele, e clere, e blanche!
Cuntre soleill si luises e reflambes!
Carles esteit es vals de Moriane,
Quan Deus del cel li mandat par sun angle
2320 Qu'il te dunast a un cunte cataignie :
Dunc la me ceinst li gentilz reis, li magnes.
Jo l'en cunquis e Anjou e Bretaigne,
Si l'en cunquis e Peitou e le Maine;
Jo l'en cunquis Normendie la franche,
2325 Si l'en cunquis Provence e Equitaigne
E Lumbardie e trestute Romaine;
Jo l'en cunquis Baiver e tute Flandres
E Burguigne e trestute Puillanie,
Costentinnoble, dunt il out la fiance,
2330 E en Saisonie fait il ço qu'il demandet;
Jo l'en cunquis e Escose e...
E Engletere, que il teneit sa cambre;
Cunquis l'en ai païs e teres tantes,
Que Carles tient, ki ad la barbe blanche.
2335 Pur ceste espee ai dulor e pesance :

temps tenue; il n'y aura jamais votre pareille en France la Sainte. »

◎ ⦿⦿ CLXXII ⦿⦿ ◎

ROLAND frappe au perron de sardoine. L'acier grince, il n'éclate pas, il ne s'ébrèche pas. Quand il voit qu'il ne peut la briser, il commence en lui-même à la plaindre : « Ah! Durendal, comme tu es belle, et claire, et brillante! Contre le soleil comme tu luis et flambes! Charles était aux vaux de Maurienne, quand du ciel Dieu lui manda par son ange qu'il te donnât à l'un de ses comtes capitaines : alors il m'en ceignit, le gentil roi, le Magne. Par elle je lui conquis l'Anjou et la Bretagne, par elle je lui conquis le Poitou et le Maine. Je lui conquis Normandie la franche, et par elle je lui conquis la Provence et l'Aquitaine, et la Lombardie et toute la Romagne. Je lui conquis la Bavière et toute la Flandre, la Bourgogne et [. .], Constantinople, dont il avait reçu l'hommage, et la Saxe, où il fait ce qu'il veut. Par elle je lui conquis l'Écosse [. .] et l'Angleterre, sa chambre, comme il l'appelait. Par elle je conquis tant et tant de contrées, que Charles tient, qui a la barbe blanche. Pour cette épée j'ai douleur et peine. Plutôt mourir que la laisser aux païens! Dieu, notre

Mielz voeill murir qu'entre paiens remaigne.
Deus! perre, n'en laiser hunir France! »

◎ ❦ CLXXIII ❦ ◎

ROLLANT ferit en une perre bise.
    Plus en abat que jo ne vos sai dire.
2340 L'espee cruist, ne fruisset ne se brise,
Cuntre ciel amunt est resortie.
Quant veit li quens que ne la freindrat mie,
Mult dulcement la pleinst a sei meïsme :
« E Durendal, cum es bele e seintisme!
2345 En l'oriet punt asez i ad reliques,
La dent seint Perre e del sanc seint Basilie
E des chevels mun seignor seint Denise;
Del vestement i ad seinte Marie :
Il nen est dreiz que paiens te baillisent;
2350 De chrestiens devez estre servie.
Ne vos ait hume ki facet cuardie!
Mult larges teres de vus avrai cunquises,
Que Carles tent, ki la barbe ad flurie.
E li empereres en est ber e riches. »

◎ ❦ CLXXIV ❦ ◎

2355 ÇO sent Rollant que la mort le tresprent,
    Devers la teste sur le quer li descent.
Desuz un pin i est alet curant,
Sur l'erbe verte s'i est culchet adenz,
Desuz lui met s'espee e l'olifan,

Père, ne souffrez pas que la France ait cette honte ! »

◎ ∞ CLXXIII ∞ ◎

ROLAND frappa contre une pierre bise. Il en abat plus que je ne sais vous dire. L'épée grince, elle n'éclate ni ne se rompt. Vers le ciel elle rebondit. Quand le comte voit qu'il ne la brisera point, il la plaint en lui-même, très doucement : « Ah ! Durendal, que tu es belle et sainte ! Ton pommeau d'or est plein de reliques : une dent de saint Pierre, du sang de saint Basile, et des cheveux de monseigneur saint Denis, et du vêtement de sainte Marie. Il n'est pas juste que des païens te possèdent : des chrétiens doivent faire votre service. Puissiez-vous ne jamais tomber aux mains d'un couard ! Par vous j'aurai conquis tant de larges terres, que tient Charles, qui a la barbe fleurie ! L'empereur en est puissant et riche. »

◎ ∞ CLXXIV ∞ ◎

ROLAND sent que la mort le prend tout : de sa tête elle descend vers son cœur. Jusque sous un pin il va courant ; il s'est couché sur l'herbe verte, face contre terre. Sous lui il met son épée et l'olifant. Il a tourné

2360 Turnat se teste vers la paiene gent :
     Pur ço l'at fait que il voelt veirement
     Que Carles diet e trestute sa gent,
     Li gentilz quens, qu'il fut mort cunquerant.
     Cleimet sa culpe e menut e suvent,
2365 Pur ses pecchez Deu en puroffrid li guant. AOI.

◎ ⬥⬥⬥ CLXXV ⬥⬥⬥ ◎

Co sent Rollant de sun tens n'i ad plus :
     Devers Espaigne est en un pui agut,
A l'une main si ad sun piz batud :
« Deus, meie culpe vers les tues vertuz
2370 De mes pecchez, des granz e des menuz,
Que jo ai fait dès l'ure que nez fui
Tresqu'a cest jur que ci sui consoüt! »
Sun destre guant en ad vers Deu tendut.
Angles del ciel i descendent a lui. AOI.

◎ ⬥⬥⬥ CLXXVI ⬥⬥⬥ ◎

2375 Li quens Rollant se jut desuz un pin;
     Envers Espaigne en ad turnet sun vis.
De plusurs choses a remembrer li prist,
De tantes teres cum li bers cunquist,
De dulce France, des humes de sun lign,
2380 De Carlemagne, sun seignor, kil nurrit;
Ne poet muer n'en plurt e ne suspirt.
Mais lui meïsme ne volt mettre en ubli,

sa tête du côté de la gent païenne : il a fait
ainsi, voulant que Charles dise, et tous les siens,
qu'il est mort en vainqueur, le gentil comte.
A faibles coups et souvent, il bat sa coulpe.
Pour ses péchés il tend vers Dieu son gant.

◎ ∞ CLXXV ∞ ◎

ROLAND sent que son temps est fini. Il
est couché sur un tertre escarpé, le visage
tourné vers l'Espagne. De l'une de ses mains
il frappe sa poitrine : « Dieu, par ta grâce,
mea culpa, pour mes péchés, les grands et
les menus, que j'ai faits depuis l'heure où je
naquis jusqu'à ce jour où me voici abattu! »
Il a tendu vers Dieu son gant droit. Les anges
du ciel descendent à lui.

◎ ∞ CLXXVI ∞ ◎

LE comte Roland est couché sous un pin.
Vers l'Espagne il a tourné son visage.
De maintes choses il lui vient souvenance : de
tant de terres qu'il a conquises, le vaillant,
de douce France, des hommes de son lignage,
de Charlemagne, son seigneur, qui l'a nourri.
Il en pleure et soupire, il ne peut s'en empêcher.
Mais il ne veut pas se mettre lui-même en
oubli; il bat sa coulpe et implore la merci de
Dieu : « Vrai Père, qui jamais ne mentis, toi

Cleimet sa culpe, si priet Deu mercit :
« Veire Patene, ki unkes ne mentis,
2385 Seint Lazaron de mort resurrexis
E Daniel des leons guaresis,
Guaris de mei l'anme de tuz perilz
Pur les pecchez que en ma vie fis! »
Sun destre guant a Deu en puroffrit.
2390 Seint Gabriel de sa main l'ad pris.
Desur sun braz teneit le chef enclin;
Juntes ses mains est alet a sa fin.
Deus tramist sun angle Cherubin
E seint Michel del Peril;
2395 Ensembl' od els sent Gabriel i vint.
L'anme del cunte portent en pareïs.

© ❦❦❦ CLXXVII ❦❦❦ ©

Morz est Rollant, Deus en ad l'anme es cels.
Li emperere en Rencesvals parvient.
Il nen i ad ne veie ne senter,
2400 Ne voide tere, ne alne ne plein pied,
Que il n'i ait o Franceis o paien.
Carles escriet : « U estes vos, bels niés?
U est l'arcevesque? e li quens Oliver?
U est Gerins? e sis cumpainz Gerers?
2405 U est Otes? e li quens Berengers?
Ive e Ivorie, que j'o aveie tant chers?
Qu'est devenuz li Guascuinz Engeler?
Sansun li dux? e Anseïs li bers?
U est Gerard de Russillun li Veilz?

qui rappelas saint Lazare d'entre les morts,
toi qui sauvas Daniel des lions, sauve mon
âme de tous périls, pour les péchés que j'ai
faits dans ma vie ! » Il a offert à Dieu son gant
droit : saint Gabriel l'a pris de sa main.
Sur son bras il a laissé retomber sa tête ; il
est allé, les mains jointes, à sa fin. Dieu lui
envoie son ange Chérubin et saint Michel du
Péril ; avec eux y vint saint Gabriel. Ils portent
l'âme du comte en paradis.

◎ ⬥⬥ CLXXVII ⬥⬥ ◎

ROLAND est mort ; Dieu a son âme dans les
cieux. L'empereur parvient à Roncevaux.
Il n'y a route ni sentier, pas une aune, pas
un pied de terrain libre où ne gise un Français
ou un païen. Charles s'écrie : « Où êtes-vous,
beau neveu ? Où est l'archevêque ? Où, le
comte Olivier ? Où est Gerin ? et Gerier, son
compagnon ? Où est Oton ? et le comte
Bérengier ? Ivon et Ivoire, que je chérissais
tant ? Qu'est devenu le Gascon Engelier ?
le duc Samson ? et le preux Anseïs ? Où
est Gérard de Roussillon, le Vieux ? Où sont-
ils, les douze pairs, qu'ici j'avais laissés ? »
De quoi sert qu'il appelle, quand pas un ne
répond ? » « Dieu ! » dit le roi, « j'ai bien sujet
de me désoler : que ne fus-je au commencement

2410 Li .XII. per, que jo aveie laiset? »
De ço qui chelt, quant nul n'en respundiet?
« Deus! » dist li reis, « tant me pois esmaier
Que jo ne fui a l'estur cumencer! »
Tiret sa barbe cum hom ki est iret;
2415 Plurent des oilz si baron chevaler;
Encuntre tere se pasment .XX. millers;
Naimes li dux en ad mult grant pitet.

◎ ∞ CLXXVIII ∞ ◎

I L n'en i ad chevaler ne barun
Que de pitet mult durement ne plurt;
2420 Plurent lur filz, lur freres, lur nevolz
E lur amis e lur lige seignurs;
Encuntre tere se pasment li plusur.
Naimes li dux d'iço ad fait que proz,
Tuz premereins l'ad dit l'empereür :
2425 « Veez avant de dous liwes de nus,
Vedeir puez les granz chemins puldrus,
Qu'asez i ad de la gent paienur.
Car chevalchez! Vengez ceste dulor!
— E! Deus! » dist Carles, « ja sunt il ja si luinz!
2430 Cunsentez mei e dreiture e honur;
De France dulce m'unt tolue la flur. »
Li reis cumandet Gebuin e Otun,
Tedbalt de Reins e les cunte Milun :
« Guardez le champ e les vals e les munz.
2435 Lessez gesir les morz tut issi cun il sunt,
Que n'i adeist ne beste ne lion,

de la bataille! » Il tourmente sa barbe en
homme rempli d'angoisse; ses barons chevaliers
pleurent; contre terre, vingt mille se pâment.
Le duc Naimes en a grande pitié.

◎ ⬯⬯ CLXXVIII ⬯⬯ ◎

Il n'y a chevalier ni baron qui de pitié ne
pleure, douloureusement. Ils pleurent leurs
fils, leurs frères, leurs neveux et leurs amis et
leurs seigneurs liges; contre terre, beaucoup
se sont pâmés. Le duc Naimes a fait en
homme sage, qui, le premier, dit à l'empereur :
« Regardez en avant, à deux lieues de nous;
vous pourrez voir les grands chemins pou-
droyer, tant il y a de l'engeance sarrasine.
Or donc, chevauchez! Vengez cette douleur!
— Ah! Dieu », dit Charles, « déjà ils sont si
loin! Accordez-moi mon droit, faites-moi
quelque grâce! C'est la fleur de douce France
qu'ils m'ont ravie! » Il appela Oton et Geboin,
Tedbalt de Reims et le comte Milon : « Gardez
le champ de bataille, par les monts, par les
vaux. Laissez les morts couchés, tout comme
ils sont. Que bête ni lion n'y touche! Que n'y
touche écuyer ni valet! Que nul n'y touche,
je vous l'ordonne, jusqu'à ce que Dieu nous
permette de revenir dans ce champ! » Et ils
répondent avec douceur, en leur amour :

Ne n'i adeist esquier ne garçun;
Jo vus defend que n'i adeist nuls hom,
Josque Deus voeille qu'en cest camp revengum. »
2440 E cil respundent dulcement, par amur :
« Dreiz emperere, cher sire, si ferum! »
Mil chevaler i retienent des lur. AOI.

◎ ❀ CLXXIX ❀ ◎

Li empereres fait ses graisles suner,
  Puis si chevalchet od sa grant ost li ber.
2445 De cels d'Espaigne unt lur les dos turnez,
Tenent l'enchalz, tuit en sunt cumunel.
Quant veit li reis le vespres decliner,
Sur l'erbe verte descent li res en un pred,
Culchet sei a tere, si priet Damnedeu
2450 Que li soleilz facet pur lui arester,
La nuit targer e le jur demurer.
Ais li un angle ki od lui soelt parler,
Isnelement si li ad comandet :
« Charle, chevalche, car tei ne falt clartet.
2455 La flur de France as perdut, ço set Deus.
Venger te poez de la gent criminel. »
A icel mot est l'emperere muntet. AOI.

◎ ❀ CLXXX ❀ ◎

Pur Karlemagne fist Deus vertuz mult granz,
  Car li soleilz est remés en estant.

« Droit empereur, cher seigneur, ainsi ferons-nous! » Ils retiennent auprès d'eux mille de leurs chevaliers.

◎ ◯◯◯ CLXXIX ◯◯◯ ◎

L'EMPEREUR fait sonner ses clairons; puis il chevauche, le preux, avec sa grande armée. Ils ont forcé ceux d'Espagne à tourner le dos (?); ils tiennent la poursuite d'un même cœur, tous ensemble. Quand l'empereur voit décliner la vêprée, il descend de cheval sur l'herbe verte, dans un pré : il se prosterne contre terre et prie le Seigneur Dieu de faire que pour lui le soleil s'arrête, que la nuit tarde et que le jour dure. Alors vient à lui un ange, celui qui a coutume de lui parler. Rapide, il lui donne ce commandement : « Charles, chevauche; la clarté ne te manque pas. C'est la fleur de France que tu as perdue, Dieu le sait. Tu peux te venger de l'engeance criminelle! » Il dit, et l'empereur remonte à cheval.

◎ ◯◯◯ CLXXX ◯◯◯ ◎

POUR Charlemagne Dieu fit un grand miracle, car le soleil s'arrête, immobile. Les païens fuient, les Francs leur donnent fortement la chasse. Au Val Ténébreux ils les atteignent,

2460 Paien s'en fuient, ben les chalcent Franc.
El Val Tenebrus la les vunt ateignant.
Vers Sarraguce les enchalcent ferant,
A colps pleners les en vunt ociant,
Tolent lur veies e les chemins plus granz.
2465 L'ewe de Sebre, el lur est dedevant :
Mult est parfunde, merveilluse e curant;
Il n'en i ad barge, ne drodmund ne caland.
Paiens recleiment un lur deu, Tervagant,
Puis saillent enz, mais il n'i unt guarant.
2470 Li adubez en sunt li plus pesant,
Envers les funz s'en turnerent alquanz;
Li altre en vunt cuntreval flotant;
Li miez guariz en unt boüd itant
Tuz sunt neiez par merveillus ahan.
2475 Franceis escrient : « Mare fustes, Rollant! » AOI.

◎ ∽ CLXXXI ∽ ◎

QUAND Carles veit que tuit sunt mort paiens,
     Alquanz ocis e li plusur neiet,
Mult grant eschec en unt si chevaler,
Li gentilz reis descendut est a piet,
2480 Culchet sei a tere, sin ad Deu graciet.
Quand il se drecet, li soleilz est culchet.
Dist l'emperere : « Tens est del herberger;
En Rencesvals est tart del repairer.
Noz chevals sunt e las e ennuiez.
2485 Tolez lur les seles, lé freins qu'il unt es chefs,

les poussent vivement vers Saragosse, les tuent
à coups frappés de plein cœur. Ils les ont
coupés des routes et des chemins les plus larges.
L'Èbre est devant eux : l'eau en est profonde,
redoutable, violente; il n'y a ni barge, ni
dromont, ni chaland. Les païens supplient
un de leurs dieux, Tervagant, puis se préci-
pitent; mais nul ne les protégera. Ceux qui
portent le heaume et le haubert sont les plus
pesants : ils coulent à fond, nombreux; les autres
s'en vont flottant à la dérive; les plus heureux
boivent à foison, tant qu'enfin tous se noient,
à grande angoisse. Les Français s'écrient :
« Roland, c'est grand'pitié de votre mort! »

◎ ∞ CLXXXI ∞ ◎

QUAND Charles voit que les païens sont
tous morts, les uns tués par le fer, et la
plupart noyés, et quel grand butin ont fait
ses chevaliers, il descend à pied, le gentil roi,
se couche contre terre et rend grâces à Dieu.
Quand il se relève, le soleil est couché. L'empe-
reur dit : « C'est l'heure de camper; pour
retourner à Roncevaux, il est tard. Nos chevaux
sont las et recrus. Enlevez-leur les selles,
ôtez-leur de la tête les freins et par ces prés

E par cez prez les laisez refreider. »
Respundent Franc : « Sire, vos dites bien. » AOI.

◎ ❦ CLXXXII ❦ ◎

LI emperere ad prise sa herberge.
    Franceis descendent en la tere deserte,
2490 A lur chevals unt toleites les seles,
Les freins a or e metent jus des testes ;
Livrent lur prez, asez i ad fresche herbe :
D'altre cunreid ne lur poeent plus faire.
Ki mult est las, il se dort cuntre tere.
2495 Icele noit n'unt unkes escalguaite.

◎ ❦ CLXXXIII ❦ ◎

LI emperere s'est culcet en un pret.
    Sun grant espiet met a sun chef li ber.
Icele noit ne se volt il desarmer,
Si ad vestut sun blanc osberc sasfret,
2500 Laciet sun elme, ki est a or gemmet,
Ceinte Joiuse, unches ne fut sa per,
Ki cascun jur muet .XXX. clartez.
Asez savum de la lance parler,
Dunt Nostre Sire fut en la cruiz nasfret :
2505 Carles en ad la mure, mercit Deu ;
En l'oret punt l'ad faite manuvrer.
Pur ceste honur e pur ceste bontet,
Li nums Joiuse l'espee fut dunet.

laissez-les se rafraîchir. » Les Francs répondent :
« Sire, vous dites bien. »

◎ ∞∞ CLXXXII ∞∞ ◎

L'EMPEREUR a établi son campement. Les
Français mettent pied à terre dans le
pays désert. Ils enlèvent à leurs chevaux les
selles, leur ôtent de la tête les freins dorés; ils
leur livrent les prés; ils y trouvent beaucoup
d'herbe fraîche : on ne peut leur donner d'autres
soins. Qui est très las dort contre terre. Cette
nuit-là, on ne fit point garder le camp.

◎ ∞∞ CLXXXIII ∞∞ ◎

L'EMPEREUR s'est couché dans un pré. Le
preux met près de sa tête son grand épieu.
Cette nuit il n'a pas voulu se désarmer; il
garde son blanc haubert safré; il garde lacé
son heaume aux pierres serties d'or, et Joyeuse
ceinte; jamais elle n'eut sa pareille : chaque
jour sa couleur change trente fois. Nous savons
bien ce qu'il en fut de la lance dont Notre
Seigneur fut blessé sur la Croix : Charles,
par la grâce de Dieu, en possède la pointe
et l'a fait enchâsser dans le pommeau d'or :
à cause de cet honneur et de cette grâce,
l'épée a reçu le nom de Joyeuse. Les barons

Baruns franceis nel deivent ublier :
2510 Enseigne en unt de « Munjoie ! » crier;
Pur ço nes poet nule gent cuntrester.

◎ ∞ CLXXXIV ∞ ◎

CLERE est la noit e la lune luisant.
      Carles se gist, mais doel ad de Rollant
E d'Oliver li peseit mult forment,
2515 Des .XII. pers e de la franceise gent
Qu'en Rencesvals ad laiset morz sanglenz.
Ne poet muer n'en plurt e nes dement
E priet Deu qu'as anmes seit guarent.
Las est li reis, kar la peine est mult grant;
2520 Endormiz est, ne pout mais en avant.
Par tuz les prez or se dorment li Franc.
N'i ad cheval ki puisset ester en estant :
Ki herbe voelt, il la prent en gisant.
Mult ad apris ki bien conuist ahan.

◎ ∞ CLXXXV ∞ ◎

2525 KARLES se dort cum hume traveillet.
      Seint Gabriel li ad Deus enveiet :
L'empereür li cumandet a guarder.
Li angles est tute noit a sun chef.
Par avisium li ad anunciet
2530 D'une bataille ki encuntre lui ert :
Senefiance l'en demustrat mult gref.
Carles guardat amunt envers le ciel,

de France ne doivent pas l'oublier : c'est de là qu'ils ont pris leur cri d'armes : « Montjoie! » et c'est pourquoi nul peuple ne peut tenir contre eux.

© ⊙∞⊙ CLXXXIV ∞⊙ ©

CLAIRE est la nuit, et la lune brillante. Charles est couché, mais il est plein de deuil pour Roland, et son cœur est lourd à cause d'Olivier, et des douze pairs, et des Français : à Roncevaux, il les a laissés morts, tout sanglants. Il pleure et se lamente, il ne peut s'en tenir, et prie Dieu qu'il sauve les âmes. Il est las, car sa peine est très grande. Il s'endort, il n'en peut plus. Par tous les prés, les Francs se sont endormis. Pas un cheval qui puisse se tenir debout; s'ils veulent de l'herbe, ils la broutent couchés. Il a beaucoup appris, celui qui a souffert.

© ⊙∞⊙ CLXXXV ∞⊙ ©

CHARLES dort en homme qu'un tourment travaille. Dieu lui a envoyé saint Gabriel; il lui commande de garder l'empereur. L'ange se tient toute la nuit à son chevet. Par une vision, il lui annonce une bataille qui lui sera livrée. Il la lui montre par des signes funestes. Charles a levé son regard vers le ciel : il y voit les tonnerres et les vents et les gelées, et les orages

Veit les tuneires e les venz e les giels
E les orez, les merveillus tempez,
2535 E fous e flambes i est apareillez :
Isnelement sur tute sa gent chet.
Ardent cez hanstes de fraisne e de pumer
E cez escuz jesqu'as bucles d'or mier,
Fruissent cez hanstes de cez trenchanz espiez,
2540 Cruissent osbercs e cez helmes d'acer;
En grant dulor i veit ses chevalers.
Urs e leuparz les voelent puis manger,
Serpenz e guivres, dragun e averser;
Grifuns i ad, plus de trente millers :
2545 N'en i ad cel a Franceis ne s'agiet.
E Franceis crient : « Carlemagne, aidez! »
Li reis en ad e dulur e pitet;
Aler i volt, mais il ad desturber :
Devers un gualt uns granz leons li vient,
2550 Mult par ert pesmes e orguillus e fiers,
Sun cors meïsmes i asalt e requert
E prenent sei a braz ambesdous por loiter;
Mais ço ne set liquels abats ne quels chiet.
Li emperere n'est mie esveillet.

◎ ∞ CLXXXVI ∞ ◎

2555 APRÈS icel li vien un'altre avisiun.
    Qu'il ert en France, ad Ais, a un perrun,
En dous chaeines si teneit un brohun.
Devers Ardene veeit venir .XXX. urs,
Cascun parolet altresi cume hum.

et les tempêtes prodigieuses, un appareil de feux et de flammes, qui soudainement choit sur toute son armée. Les lances de frêne et de pommier s'embrasent, et les écus jusqu'à leurs boucles d'or pur. Les hampes des épieux tranchants éclatent, les hauberts et les heaumes d'acier se tordent; Charles voit ses chevaliers en grande détresse. Puis des ours et des léopards veulent les dévorer, des serpents et des guivres, des dragons et des démons. Et plus de trente milliers de griffons sont là, qui tous fondent sur les Français. Et les Français crient : « Charlemagne, à notre aide! » Le roi est ému de douleur et de pitié; il veut y aller, mais il est empêché. D'une forêt vient contre lui un grand lion, plein de rage, d'orgueil et de hardiesse. Le lion s'en prend à sa personne même et l'attaque : tous deux pour lutter se prennent corps à corps. Mais Charles ne sait qui est dessus, qui est dessous. L'empereur ne s'est pas réveillé.

◎ ∞∞ CLXXXVI ∞∞ ◎

APRÈS cette vision, une autre lui vint : qu'il était en France, à Aix, sur un perron, et tenait un ours enchaîné par deux chaînes. Du côté de l'Ardenne il voyait venir trente ours. Chacun parlait comme un homme. Ils

2560 Diseient li : « Sire, rendez le nus!
      Il nen est dreiz que il seit mais od vos;
      Nostre parent devum estre a sucurs. »
      De sun paleis uns veltres i acurt :
      Entre les altres asaillit le greignur
2565 Sur l'erbe verte, ultre ses cumpaignuns.
      La vit li reis si merveillus estur;
      Mais ço ne set liquels veint ne quels nun.
      Li angles Deu ço ad mustret al barun.
      Carles se dort tresqu'al demain, al cler jur.

◎ ∞ CLXXXVII ∞ ◎

2570 Li reis Marsilie s'en fuit en Sarraguce.
      Suz un' olive est descendut en l'umbre.
      S'espee rent e sun elme e sa bronie;
      Sur la verte herbe mult laidement se culcet;
      La destre main as perdue trestute;
2575 Del sanc qu'en ist se pasmet e angoiset.
      Dedevant lui sa muiller, Bramimunde,
      Pluret e criet, mult forment se doluset,
      Ensembl' od li plus de .XX. mil humes,
      Si maldient Carlun e France dulce.
2580 Ad Apolin en curent en une crute,
      Tencent a lui, laidement le despersunent :
      « E! malvais deus, por quei nus fais tel hunte?
      Cest nostre rei por quei lessas cunfundre?
      Ki mult te sert, malvais luer l'en dunes! »
2585 Puis si li tolent sun sceptre e sa curune,
      Par les mains le pendent sur une culumbe,

lui disaient : « Sire, rendez-le-nous! Il n'est pas juste que vous le reteniez plus longtemps. Il est notre parent, nous lui devons notre secours. » De son palais accourt un lévrier. Sur l'herbe verte, au delà des autres, il attaque l'ours le plus grand. Là le roi regarde un merveilleux combat; mais il ne sait qui vainc, qui est vaincu. Voilà ce que l'ange de Dieu a montré au baron. Charles dort jusqu'au lendemain, au jour clair.

◎ ∞ CLXXXVII ∞ ◎

LE roi Marsile s'enfuit à Saragosse. Sous un olivier il a mis pied à terre, à l'ombre. Il rend à ses hommes son épée, son heaume et sa brogne; sur l'herbe verte il se couche misérablement. Il a perdu sa main droite, tranchée net; pour le sang qu'il perd, il se pâme d'angoisse. Devant lui sa femme, Bramimonde, pleure et crie, hautement se lamente. Avec elle plus de vingt mille hommes, qui maudissent Charles et douce France. Vers Apollin ils courent, dans une crypte, le querellent, l'outragent laidement : « Ah! mauvais dieu! Pourquoi nous fais-tu pareille honte? Pourquoi as-tu souffert la ruine de notre roi? Qui te sert bien, tu lui donnes un mauvais salaire! »

Entre lur piez a tere le tresturnent,
A granz bastuns le batent e defruisent;
E Tervagan tolent sun escarbuncle
2590 E Mahumet enz en un fosset butent
E porc e chen le mordent e defulent.

◎ ∞ CLXXXVIII ∞ ◎

DE pasmeisuns en est venuz Marsilies,
    Fait sei porter en sa cambre voltice;
Plusurs culurs i ad peinz e escrites;
2595 E Bramimunde le pluret, la reïne,
Trait ses chevels, si se cleimet caitive,
A l'altre mot mult haltement s'escriet :
« E! Sarraguce, cum ies oi desguarnie
Del gentil rei ki t'aveit en baillie!
2600 Li nostre deu i unt fait felonie,
Ki en bataille oi matin li faillirent.
Li amiralz i ferat cuardie,
S'il ne cumbat a cele gent hardie
Ki si sunt fiers n'unt cure de lur vies.
2605 Li emperere od la barbe flurie
Vasselage ad e mult grant estultie;
S'il ad bataille, il ne s'en fuirat mie.
Mult est grant doel que n'en est ki l'ociet! »

◎ ∞ CLXXXIX ∞ ◎

LI emperere par sa grant poestet
2610 .VII. anz tuz plens ad en Espaigne estet;

Puis ils lui enlèvent son sceptre et sa couronne [. .], le renversent par terre à leurs pieds, le battent et le brisent à coups de forts bâtons. Puis à Tervagan, ils arrachent son escarboucle; Mahomet, ils le jettent dans un fossé, et porcs et chiens le mordent et le foulent.

◎ ⧈⧈ CLXXXVIII ⧈⧈ ◎

MARSILE est revenu de pâmoison. Il se fait porter dans sa chambre voûtée : des signes de diverses couleurs y sont peints et tracés. Et la reine Bramimonde pleure sur lui, s'arrache les cheveux : « Chétive! » dit-elle, puis à haute voix elle s'écrie : « Ah! Saragosse, comme te voilà déparée, quand tu perds le gentil roi qui t'avait en sa baillie! Nos dieux furent félons, qui ce matin lui faillirent en bataille. L'émir fera une couardise, s'il ne vient pas combattre l'engeance hardie, ces preux si fiers qu'ils n'ont cure de leurs vies. L'empereur à la barbe fleurie est vaillant et plein d'outrecuidance : si l'émir lui offre la bataille, il ne fuira pas. Quel deuil qu'il n'y ait personne qui le tue!»

◎ ⧈⧈ CLXXXIX ⧈⧈ ◎

L'EMPEREUR, par vive force, sept ans tous pleins est resté dans l'Espagne. Il y

Prent i chastels e alquantes citez.
Li reis Marsilie s'en purcacet asez :
Al premer an fist ses brefs seieler,
En Babilonie Baligant ad mandet,
2615 Ço est l'amiraill, le viel d'antiquitet,
Tut survesquiet e Virgilie e Omer;
En Sarraguce alt sucurre li ber
E, s'il nel fait, il guerpirat ses deus
E tuz ses ydeles que il soelt adorer,
2620 Si recevrat seinte chrestientet,
A Charlemagne se vuldrat acorder.
E cil est loinz, si ad mult demuret;
Mandet sa gent de .XL. regnez,
Ses granz drodmunz en ad fait aprester,
2625 Eschiez e barges e galies e nefs;
Suz Alixandre ad un port juste mer :
Tut sun navilie i ad fait aprester.
Ço est en mai, al premer jur d'ested :
Tutes ses oz ad empeintes en mer.

◎ ❦ CXC ❦ ◎

2630 Gʀᴀɴᴢ sunt les oz de cele gent averse;
Siglent a fort e nagent e guvernent.
En sum cez maz e en cez haltes vernes
Asez i ad carbuncles e lanternes;
La sus amunt pargetent tel luiserne
2635 Par la noit la mer en est plus bele,
E cum il vienent en Espaigne la tere,

conquiert des châteaux, des cités nombreuses. Le roi Marsile s'évertue à lui résister. Dès la première année il a fait sceller ses brefs : à Babylone il a requis Baligant : c'est l'émir, le vieillard chargé de jours, qui vécut plus que Virgile et Homère. Qu'il vienne à Saragosse le secourir : s'il ne le fait, Marsile reniera ses dieux et toutes les idoles qu'il adore; il recevra la loi chrétienne; il cherchera la paix avec Charlemagne. Et l'émir est loin, il a longuement tardé. De quarante royaumes il appelle ses peuples; il a fait apprêter ses grands dromonts, des vaisseaux légers et des barges, des galies et des nefs. Sous Alexandrie, il y a un port près de la mer; il assemble là toute sa flotte. C'est en mai, au premier jour de l'été : il lance sur la mer toutes ses armées.

◎ ∞ CXC ∞ ◎

GRANDES sont les armées de cette engeance haïe. Les païens cinglent à force de voiles, rament, gouvernent. A la pointe des mâts et sur les hautes proues, escarboucles et lanternes brillent, nombreuses : d'en haut elles jettent en avant une telle clarté que par la nuit la mer en est plus belle. Et, comme ils approchent de la terre d'Espagne, la côte s'éclaire toute

Tut li païs en reluist e esclairet.
Jesqu'a Marsilie en parvunt les noveles. AOI.

© ⌘ CXCI ⌘ ©

2640 GENT paienor ne voelent cesser unkes,
Issent de mer, venent as ewes dulces,
Laisent Marbrise e si laisent Marbrose,
Par Sebre amunt tut lur naviries turnent.
Asez i ad lanternes e carbuncles :
Tute la noit mult grant clartet lur dunent.
2645 A icel jur venent a Sarraguce. AOI.

© ⌘ CXCII ⌘ ©

CLERS est li jurz e li soleilz luisant.
Li amiralz est issut del calan.
Espaneliz fors le vait adestrant,
.XVII. reis après le vunt siwant;
2650 Cuntes e dux i ad ben ne sai quanz.
Suz un lorer, ki est en mi un camp,
Sur l'erbe verte getent un palie blanc;
Un faldestoed i unt mis d'olifan;
Desur s'asiet li paien Baligant;
2655 Tuit li altre sunt remés en estant.
Li sire d'els premer parlat avant :
« Oiez ore, franc chevaler vaillant!
Carles li reis, l'emperere des Francs,

et resplendit. La nouvelle en vient jusqu'à Marsile.

L A gent des païens n'a cure de faire relâche. Ils laissent la mer, entrent dans les eaux douces. Ils passent Marbrise et passent Marbrose, remontent l'Èbre avec toutes leurs nefs. Lanternes et escarboucles brillent sans nombre et toute la nuit leur donnent grande clarté. Au jour, ils parviennent à Saragosse.

L E jour est clair et le soleil brillant. L'émir est descendu de son vaisseau. A sa droite s'avance Espaneliz; dix-sept rois marchent à sa suite; puis viennent des comtes et des ducs dont je ne sais le nombre. Sous un laurier, au milieu d'un champ, on jette sur l'herbe verte un tapis de soie blanche : un trône y est dressé, tout d'ivoire. Là s'assied le païen Baligant; tous les autres sont restés debout. Leur seigneur, le premier, parla : « Écoutez, francs chevaliers vaillants! Le roi Charles, l'empereur des Francs, n'a droit de manger que si je le commande. Par toute l'Espagne il m'a fait une grande guerre; en douce France

Ne deit manger, se jo ne li cumant.
2660 Par tute Espaigne m'at fait guere mult grant :
En France dulce le voeil aler querant.
Ne finerai en trestut mun vivant
Josqu'il seit mort u tut vif recreant. »
Sur sun genoill en fiert sun destre guant.

© ❀ CXCIII ❀ ©

2665 Puis qu'il l'ad dit, mult s'en est afichet
     Que ne lairat pur tut l'or desuz ciel
Qu'il n'alt ad Ais, o Carles soelt plaider.
Si hume li lodent, si li unt cunseillet.
Puis apelat dous de ses chevalers,
2670 L'un Clarifan e l'altre Clarïen :
« Vos estes filz al rei Maltraïen,
Ki messages soleit faire volenters.
Jo vos cumant qu'en Sarraguce algez.
Marsiliun de meie part li nunciez
2675 Cuntre Franceis li sui venut aider :
Se jo truis o, mult grant bataille i ert;
Si l'en dunez cest guant ad or pleiet,
El destre poign si li faites chalcer;
Si li portez cest bastuncel d'or mer
2680 E a mei venget pur reconoistre sun feu.
En France irai pur Carle guerreier.
S'en ma mercit ne se culzt a mes piez
E ne guerpisset la lei de chrestiens,
Jo li toldrai la corune del chef. »
2685 Paien respundent : « Sire, mult dites bien. »

je veux aller le requérir. Je n'aurai de relâche
en toute ma vie qu'il ne soit tué ou ne s'avoue
vaincu. » En gage de sa parole, il frappe son
genou de son gant droit.

◎ ❈❈ CXCIII ❈❈ ◎

Puisqu'il l'a dit, il se promet fermement
qu'il ne laissera pas, pour tout l'or qui
est sous le ciel, d'aller à Aix, là où Charles
tient ses plaids. Ses hommes l'en louent, lui
donnent même conseil. Alors il appela deux de
ses chevaliers; l'un est Clarifan et l'autre
Clarien : « Vous êtes fils du roi Maltraien, qui
avait coutume de porter volontiers des messages.
Je vous commande que vous alliez à Saragosse.
De ma part annoncez-le à Marsile : contre
les Français je suis venu l'aider. Si j'en trouve
occasion, il y aura une grande bataille. En gage,
donnez-lui ployé ce gant paré d'or et qu'il
en gante son poing droit! Et portez-lui ce
bâtonnet d'or pur, et qu'il vienne à moi pour
reconnaître son fief! J'irai en France pour
guerroyer Charles. S'il n'implore pas ma merci,
couché à mes pieds, et s'il ne renie point la loi
des chrétiens, je lui enlèverai de la tête la
couronne. » Les païens répondent : « Sire, vous
avez bien dit. »

◎ ⚭ CXCIV ⚭ ◎

Dist Baligant : « Car chevalchez, barun!
     L'un port le guant, li alte le bastun! »
E cil respundent : « Cher sire, si ferum. »
Tant chevalcherent qu'en Sarraguce sunt.
2690 Passent .X. portes, traversent .IIII. punz,
Tutes les rues u li burgeis estunt.
Cum il aproisment en la citet amunt,
Vers le paleis oïrent grant fremur :
Asez i ad de cele gent paienur,
2695 Plurent e crient, demeinent grant dolor,
Pleignent lur deus, Tervagan e Mahum
E Apollin, dunt il mie n'en unt.
Dist cascun a l'altre : « Caitifs, que devendrum?
Sur nus est venue male confusiun;
2700 Perdut avum le rei Marsiliun;
Li quens Rollant li trenchat ier le destre poign;
Nus n'avum mie de Jurfaleu le blunt;
Trestute Espaigne iert hoi en lur bandun. »
Li dui message descendent al perrun.

◎ ⚭ CXCV ⚭ ◎

2705 Lur chevals laisent dedesuz un'olive.
     Dui Sarrazin par les resnes les pristrent,
E li message par les mantels se tindrent,
Puis sunt muntez sus el paleis altisme.
Cum il entrerent en la cambre voltice,
2710 Par bel' amur malvais saluz li firent :

◎ ᥈᥈ CXCIV ᥈᥈ ◎

BALIGANT dit : « Barons, à cheval! Que l'un porte le gant, l'autre le bâton! » Ils répondent : « Cher seigneur, ainsi ferons-nous! » Tant chevauchent-ils qu'ils parviennent à Saragosse. Ils passent dix portes, traversent quatre ponts, longent les rues où se tiennent les bourgeois. Comme ils approchent, au haut de la cité, ils entendent une grande rumeur, qui vient du palais. Là s'est amassée l'engeance des païens, qui pleurent, crient, mènent grand deuil : ils regrettent leurs dieux, Tervagan, et Mahomet, et Apollin, qu'ils n'ont plus. Ils disent l'un à l'autre : « Malheureux! que deviendrons-nous? Sur nous a fondu un grand fléau : nous avons perdu le roi Marsile; hier le comte Roland lui trancha le poing droit; et Jurfaleu le blond, nous ne l'avons plus. Toute l'Espagne sera désormais à leur merci! » Les deux messagers mettent pied à terre au perron.

◎ ᥈᥈ CXCV ᥈᥈ ◎

ILS laissent leurs chevaux sous un olivier : deux Sarrasins les ont saisis par les rênes. Et les messagers se prennent par leurs manteaux, puis montent au plus haut du palais. Quand ils entrèrent dans la chambre voûtée,

« Cil Mahumet ki nus ad en baillie,
E Tervagan e Apollin, nostre sire,
Salvent le rei e guardent la reïne! »
Dist Bramimunde : « Or oi mult grant folie!
2715 Cist nostre deu sunt en recreantise.
En Rencesval malvaises vertuz firent :
Noz chevalers i unt lesset ocire;
Cest mien seignur en bataille faillirent;
Le destre poign ad perdut, n'en ad mie,
2720 Si li trenchat li quens Rollant, li riches.
Trestute Espaigne avrat Carles en baillie.
Que devendrai, duluruse, caitive?
E! lasse, que nen ai un hume ki m'ociet! » AOI.

◎ ∞ CXCVI ∞ ◎

D IST Clarïen : « Dame, ne parlez mie itant!
2725   Messages sumes al paien Baligant.
Marsiliun, ço dit, serat guarant,
Si l'en enveiet sun bastun e sun guant.
En Sebre avum .IIII. milie calant,
Eschiez e barges e galees curant;
2730 Drodmunz i ad ne vos sai dire quanz,
Li amiralz est riches e puisant :
En France irat Carlemagne querant;
Rendre le quidet u mort o recreant. »
Dist Bramimunde : « Mar en irat itant!
2735 Plus près d'ici purrez truver les Francs :
En ceste tere ad estet ja .VII. anz.
Li emperere est ber e cumbatant :

ils firent par amitié un salut malencontreux :
« Que Mahomet, qui nous a en sa baillie, et
Tervagan, et Apollin, notre seigneur, sauvent
le roi et gardent la reine! » Bramimonde dit :
« J'entends de très folles paroles! Ces dieux
que vous nommez, nos dieux, ils nous ont
failli. A Roncevaux, ils ont fait de laids miracles :
ils ont laissé massacrer nos chevaliers; mon
seigneur que voici, ils l'ont abandonné dans la
bataille. Il a perdu le poing droit : c'est Roland
qui l'a tranché, le comte puissant. Charles tien-
dra en sa seigneurie toute l'Espagne! Que
deviendrai-je, douloureuse, chétive? Hélas! n'y
aura-t-il personne pour me tuer? »

© ⚭ CXCVI ⚭ ©

CLARIEN dit : « Dame, ne parlez pas sans
fin! Nous sommes messagers de Baligant, le
païen. Il défendra Marsile, il le promet; comme
gages, il lui envoie son gant et son bâton. Sur
l'Èbre nous avons quatre mille chalands, des
vaisseaux, des barges et de rapides galées, et
tant de dromonts que je n'en sais le compte.
L'émir est fort et puissant; en France il s'en
ira, en quête de Charlemagne; il se fait fort de
le tuer ou de le réduire à merci. » Bramimonde
dit : « Pourquoi irait-il si loin? Plus près d'ici

Meilz voel murir que ja fuiet de camp;
Suz ciel n'ad rei qu'il prist a un enfant.
2740 Carles ne creint nuls hom ki seit vivant. »

◎ ∞ CXCVII ∞ ◎

« LAISSEZ ço ester! » dist Marsilies li reis.
Dist a messages : « Seignurs, parlez a mei!
Ja veez vos que a mort sui destreit,
Jo si nen ai filz ne fille ne heir :
2745 Un en aveie, cil fut ocis her seir.
Mun seignur dites qu'il me vienge veeir.
Li amiraill ad en Espaigne dreit :
Quite li cleim, se il la voelt aveir,
Puis la defendet encuntre li Franceis!
2750 Vers Carlemagne li durrai bon conseill :
Cunquis l'avrat d'oi cest jur en un meis.
De Sarraguce les clefs li portereiz,
Pui li dites il n'en irat, s'il me creit. »
Cil respundent : « Sire, vus dites veir. » AOI.

◎ ∞ CXCVIII ∞ ◎

2755 Ço dist Marsilie : « Carles l'emperere
Mort m'ad mes homes, ma tere deguastee
E mes citez fraites e violees.
Il jut anuit sur cel' ewe de Sebre :
Jo ai cunté n'i ad mais que .VII. liwes.
2760 L'amirail dites que sun host i amein.

vous pourrez trouver les Francs. Voilà sept ans
que l'empereur est en ce pays; il est hardi,
bon combattant; il mourrait plutôt que de fuir
d'un champ de bataille; sous le ciel il n'y a
roi qu'il craigne plus qu'on craindrait un enfant.
Charles ne redoute homme qui vive! »

◎ ❧ CXCVII ❧ ◎

« **L**AISSEZ! » dit le roi Marsile; et, aux mes-
sagers : « Seigneurs, c'est à moi qu'il
faut parler. Vous le voyez, la mort m'étreint,
et je n'ai ni fils, ni fille, ni héritier. J'en avais
un : il fut tué hier soir. Dites à mon seigneur
qu'il me vienne voir. L'émir a droit sur la
terre d'Espagne. Je la lui rends en franchise,
s'il la veut, mais qu'il la défende contre les
Français! Je lui donnerai, quant à Charlemagne,
un bon conseil : de ce jour en un mois il le
tiendra prisonnier. Vous lui porterez les clefs
de Saragosse. Puis dites-lui qu'il ne s'en ira
pas, s'il me croit. » Ils répondent : « Seigneur,
vous dites bien. »

◎ ❧ CXCVIII ❧ ◎

MARSILE dit : « Charles l'empereur m'a tué
mes hommes; il a ravagé ma terre; mes
cités, il les a forcées et violées. Cette nuit il
a couché aux rives de l'Èbre : ce n'est qu'à

Par vos li mand bataille i seit justee. »
De Sarraguce les clefs li ad livrees.
Li messager ambedui l'enclinerent,
Prenent cunget, a cel mot s'en turnerent.

© ∞ CXCIX ∞ ©

2765 LI dui message es chevals sunt muntet.
Isnelement issent de la citet,
A l'amiraill en vunt esfreedement,
De Sarraguce li presentent les clés.
Dist Baligant : « Que avez vos truvet?
2770 U est Marsilie, que jo aveie mandet? »
Dist Clarïen : « Il est a mort naffret.
Li emperere fut ier as porz passer,
Si s'en vuleit en dulce France aler.
Par grant honur se fist rereguarder :
2775 Li quens Rollant i fut remés, sis niés,
E Oliver e tuit li .XII. per,
De cels de France .XX. milie adubez.
Li reis Marsilie s'i cumbatit, li bers.
Il e Rollant el camp furent remés :
2780 De Durendal li dunat un colp tel
Le destre poign li ad del cors sevret.
Sun filz ad mort, qu'il tant suleit amer,
E li baron qu'il i out amenet.
Fuiant s'en vint, qu'il n'i pout mès ester.
2785 Li emperere l'ad enchacet asez.
Li reis vos mandet que vos le sucurez.
Quite vus cleimet d'Espaigne le regnet. »

sept lieues d'ici, je les ai comptées. Dites à
l'émir qu'il y mène son armée. Je le lui mande
par vous : qu'il livre là une bataille ! » Il leur
a remis les clefs de Saragosse. Les messagers
s'inclinent tous deux; ils prennent congé,
puis s'en retournent.

◎ ᨒ CXCIX ᨒ ◎

LES deux messagers sont montés à cheval.
Ils sortent en hâte de la cité, vers l'émir
s'en vont en grand désarroi. Ils lui présentent
les clefs de Saragosse. Baligant dit : « Qu'avez-
vous appris ? Où est Marsile, que j'avais
mandé ? » Clarien répond : « Il est blessé à
mort. L'empereur était hier au passage des
ports, il voulait retourner en douce France.
Il avait formé une arrière-garde, bien propre
à lui faire honneur, car le comte Roland y
était resté, son neveu, et Olivier, et tous les
douze pairs, et vingt milliers de ceux de France,
tous chevaliers. Le roi Marsile leur livra bataille,
le vaillant. Roland et lui se rencontrèrent.
Roland lui donna de Durendal un tel coup
qu'il lui a séparé du corps le poing droit. Il
a tué son fils, qu'il aimait tant, et les barons
qu'il avait amenés. Marsile s'en revint, fuyant,
il ne pouvait tenir. L'empereur lui a violemment
donné la poursuite. Le roi vous mande que

E Baligant cumencet a penser;
Si grant doel ad por poi qu'il n'est desvet. AOI.

◎ ∞∞ CC ∞∞ ◎

2790 « SIRE amiralz », dist Clarïens,
     « En Rencesvals une bataille out ier.
Morz est Rollant e li quens Oliver,
Li .XII. per, que Carles aveit tant cher;
De lur Franceis i ad mort .XX. millers.
2795 Li reis Marsilie le destre poign i perdiet
E l'emperere asez l'ad enchalcet.
En ceste tere n'est remés chevaler
Ne seit ocis o en Sebre neiet.
Desur la rive sunt Francès herbergiez :
2800 En cest païs nus sunt tant aproeciez,
Se voz volez, li repaires ert grefs. »
E Baligant le reguart en ad fiers,
En sun curage en est joüs e liet.
Del faldestod se redrecet en piez,
2805 Puis escriet : « Baruns, ne vos targez!
Eissez des nefs, muntez, si chevalciez!
S'or ne s'en fuit Karlemagne li veilz,
Li reis Marsilie enqui sera venget :
Pur sun poign destre l'en liverai le chef. »

◎ ∞∞ CCI ∞∞ ◎

2810 PAIEN d'Arabe des nefs se sunt eissut,
     Puis sunt muntez es chevals e es muls,

vous le secouriez; il vous rend en franchise
le royaume d'Espagne. » Et Baligant se prend
à songer. Il a si grand deuil qu'il en est presque
fou.

◎ ❀❀ CC ❀❀ ◎

« SEIGNEUR émir », dit Clarien, « à Roncevaux,
hier, une bataille fut livrée. Roland est
tué et le comte Olivier, et les douze pairs,
que Charles aimait tant; de leurs Français
vingt mille sont tués. Le roi Marsile y a perdu
le poing droit et l'empereur l'a violemment
poursuivi : en cette terre il ne reste pas un che-
valier qui n'ait été tué par le fer ou noyé
dans l'Èbre. Les Français sont campés sur la
rive : ils sont si proches de nous en ce pays
que, si vous le voulez, la retraite leur sera dure. »
Et le regard de Baligant redevient fier; son
cœur s'emplit de joie et d'ardeur. De son trône
il se lève tout droit et s'écrie : « Barons, ne tardez
pas! Sortez des nefs; en selle, et chevauchez!
S'il ne s'enfuit pas, le vieux Charlemagne,
le roi Marsile sera tôt vengé : pour son poing
perdu, je lui livrerai la tête de l'empereur. »

◎ ❀❀ CCI ❀❀ ◎

LES païens d'Arabie sont sortis des nefs,
puis sont montés sur les chevaux et les

Si chevalcherent, que fereient il plus?
Li amirals, ki trestuz les esmut,
Sin apelet Gemalfin, un sun drut :
2815 « Jo te cumant de tutes mes oz... »
Puis est munted en un sun destrer brun;
Ensembl' od lui em meinet .IIII. dux.
Tant chevalchat qu'en Saraguce fut.
A un perron de marbre est descenduz
2820 E quatre cuntes l'estreu li unt tenut.
Par les degrez el paleis muntet sus.
E Bramidonie vient curant cuntre lui,
Si li ad dit : « Dolente, si mare fui!
A itel hunte, sire, mon seignor ai perdut! »
2825 Chet li as piez, li amiralz la reçut;
Sus en la chambre ad doel en sunt venut. AOI.

◎ ⚬⚬ CCII ⚬⚬ ◎

L I reis Marsilie, cum il veit Baligant,
   Dunc apelat dui Sarrazin espans :
« Pernez m'as braz, sim drecez en seant. »
2830 Al puign senestre ad pris un de ses guanz.
Ço dist Marsilie : « Sire reis, amiralz,
Tetes tutes icil . . . .
E Sarraguce e l'onur qu'i apent.
Mei ai perdut e tute ma gent. »
2835 E cil respunt : « Tant sui jo plus dolent
Ne pois a vos tenir lung parlement :
Jo sai asez que Carles ne m'atent,
E nepurquant de vos receif le guant. »

mulets. Ils commencent leur chevauchée, qu'ont-ils à faire d'autre? Et l'émir, qui les a tous mis en branle, appelle Gemalfin, l'un de ses fidèles : « Je te confie toutes mes armées. » Puis il se met en selle sur un sien destrier bai. Avec lui il emmène quatre ducs. Il a tant chevauché qu'il arrive à Saragosse. A un perron de marbre il met pied à terre, et quatre comtes lui ont tenu l'étrier. Par les degrés il monte au palais. Et Bramidoine accourt à sa rencontre et lui dit : « Chétive, et née à la malheure, sire, j'ai perdu mon seigneur, et si honteusement! » Elle choit à ses pieds, l'émir l'a relevée, et tous deux vers la chambre montent, pleins de douleur.

◎ ⌘ CCII ⌘ ◎

LE roi Marsile, comme il voit Baligant, appelle deux Sarrasins d'Espagne : « Prenez-moi dans vos bras, et me redressez. » De son poing gauche il a pris un de ses gants : « Seigneur roi, émir, dit-il, je vous rends (?) toutes mes terres, et Saragosse, et le fief qui en dépend. Je me suis perdu et j'ai perdu tout mon peuple. » Et l'émir répond : « J'en ai grande douleur; mais je ne puis longtemps converser avec vous : je sais que Charles ne m'attend pas. Et toutefois je reçois votre gant. » Plein de son affliction, il s'éloigne en pleurant.

Al doel qu'il ad s'en est turnet plurant. AOI.
2840 Par les degrez jus del paleis descent,
Muntet el ceval, vient a sa gent puignant.
Tant chevalchat qu'il est premers devant,
D'ures ad altres si se vait escriant :
« Venez, paien, car ja s'en fuient ferant! » AOI.

◎ ∞ CCIII ∞ ◎

2845 A L matin, quant primes pert li albe,
Esveillez est li emperere Carles.
Sein Gabriel, ki de part Deu le guarde,
Levet sa main, sur lui fait sun signacle.
Li reis se drece, si ad rendut ses armes,
2850 Si se desarment par tute l'ost li altre.
Puis sunt muntet, par grant vertut chevalchent
Cez veiez lunges e cez chemins mult larges,
Si vunt vedeir le merveillus damage
En Rencesvals, la o fut la bataille. AOI.

◎ ∞ CCIV ∞ ◎

2855 E N Rencesvals en est Carles venuz.
Des morz qu'il troevet cumencet a plurer.
Dist a Franceis : « Segnurs, le pas tenez,
Kar mei meïsme estoet avant aler
Pur mun nevold que vuldreie truver.
2860 A Eis esteie, a une feste anoel,
Si se vanterent mi vaillant chevaler
De granz batailles, de forz esturs pleners.

Il descend les degrés du palais, monte à cheval, retourne vers ses troupes à force d'éperons. Il chevauche si vivement qu'il dépasse les autres. Par instants il s'écrie : « Venez, païens, car déja ils pressent leur fuite ! »

© ∞ CCIII ∞ ©

Au matin, à la première pointe de l'aube, s'est réveillé l'empereur Charles. Saint Gabriel, qui de par Dieu le garde, lève la main, sur lui fait son signe. Le roi se met debout, dépose ses armes, et, comme lui, par toute l'armée, les autres se désarment. Puis ils se mettent en selle et par les longues voies et par les chemins larges chevauchent à grande allure. Ils s'en vont voir le prodigieux dommage, à Roncevaux, là où fut la bataille.

© ∞ CCIV ∞ ©

A Roncevaux Charlemagne est parvenu. Pour les morts qu'il trouve, il se met à pleurer. Il dit aux Français : « Seigneurs, allez au pas, car il faut que j'aille moi-même en avant de vous, pour mon neveu, que je voudrais retrouver. J'étais à Aix, au jour d'une fête solennelle, quand mes vaillants chevaliers se vantèrent de grandes batailles, de forts assauts qu'ils livreraient. J'entendis Roland dire une

D'une raisun oï Rollant parler :
Ja ne murreit en estrange regnet
2865 Ne trespassast ses humes e ses pers;
Vers lur païs avreit sun chef turnet;
Cunquerrantment si finereit li bers. »
Plus qu'en ne poet un bastuncel jeter,
Devant les altres est en un pui muntet.

◎ ◠◠◠ CCV ◠◠◠ ◎

2870 QUANT l'empereres vait querre sun nevold,
De tantes herbes el pré truvat les flors
Ki sunt vermeilles del sanc de noz barons!
Pitet en ad, ne poet muer n'en plurt.
Desuz dous arbres parvenuz est. . . .
2875 Les colps Rollant conut en treis perruns;
Sur l'erbe verte veit gesir sun nevuld.
Nen est merveille se Karles ad irur.
Descent a pied, aled i est pleins curs.
Entre ses mains ansdous...
2880 Sur lui se pasmet, tant par est anguissus.

◎ ◠◠◠ CCVI ◠◠◠ ◎

LI empereres de pasmeisuns revint.
Naimes li dux e li quens Acelin,
Gefrei d'Anjou e sun frere Tierri
Prenent le rei, s'il drecent suz un pin.
2885 Guardet a la tere, veit sun nevold gesir.
Tant dulcement a regreter le prist :

chose : que, s'il devait mourir en royaume
étranger, il y aurait pénétré plus avant que ses
hommes et ses pairs, qu'on le trouverait la
tête tournée vers le pays ennemi, et qu'ainsi,
le vaillant, il finirait en vainqueur. » Un peu
plus loin qu'on peut lancer un bâton, au delà
des autres, l'empereur est monté sur un
tertre.

◎ ᙏᙓᙚ CCV ᙚᙓᙏ ◎

TANDIS qu'il va cherchant son neveu, il
trouva dans le pré tant d'herbes, dont
les fleurs sont vermeilles du sang de nos
barons! Pitié lui prend, il ne peut se tenir
de pleurer. Il arrive en un lieu qu'ombragent
deux arbres. Il reconnaît sur trois perrons les
coups de Roland; sur l'herbe verte il voit son
neveu, qui gît. Qui s'étonnerait, s'il frémit
de douleur? Il descend de cheval, il y va en
courant. Entre ses deux mains... Il se pâme
sur lui, tant son angoisse l'étreint.

◎ ᙏᙓᙚ CCVI ᙚᙓᙏ ◎

L'EMPEREUR est revenu de pâmoison. Le
duc Naimes et le comte Acelin, Geoffroi
d'Anjou et son frère Thierry le prennent, le
redressent sous un pin. Il regarde à terre, voit
son neveu gisant. Si doucement il dit sur lui
l'adieu : « Ami Roland, que Dieu te fasse

« Amis Rollant, de tei ait Deus mercit!
Unques nuls hom tel chevaler ne vit
Por granz batailles juster e defenir.
2890 La meie honor est turnet en declin. »
Carles se pasmet, ne s'en pout astenir. AOI.

◎ ◈◈◈ CCVII ◈◈◈ ◎

CARLES li reis se vint de pasmeisuns;
Par les mains le tienent .IIII. de ses barons.
Guardet a tere, vei gesir sun nevuld.
2895 Cors ad gaillard, perdue ad sa culur,
Turnez ses oilz, mult li sunt tenebros.
Carles le pleint par feid e par amur :
« Ami Rollant, Deus metet t'anme en flors,
En pareïs, entre les glorius!
2900 Cum en Espaigne venis a mal seignur!
Jamais n'ert jurn de tei n'aie dulur.
Cum decarrat ma force e ma baldur!
N'en avrai ja ki sustienget m'onur :
Suz ciel ne quid aveir ami un sul;
2905 Se jo ai parenz, n'en i ad nul si proz. »
Trait ses crignels, pleines ses mains amsdous;
Cent milie Franc en unt si grant dulur
N'en i ad cel ki durement ne plurt. AOI.

◎ ◈◈◈ CCVIII ◈◈◈ ◎

« AMI Rollant, jo m'en irai en France.
2910 Cum jo serai à Loün, en ma chambre,

merci! Nul homme jamais ne vit chevalier tel que toi pour engager les grandes batailles et les gagner. Mon honneur a tourné vers le déclin. » Charles ne peut s'en tenir, il se pâme.

◎ ◦◦◦ CCVII ◦◦◦ ◎

LE roi Charles est revenu de pâmoison. Par les mains le tiennent quatre de ses barons. Il regarde à terre, voit gisant son neveu. Son corps est resté beau, mais il a perdu sa couleur; ses yeux sont virés et tout pleins de ténèbres. Par amour et par foi Charles dit sur lui sa plainte : « Ami Roland, que Dieu mette ton âme dans les fleurs, en paradis, entre les glorieux! Quel mauvais seigneur tu suivis en Espagne! (?) Plus un jour ne se lèvera que pour toi je ne souffre. Comme ma force va déchoir, et mon ardeur! Je n'aurai plus personne qui soutienne mon honneur : il me semble n'avoir plus un seul ami sous le ciel; j'ai des parents, mais pas un aussi preux. » A pleines mains il arrache ses cheveux. Cent mille Français en ont une douleur si grande qu'il n'en est aucun qui ne fonde en larmes.

◎ ◦◦◦ CCVIII ◦◦◦ ◎

« AMI Roland, je m'en irai en France. Quand je serai à Laon, mon domaine

De plusurs regnes vendrunt li hume estrange,
Demanderunt : « U est li quens cataignes? »
Jo lur dirrai qu'il est morz en Espaigne.
A grant dulur tendrai puis mun reialme;
2915 Jamais n'ert jur que ne plur ne n'en pleigne.

◎ ∞ CCIX ∞ ◎

« **A**MI Rollant, prozdoem, juvente bele,
Cum jo serai a Eis, em ma chapele,
Vendrunt li hume, demanderunt noveles.
Jes lur dirrai, merveilluses e pesmes :
2920 « Morz est mis niés, ki tant me fist cunquere. »
Encuntre mei revelerunt li Seisne
E Hungre e Bugre e tante gent averse,
Romain, Puillain e tuit icil de Palerne
E cil d'Affrike e cil de Califerne,
2925 Puis entrerunt mes peines e mes suffraites.
Ki guierat mes oz a tel poeste,
Quant cil est morz ki tuz jurz nos cadelet?
E! France, cum remeines deserte!
Si grant doel ai que jo ne vuldreie estre! »
2930 Sa barbe blanche cumencet a detraire,
Ad ambes mains les chevels de sa teste.
Cent mille Francs s'en pasment cuntre tere.

◎ ∞ CCX ∞ ◎

« **A**MI Rollant, de tei ait Deus mercit!
L'anme de tei seit mise en pareïs!

privé, de maints royaumes viendront les vassaux étrangers. Ils demanderont : « Où est-il, le comte capitaine ? » Je leur dirai qu'il est mort en Espagne, et je ne régnerai plus que dans la douleur et je ne vivrai plus un jour sans pleurer et sans gémir.

© ©◊© CCIX ©◊© ©

« **A**MI Roland, vaillant, belle jeunesse, quand je serai à Aix, en ma chapelle, les vassaux viendront, demanderont les nouvelles. Je les leur dirai, étranges et rudes : « Il est mort, mon neveu, celui qui me fit conquérir tant de terres. » Contre moi se rebelleront les Saxons et les Hongrois et les Bulgares et tant de peuples maudits, les Romains et ceux de la Pouille et tous ceux de Palerne, ceux d'Afrique et ceux de Califerne [. .]. Qui conduira aussi puissamment mes armées, quand il est mort, celui qui toujours nous guidait ? Ah ! France, comme tu restes dépeuplée ! Mon deuil est si grand, je voudrais ne plus être ! » Il tire sa barbe blanche, de ses deux mains arrache les cheveux de sa tête. Cent mille Français se pâment contre terre.

© ©◊© CCX ©◊© ©

« **A**MI Roland, que Dieu te fasse merci ! Que ton âme soit mise en paradis ! Celui qui

2935 Ki tei ad mort France ad mis en exill.
Si grant dol ai que ne voldreie vivre
De ma maisnee, ki pur mei est ocise!
Ço duinset Deus, le filz seinte Marie,
Einz que jo vienge as maistres porz de Sirie,
2940 L'anme del cors me seit oi departie,
Entre les lur aluee e mise
E ma car fust delez els enfuïe! »
Ploret des oilz, sa blanche barbe tiret,
E dist dux Naimes : « Or ad Carles grant ire. » AOI.

◎ ∞ CCXI ∞ ◎

2945 « SIRE emperere », ço dist Gefrei d'Anjou,
        « Ceste dolor ne demenez tant fort!
Par tut le camp faites querre les noz,
Que cil d'Espaigne en la bataille unt mort.
En un carner cumandez qu'hom les port. »
2950 Ço dist li reis : « Sunez en vostre corn! » AOI.

◎ ∞ CCXII ∞ ◎

GEFREID d'Anjou ad sun greisle sunet.
        Franceis descendent, Carles l'ad comandet.
Tuz lur amis qu'il i unt morz truvet,
Ad un carner sempres les unt portet.
2955 Asez i ad evesques e abez,
Munies, canonies, proveires coronez,

t'a tué, c'est la France qu'il a jetée dans la détresse! J'ai si grand deuil, je voudrais ne plus vivre! O mes chevaliers, qui êtes morts pour moi! Puisse Dieu, le fils de sainte Marie, accorder que mon âme, avant que j'atteigne les maîtres ports de Cize, se sépare en ce jour même de mon corps et qu'elle soit placée auprès de leurs âmes et que ma chair soit enterrée auprès d'eux! » Il pleure, tire sa barbe blanche. Et le duc Naimes dit : « Grande est l'angoisse de Charles! »

◎ ∞ CCXI ∞ ◎

« SIRE empereur », dit Geoffroi d'Anjou, « ne vous livrez pas si entièrement à cette douleur! Par tout le champ faites rechercher les nôtres, que ceux d'Espagne ont tués dans la bataille. Commandez qu'on les porte dans une même fosse. » Le roi dit : « Sonnez votre cor pour en donner l'ordre. »

◎ ∞ CCXII ∞ ◎

GEOFFROI d'Anjou a sonné son cor. Les Français descendent de cheval, Charles l'a commandé. Tous leurs amis qu'ils retrouvent morts, ils les portent aussitôt à une même fosse. Il y a dans l'armée des évêques et des abbés en nombre, des moines, des chanoines, des

Sis unt asols e seignez de part Deu.
Mirre e timonie i firent alumer,
Gaillardement tuz les unt encensez;
2960 A grant honor pois les unt enterrez,
Sis unt laisez, qu'en fereient il el? AOI.

◎ ❤❤ CCXIII ❤❤ ◎

Li emperere fait Rollant costeïr
E Oliver e l'arcevesque Turpin.
Devant sei les ad fait tuz uvrir
2965 E tuz les quers en paile recuillir :
Un blanc sarcou de marbre sunt enz mis,
E puis les cors des barons si unt pris,
En quirs de cerf les seignurs unt mis;
Ben sunt lavez de piment e de vin.
2970 Li reis cumandet Tedbalt e Gebuin,
Milun le cunte e Otes le marchis :
« En .III. carettes les guiez.... »
Bien sunt cuverz d'un palie galazin. AOI.

◎ ❤❤ CCXIV ❤❤ ◎

Venir s'en volt li emperere Carles,
2975 Quant de paiens li surdent les enguardes.
De cels devant i vindrent dui messages,
De l'amirail li nuncent la bataille :
« Reis orguillos, nen est fins que t'en alges !

prêtres tonsurés : ils leur donnent de par
Dieu l'absoute et la bénédiction. Ils allument
la myrrhe et le thimiame, ils les encensent
tous avec zèle, puis les enterrent à grand
honneur. Après, ils les laissent : que peuvent-
ils pour eux, désormais?

◎ ⸬ CCXIII ⸬ ◎

L'EMPEREUR fait appareiller pour l'ensevelis-
sement Roland, et Olivier, et l'archevêque
Turpin. Devant ses yeux il les a fait ouvrir
tous trois. Il fait recueillir leurs cœurs dans
un linceul de soie; on les enferme dans un
blanc cercueil de marbre (?). Puis on a pris
les corps des trois barons et on les a mis, bien
lavés d'aromates et de vin, en des peaux de
cerf. Le roi appelle Tedbalt et Geboin, le
comte Milon et Oton le marquis : « Emmenez-
les sur trois chars... » Ils sont bien recouverts
d'un drap de soie de Galaza.

◎ ⸬ CCXIV ⸬ ◎

L'EMPEREUR Charles veut s'en retourner :
or devant lui surgissent les avant-gardes
des païens. De leur troupe la plus proche
viennent deux messagers. Au nom de l'émir,
ils lui annoncent la bataille : « Roi orgueilleux,
il n'est pas question de repartir. Vois Baligant
qui chevauche après toi! Grandes sont les

Veiz Baligant, ki après tei chevalchet.
2980 Granz sunt les oz qu'il ameinet d'Arabe.
Encoi verrum se tu as vasselage. » AOI.
Carles li reis en ad prise sa barbe,
Si li remembret del doel e del damage,
Mult fierement tute sa gent reguardet,
2985 Puis si s'escriet a sa voiz grand e halte :
« Barons franceis, as chevals e as armes! » AOI.

◎ ⦵⦵ CCXV ⦵⦵ ◎

Li empereres tuz premereins s'adubet.
    Isnelement ad vestue sa brunie,
Lacet sun helme, si ad ceinte Joiuse,
2990 Ki pur soleill sa clartet nen escunset,
Pent a sun col un escut de Biterne,
Tient sun espiet, sin fait brandir la hanste,
En Tencendur, sun bon cheval, puis muntet
— Il le cunquist es guez desuz Marsune,
2995 Sin getat mort Malpalin de Nerbone, —
Laschet la resne, mult suvent l'esperonet,
Fait sun eslais, veant cent mil humes. AOI.
Recleimet Deu e l'apostle de Rome.

◎ ⦵⦵ CCXVI ⦵⦵ ◎

Par tut le champ cil de France descendent,
3000 Plus de cent milie s'en adubent ensemble.
Guarnemenz unt ki ben lor atalentent,
Cevals curanz e lur armes mult gentes,

armées qu'il amène d'Arabie. Avant ce soir
nous verrons si tu as de la vaillance. » Charles
le roi a porté la main à sa barbe; il se remémore
son deuil et ce qu'il a perdu. Il jette sur toute
sa gent un regard fier, puis s'écrie de sa voix
forte et haute : « Barons français, à cheval et
aux armes! »

◎ ◯◯◯ CCXV ◯◯◯ ◎

L'EMPEREUR, lui le premier, s'arme. Rapi-
dement il a revêtu sa brogne. Il lace
son heaume, il a ceint Joyeuse, dont le soleil
même n'éteint pas la clarté. Il pend à son
cou un écu de Biterne. Il saisit son épieu et le
brandit. Puis, sur Tencendur, son bon cheval,
il monte : il l'a conquis aux gués qui sont sous
Marsonne, quand il jeta hors des arçons
Malpalin de Nerbone et le renversa mort.
Il lâche au destrier la rêne, l'éperonne à coups
pressés, prend son galop sous le regard de cent
mille hommes. Il invoque Dieu et l'apôtre
de Rome.

◎ ◯◯◯ CCXVI ◯◯◯ ◎

PAR tout le champ ceux de France mettent
pied à terre : plus de cent mille s'adoubent
à la fois. Ils ont des équipements à leur gré, des
chevaux vifs, et leurs armes sont belles. Puis,
ils se mettent en selle [...] Si l'heure en vient,

Puis sunt muntez e unt grant science.
S'il troevent ou, bataille quident rendre.
3005 Cil gunfanun sur les helmes lur pendent.
Quant Carles veit si beles cuntenances,
Sin apelat Jozeran de Provence,
Naimon li duc, Antelme de Maience :
« En tels vassals deit hom aveir fiance!
3010 Asez est fols ki entr'els se dementet.
Si Arrabiz de venir ne se repentent,
La mort Rollant lur quid cherement rendre. »
Respunt dux Neimes : « E Deus le nos cunsente. » AO

◎ ∞ CCXVII ∞ ◎

C ARLES apelet Rabel e Guineman.
3015   Ço dist li reis : « Seignurs, jo vos cumant,
Seiez es lius Oliver e Rollant :
L'un port l'espee e l'altre l'olifant,
Si chevalcez el premer chef devant,
Ensembl' od vos .XV. milie de Francs,
3020 De bachelers, de noz meillors vaillanz.
Après icels en avrat altretant,
Sis guierat Gibuins e Loranz. »
Naimes li dux e li quens Jozerans
Icez eschieles ben les vunt ajustant.
3025 S'il troevent ou, bataille i ert mult grant. AOI.

◎ ∞ CCXVIII ∞ ◎

D E Franceis sunt les premeres escheles.
Après les dous establisent la terce.

ils comptent soutenir la bataille. Leurs gon-
fanons pendent jusqu'à toucher les heaumes.
Quand Charles voit leur contenance si belle,
il appelle Jozeran de Provence, Naimes le
duc, Antelme de Mayence : « Sur de tels vail-
lants on doit se reposer. Bien fou qui, au milieu
d'eux, se tourmente ! Si les Arabes ne renoncent
pas à venir, je leur vendrai cher, je crois, la
mort de Roland. » Le duc Naimes répond :
« Que Dieu nous l'accorde ! »

◎ ⦿⦿⦿ CCXVII ⦿⦿⦿ ◎

CHARLES appelle Rabel et Guinemant.
Le roi leur dit : « Seigneurs, je vous le
commande, soyez aux postes de Roland et
d'Olivier : que l'un porte l'épée, l'autre l'oli-
fant, et chevauchez en avant, les premiers :
avec vous, quinze milliers de Français, tous
bacheliers et vaillants entre nos vaillants.
Après ceux-là il y en aura autant : Giboin
et Lorant les guideront. » Naimes le duc et
Jozeran le comte rangent en bel arroi ces deux
corps de bataille. Si l'heure en vient, la lutte
sera grande.

◎ ⦿⦿⦿ CCXVIII ⦿⦿⦿ ◎

LES deux premiers corps de bataille sont
faits de Français. Après, on établit le

En cele sunt li vassal de Baivere :
A .XX. milie chevalers la preiserent;
3030 Ja devers els bataille n'ert lessee.
Suz cel n'ad gent que Carles ait plus chere,
Fors cels de France, ki les regnes cunquerent.
Li quens Oger li Daneis, li puinneres,
Les guierat, kar la cumpaigne est fiere. AOI.

◎ ∞ CCXIX ∞ ◎

3035 TREIS escheles ad l'emperere Carles.
    Naimes li dux puis establist la quarte
De tels barons qu'asez unt vasselage :
Alemans sunt e si sunt d'Alemaigne;
Vint milie sunt, ço dient truit li altre.
3040 Ben sunt guarniz e de chevals e d'armes;
Ja por murir ne guerpirunt bataille,
Sis guierat Hermans, li dux de Trace :
Einz i murat que cuardise i facet. AOI.

◎ ∞ CCXX ∞ ◎

NAIMES li dux e li quens Jozerans
3045   La quinte eschele unt faite de Normans :
.XX. milie sunt, ço dient tuit li Franc.
Armes unt beles e bons cevals curanz;
Ja pur murir cil n'erent recreanz.
Suz ciel n'ad gent ki plus poissent en camp.

troisième. En celui-là sont les vassaux de Bavière : on estime leur nombre à vingt mille chevaliers. Jamais de leur côté une ligne de combat ne fléchira. Il n'est pas sous le ciel de gent que Charles aime mieux, hormis ceux de France, qui conquièrent les royaumes. Le comte Ogier le Danois, le bon guerrier, les mènera, car c'est une fière troupe.

◎ ∽ CCXIX ∽ ◎

L'EMPEREUR Charles a déjà trois corps de bataille. Naimes le duc forme alors le quatrième, de barons qui sont pleins de vaillance : ils sont d'Allemagne, et tous les estiment à vingt milliers. Ils sont pourvus de bons chevaux, de bonnes armes. Jamais, par peur de mourir, ceux-là ne lâcheront pied. Herman, le duc de Trace, les mènera : il mourrait plutôt que de faire une couardise.

◎ ∽ CCXX ∽ ◎

NAIMES le duc et Jozeran le comte ont formé de Normands le cinquième corps de bataille. Tous les Français estiment qu'ils sont vingt mille. Ils ont de belles armes et de bons chevaux rapides; ils mourront plutôt que de se rendre. Sous le ciel il n'y a pas de peuple qui puisse plus faire au combat. Richard

3050 Richard li Velz les guierat el camp;
Cil i ferrat de sun espiet trenchant. AOI.

© ∞ CCXXI ∞ ©

LA siste eschele unt faite de Bretuns :
.XXX. milie chevalers od els unt.
Icil chevalchent en guise de baron,
3055 Peintes lur hanstes, fermez lur gunfanun.
Le seignur d'els est apelet Oedun :
Icil cumandet le cunte Nevelun,
Tedbald de Reins e le marchis Otun :
« Guiez ma gent, jo vos en faz le dun! » AOI.

© ∞ CCXXII ∞ ©

3060 LI emperere ad .VI. escheles faites.
Naimes li dux puis establist la sedme
De Peitevins e des barons d'Alverne :
.XL. milie chevalers poeent estre.
Chevals unt bons e les armes mult beles.
3065 Cil sunt par els en un val suz un tertre,
Sis beneïst Carles de sa main destre.
Els guierat Jozerans e Godselmes. AOI.

© ∞ CCXXIII ∞ ©

EL'oidme eschele ad Naimes establie.
De Flamengs est e des barons de Frise.

le Vieux les mènera. Celui-là frappera bien de son épieu tranchant.

◎ ∞ CCXXI ∞ ◎

LE sixième corps de bataille, ils l'ont fait de Bretons. Ils ont là trente mille chevaliers. Ceux-là chevauchent en vrais barons : ils portent des lances dont la hampe est peinte ; leurs gonfanons y sont fixés. Leur seigneur se nomme Eudon. Il appelle le comte Nevelon, Tedbalt de Reims et Oton le marquis : « Guidez ma gent, je vous remets cet honneur. »

◎ ∞ CCXXII ∞ ◎

L'EMPEREUR a six corps de bataille formés. Le duc Naimes établit alors le septième. Il est fait des Poitevins et des barons d'Auvergne. Ils peuvent être quarante mille chevaliers. Ils ont de bons chevaux et leurs armes sont très belles. Ils se forment à part dans un val au pied d'un tertre, et de sa main droite Charles les bénit. Jozeran et Godselme mèneront ceux-là.

◎ ∞ CCXXIII ∞ ◎

ET le huitième corps de bataille, Naimes l'a formé de Flamands et de barons de

3070 Chevalers unt plus de .XL. milie.
Ja devers els n'ert bataille guerpie.
Ço dist li reis : « Cist ferunt mun servise. »
Entre Rembalt e Hamon de Galice
Les guierunt tut par chevalerie. AOI.

○ ❧ CCXXIV ❧ ○

3075 ENTRE Naimon et Joʒeran le cunte
La noefme eschele unt faite de proʒdomes,
De Loherengs e de cels de Borgoigne.
.L. milie chevalers unt par cunte,
Helmes laciez e vestues lor bronies ;
3080 Espiez unt forz e les hanstes sunt curtes.
Si Arrabiʒ de venir ne demurent,
Cil les ferrunt, s'il a els s'abandunent ;
Sis guierat Tierris, li dux d'Argone. AOI.

○ ❧ CCXXV ❧ ○

LA disme eschele est des baruns de France.
3085 Cent milie sunt de noʒ meillors cataignes ;
Cors unt gaillarz e fieres cuntenances ;
Les chefs fluriʒ e les barbes unt blanches,
Osbercs vestuʒ e lur brunies dubleines,
Ceintes espees franceises e d'Espaigne ;
3090 Escuʒ unt genz, de multes cunoisances.
Puis sunt muntez, la bataille demandent ;

Frise; ils ont plus de quarante mille chevaliers.
Là où ils seront, jamais bataille ne fléchira.
Le roi dit : « Ceux-là feront bien mon service. »
A eux deux, Rembalt et Hamon de Galice
les guideront en bons chevaliers.

◎ ∽ CCXXIV ∽ ◎

Naimes et Jozeran le comte ont formé de
vaillants le neuvième corps de bataille.
Ce sont les Lorrains et ceux de Bourgogne :
ils ont cinquante mille chevaliers bien comptés,
le heaume lacé, la brogne endossée. Ils ont des
épieux forts, aux hampes courtes. Si les Arabes
ne refusent pas le combat, ceux-là frapperont
bien, une fois lancés contre eux. Thierry les
mènera, le duc d'Argonne.

◎ ∽ CCXXV ∽ ◎

Le dixième corps de bataille est fait des
barons de France. Ils sont cent mille, de
nos meilleurs capitaines. Leurs corps sont
gaillards, leur contenance fière, leurs chefs
fleuris, leurs barbes blanches. Ils ont revêtu
des hauberts et des brognes à double tissu
de mailles, ceint des épées de France et
d'Espagne; et leurs écus bien ouvrés sont
parés de maintes connaissances. Puis, ils sont
montés à cheval et demandent la bataille.

« Munjoie! » escrient; od els est Carlemagne.
Gefreid d'Anjou portet l'orie flambe;
Seint Piere fut, si aveit num Romaine;
3095 Mais de Munjoie iloec out pris eschange. AOI.

© ∞ CCXXVI ∞ ©

Li emperere de sun cheval descent,
   Sur l'erbe verte s'e est culchet adenz,
Turnet sun vis vers le soleill levant,
Recleimet Deu mult escordusement :
3100 « Veire Paterne, hoi cest jor me defend,
Ki guaresis Jonas tut veirement
De la baleine ki en sun cors l'aveit,
E esparignas le rei de Niniven
E Daniel del merveillus turment
3105 Enz en la fosse des leons o fuz enz,
Les .III. enfanz tut en un fou ardant!
La tue amurs me seit hoi en present!
Par ta mercit, se tei plaist, me cunsent
Que mun nevold poisse venger Rollant! »
3110 Cum ad oret, si se drecet en estant,
Seignet sun chef de la vertut poisant.
Muntet li reis en sun cheval curant;
L'estreu li tindrent Neimes e Jocerans;
Prent sun escut e sun espiet trenchant.
3115 Gent ad le cors, gaillart e ben seant,
Cler le visage e de bon cuntenant.
Puis si chevalchet mult aficheement.

Ils crient : « Montjoie ! » C'est avec eux que Charlemagne se tient. Geoffroi d'Anjou porte l'oriflamme. Elle avait été à Saint-Pierre et se nommait Romaine : mais à Montjoie elle avait changé de nom (?).

❀ CCXXVI ❀

L'EMPEREUR descend de son cheval. Sur l'herbe verte il s'est couché, face contre terre. Il tourne son visage vers le soleil levant, et de tout son cœur invoque Dieu : « Vrai Père, en ce jour, défends-moi, toi qui sauvas Jonas et le retiras du corps de la baleine, toi qui épargnas le roi de Ninive et qui délivras Daniel de l'horrible supplice dans la fosse où il était avec les lions, toi qui protégeas les trois enfants dans la fournaise ardente ! En ce jour, que ton amour m'assiste ! Par ta grâce, s'il te plaît ainsi, accorde-moi que je puisse venger mon neveu Roland ! » Quand il eut fait oraison, il se redressa debout et signa son chef du signe puissant. Il se remet en selle sur son cheval rapide : Naimes et Jozeran lui ont tenu l'étrier. Il prend son écu et son épieu tranchant. Son corps est noble, gaillard et de belle prestance ; son visage, clair et assuré. Puis il chevauche, ferme sur l'étrier. A l'avant, à l'arrière, les clairons sonnent ; plus haut que

Sunent cil greisle e derere e devant;
Sur tuz les altres bundist li olifant.
3120 Plurent Franceis pur pitet de Rollant.

◎ ☙☙ CCXXVII ☙☙ ◎

MULT gentement li emperere chevalchet.
  Desur sa bronie fors ad mise sa barbe.
Pur sue amor altretel funt li altre :
Cent milie Francs en sunt reconoisable.
3125 Passent cez puis e cez roches plus haltes,
Cez vals parfunz, cez destreiz anguisables,
Issent des porz e de la tere guaste,
Devers Espaigne sunt alez en la marche,
En un emplein unt prise lur estage.
3130 A Baligant repairent ses enguardes.
Uns Sulians ki ad dit sun message :
« Veüd avum li orguillus reis Carles.
Fiers sunt si hume, n'unt talent qu'il li faillent.
Adubez vus, sempres avrez bataille! »
3135 Dist Baligant : « Or oi grant vasselage.
Sunez vos graisles, que mi paien le sacent! »

◎ ☙☙ CCXXVIII ☙☙ ◎

PAR tute l'ost funt lur taburs suner
  E cez buisines e cez greisles mult cler :
Paien descendent pur lur cors aduber.

tous les autres, l'olifant a retenti. Par pitié de Roland, les Français pleurent.

◎ ᥫ᭡ CCXXVII ᥫ᭡ ◎

TRÈS noblement l'empereur chevauche. Sur sa poitrine, hors de la brogne, il a étalé sa barbe. Pour l'amour de lui, les autres font de même ; par là se reconnaîtront les cent mille Français de son corps de bataille. Ils passent les monts et les hauteurs rocheuses, les vaux profonds, les défilés pleins d'angoisse. Ils sortent des ports et de la région inculte. Ils ont pénétré en Espagne et s'établissent au milieu d'une plaine. Vers Baligant reviennent ses avant-gardes. Et voici qu'un Syrien lui dit son message : « Nous avons vu l'orgueilleux roi Charles. Ses hommes sont fiers ; ils ne sauraient lui faillir. Armez-vous, sur l'heure vous aurez la bataille. » Baligant dit : « Elle s'annonce belle. Sonnez vos clairons, pour que mes païens le sachent ! »

◎ ᥫ᭡ CCXXVIII ᥫ᭡ ◎

PAR toute l'armée ils font retentir leurs tambours et les buccines et les cors haut et clair : les païens mettent pied à terre pour

3140 Li amiralz ne se voelt demurer,
Vest une bronie dunt li pan sunt sasfret,
Lacet sun elme, ki ad or est gemmet,
Puis ceint s'espee al senestre costet.
Par sun orgoill li ad un num truvet :
3145 Par la Carlun dunt il oït parler.
. . . .
Ço ert s'enseigne en bataille campel :
Ses chevalers en ad fait escrier.
Pent a sun col un soen grant escut let :
3150 D'or est la bucle e de cristal listet,
La guige en est d'un bon palie roet;
Tient sun espiet, si l'apelet Maltet :
La hanste fut grosse cume uns tinels;
De sul le fer fust uns mulez trusset.
3155 En sun destrer Baligant est muntet;
L'estreu li tint Marcules d'ultre mer.
La forcheüre ad asez grant li ber,
Graisles les flancs e larges les costez;
Gros ad le piz, belement est mollet,
3160 Lees les espalles e le vis ad mult cler,
Fier le visage, le chef recercelet,
Tant par ert blancs cume flur en estet;
De vasselage est suvent esprovet;
Deus! quel baron, s'oüst chrestientet!
3165 Le cheval brochet, li sancs en ist tuz clers,
Fait sun eslais, si tressalt un fosset,
Cinquante pez i poet hom mesurer.
Paien escrient : « Cist deit marches tenser!
N'i ad Franceis, si a lui vient juster,

revêtir leurs armes. L'émir n'entend pas se
montrer le plus lent. Il endosse une brogne
dont les pans sont safrés, il lace son heaume
paré d'or et de pierreries. Puis, à son flanc
gauche il ceint son épée; en son orgueil il
lui a trouvé un nom : à cause de l'épée de
Charles, dont il a entendu parler, [il nomme
la sienne Précieuse], et « Précieuse! » est son
cri d'armes en bataille. Il le fait crier par ses
chevaliers, puis il pend à son cou un sien grand
écu large : la boucle en est d'or, parée d'une
bordure de cristal; la courroie est d'un bon
drap de soie où des cercles sont brodés. Il
saisit son épieu, qu'il appelle Maltet : la hampe
en est grosse comme une massue; son fer
suffirait à la charge d'un mulet. Sur son des-
trier Baligant est monté; Marcules d'outre-
mer lui a tenu l'étrier. Le preux a l'enfour-
chure très grande, les flancs étroits et les côtés
larges, la poitrine vaste et bien moulée, les
épaules fortes, le teint très clair, le visage
fier; son chef bouclé est aussi blanc que fleur
de printemps, et, sa vaillance, il l'a souvent
prouvée. Dieu! quel baron, s'il était chrétien!
Il pique son cheval : le sang sous l'éperon
jaillit tout clair. Il prend le galop, saute un
fossé : on y peut bien mesurer cinquante
pieds de large. Les païens s'écrient : « Celui-
là est fait pour défendre les marches! Il n'est
pas un Français, s'il vient jouter contre lui,

3170 Voeillet o nun, n'i perdet sun edet.
Carles est fols que ne s'en est alet. » AOI.

◎ ∞ CCXXIX ∞ ◎

Li amiralz ben resemblet barun.
    Blanche ad la barbe ensement cume flur
E de sa lei mult par est saives hom
3175 E en bataille est fiers e orgoillus.
Ses filz Malpramis mult est chevalerus;
Granz est e forz e trait as anceisurs.
Dist a sun perre : « Sire, car cevalchum!
Mult me merveill se ja verrum Carlun. »
3180 Dist Baligant : « Oïl, car mult est proz.
En plusurs gestes de lui sunt granz honurs.
Il n'en at mie de Rollant, sun nevold :
N'avrat vertut ques tienget cuntre nus. AOI.

◎ ∞ CCXXX ∞ ◎

« Bels filz Malpramis », ço li dist Baligant,
3185   « Li altrer fut ocis le bon vassal Rollant
E Oliver, li proz e li vaillanz,
Li .XII. per, qui Carles amat tant,
De cels de France .XX. milie cumbatanz.
Trestuz les altres ne pris jo mie un guant.
3190 Li empereres repairet veirement,
Sil m'at nunciet mes mès, li Sulians,
.X. escheles... mult granz.
Cil est mult proz ki sunet l'olifant :

qui n'y perde, bon gré mal gré, sa vie! Charles
est bien fou qui ne s'en est allé! »

© ∞ **CCXXIX** ∞ ©

L'ÉMIR est semblable à un vrai baron. Sa
barbe est blanche comme fleur. Il est très
sage clerc en sa loi; dans la bataille il est
fier et hardi. Son fils Malpramis est de grande
chevalerie. Il est de haute taille, et fort; il
ressemble à ses ancêtres. Il dit à son père :
« Or donc, sire, en avant! Si nous voyons
Charles, j'en serai fort surpris. » Baligant dit :
« Nous le verrons, car il est très preux. Maintes
annales disent de lui de grandes louanges.
Mais il n'a plus son neveu, Roland : il ne sera
pas de force à tenir contre nous.

© ∞ **CCXXX** ∞ ©

« **B**EAU fils Malpramis », lui a dit Baligant,
« l'autre hier fut tué Roland, le bon vassal,
et Olivier, le vaillant et le preux, et les douze
pairs, que Charles aimait tant; vingt mille
combattants furent tués, de ceux de France.
Tous les autres, je ne les prise pas la valeur
d'un gant. En vérité, l'empereur revient : le
Syrien, mon messager, me l'annonça. Dix
grands corps de bataille approchent. Celui-là
est très preux, qui sonne l'olifant. D'un cor

D'un graisle cler racatet ses cumpaignz
3195 E si cevalcent el premer chef devant,
Ensembl' od els .XV. milie de Francs,
De bachelers que Carles cleimet enfanz.
Après icels en i ad ben altretanz.
Cil i ferrunt mult orgoillusement. »
3200 Dist Malpramis : « Le colp vos en demant. » AOI.

◎ ⚭ CCXXXI ⚭ ◎

« Filz Malpramis », Baligant li ad dit,
    « Jo vos otri quanque m'avez ci quis.
Cuntre Franceis, sempres irez ferir,
Si i merrez Torleu, le rei persis,
3205 E Dapamort, un altre rei leutiz.
Le grant orgoill se ja puez matir,
Jo vos durrai un pan de mun païs
Dès Cheirant entresqu'en Val Marchis. »
Cil respunt : « Sire, vostre mercit! »
3210 Passet avant, le dun en requeillit,
Ço est de la tere ki fut al rei Flurit :
A itel ore unches puis ne la vit,
Ne il n'en fut ne vestut ne saisit.

◎ ⚭ CCXXXII ⚭ ◎

Li amiraill chevalchet par cez oz.
3215 Sis filz le siut, ki mult ad grant le cors.
Li reis Torleus e li reis Dapamort
.XXX. escheles establissent mult tost.

au son clair son compagnon lui répond, et
tous deux chevauchent les premiers, en avant :
avec eux, quinze mille Français, de ces bache-
liers que Charles appelle ses enfants; après, il
en vient tout autant : ceux-là combattront très
orgueilleusement. » Malpramis dit : « Je vous
demande un don : que je frappe le premier coup!»

© ❧ CCXXXI ❧ ©

« FILS Malpramis », lui a dit Baligant, « ce
que vous m'avez demandé, je vous l'oc-
troie. Contre les Français, sur l'heure, vous
irez frapper. Vous y mènerez Torleu, le roi
persan, et Dapamort, le roi leutice. Si vous
pouvez mater leur grand orgueil, je vous
donnerai un pan de mon pays, depuis Cheriant
jusqu'au Val Marchis. » Il répond : « Sire,
soyez remercié! » Il s'avance, recueille le don,
la terre qui était celle du roi Flurit. Il la reçoit
à la male heure : jamais il ne devait la voir;
jamais de ce fief il ne fut ni vêtu ni saisi.

© ❧ CCXXXII ❧ ©

L'ÉMIR chevauche par les rangs de ses
troupes. Son fils le suit, à la haute stature.
Le roi Torleu et le roi Dapamort établissent
sur l'heure trente corps de bataille; ils ont des
chevaliers en nombre merveilleux : le moindre

Chevalers unt a merveillus esforz :
En la menur .L. milie en out.
3220 La premere est de cels de Butentrot,
E l'altre après de Micenes as chefs gros;
Sur les eschines qu'il unt en mi les dos
Cil sunt seiet ensement cume porc; AOI.
E la terce est de Nubles e de Blos,
3225 E la quarte est de Bruns et d'Esclavoz,
E la quinte est de Sorbres e de Sorz,
E la siste est d'Ermines e de Mors,
E la sedme est de cels de Jericho,
E l'oitme est de Nigres e la noefme de Gros,
3230 E la disme est de Balide la fort :
Ço est une gent ki unches ben ne volt. AOI.
Li amiralz en juret quanqu'il poet
De Mahumet les vertuz e le cors :
« Karles de France chevalchet cume fols.
3235 Bataille i ert, se il ne s'en destolt;
Jamais n'avrat el chef corone d'or. »

◎ ❦❧ CCXXXIII ❦❧ ◎

Dis escheles establisent après.
La premere est des Caneluis les laiz :
De Val Fuit sun venuz en traver;
3240 L'altre est de Turcs e la terce de Pers,
E la quarte est de Pinceneis e [de Pers],
E la quinte est de Solteras e d'Avers,
E la siste est d'Ormaleus e d'Eugiez,
E la sedme est de la gent Samuel,

corps en compte cinquante mille. Le premier
est formé de ceux de Butentrot, et le second
de Misnes aux grosses têtes : sur leurs échines,
au long du dos, ils ont des soies, tout comme les
porcs. Et le troisième est formé de Nubles et
de Blos, et le quatrième de Bruns et d'Esclavons,
et le cinquième de Sorbres et de Sors, et le sixième
d'Arméniens et de Maures, et le septième de
ceux de Jéricho, et le huitième de Nigres, et
le neuvième de Gros, et le dixième de ceux
de Balide la Forte; c'est une engeance qui
jamais ne voulut le bien. L'amiral jure par
tous les serments qu'il peut, par les miracles
de Mahomet et par son corps : « Bien fou
Charles de France, qui chevauche vers nous!
Il y aura bataille, s'il ne se dérobe pas. Jamais
plus il ne portera la couronne d'or. »

◎ ∽ CCXXXIII ∾ ◎

APRÈS ils établissent dix autres corps de
bataille. Le premier est formé des laids
Chananéens : ils sont venus de Val-Fuit en
prenant par la traverse; le second de Turcs,
et le troisième de Persans, et le quatrième
de Petchenègues et de [..], et le cinquième de
Solteras et d'Avers, et le sixième d'Ormaleus et
d'Eugiez, et le septième du peuple de Samuel,
et le huitième de ceux de Bruise, et le neuvième

3245 L'oidme est de Bruise e la noefme de Clavers,
E la disme est d'Occian le desert :
Ço est une gent ki Damnedeu ne sert;
De plus feluns n'orrez parler jamais;
Durs unt les quirs ensement cume fer;
3250 Pur ço n'unt soign de elme ne d'osberc;
En la bataille sunt felun e engrès. AOI.

◎ ∞ CCXXXIV ∞ ◎

L I amiralz .X. escheles ad justedes.
La premere est des jaianz de Malprose,
L'altre est de Hums e la terce de Hungres,
3255 E la quarte est de Baldise la lunge,
E la quinte est de cels de Val Penuse,
E la siste est de... Maruse,
E la sedme est de Leus e d'Astrimonιes,
L'oidme est d'Argoilles e la noefme de Clarbone,
3260 E la disme est des barbez de Fronde :
Ço est une gent ki Deu nen amat unkes.
Geste Francor .XXX. escheles i numbrent.
Granz sunt les oz u cez buisines sunent.
Paien chevalchent en guise de produme. AOI.

◎ ∞ CCXXXV ∞ ◎

3265 L I amiralz mult par est riches hoem.
Dedavant sei fait porter sun dragon.
E l'estandart Tervagan e Mahum
E un' ymagene Apolin le felun.

de Clavers, et le dixième de ceux d'Occian
le Désert : c'est une engeance qui ne sert pas
Dieu. Jamais vous n'entendrez parler de pires
félons : ils ont le cuir aussi dur que fer;
c'est pourquoi ils n'ont cure de haubert ni de
heaume : à la bataille ils sont rudes et obstinés.

⊚ ⊛⊛⊛ CCXXXIV ⊛⊛⊛ ⊚

L'ÉMIR a ordonné dix autres corps de bataille.
Le premier est formé des géants de
Malprose, le second de Huns et le troisième
de Hongrois, et le quatrième de ceux de
Baldise la Longue, et le cinquième de ceux
de Val Peneuse, et le sixième de ceux de Marose,
et le septième de Leus et d'Astrimoines, et le
huitième de ceux d'Argoilles, et le neuvième
de ceux de Clarbonne, et le dixième de ceux
de Fronde aux longues barbes; c'est une
engeance qui jamais n'aima Dieu. Les Annales
des Francs dénombrent ainsi trente corps de
bataille. Grandes sont leurs armées où les
buccines sonnent. Les païens chevauchent en
vaillants.

⊚ ⊶⊷⊸ CCXXXV ⊶⊷⊸ ⊚

L'ÉMIR est un très puissant seigneur. Par
devant lui il fait porter son dragon, et
l'étendard de Tervagan et de Mahomet, et une

Des Canelius chevalchent envirun ;
3270 Mult haltement escrient un sermun :
« Ki par noz deus voel aveir guarison,
Sis prit e servet par grant afflictiun ! »
Paien i bassent lur chefs e lur mentun,
Lor helmes clers i suzclinent enbrunc.
3275 Dient Franceis : « Sempres murrez, glutun !
De vos seit hoi male confusiun !
Li nostre Deu, guarantisez Carlun !
Ceste bataille seit... en sun num ! » AOI.

◎ ∞ CCXXXVI ∞ ◎

Li amiralz est mult de grant saveir :
3280 A sei apelet sis filz e les dous reis :
« Seignurs barons, devant chevalchereiz.
Mes escheles, tutes les guiereiz ;
Mais des meillors voeill jo retenir treis :
L'un' ert de Turcs e l'altre d'Ormaleis
3285 E la terce est des jaianz de Malpreis.
Cil d'Ociant ierent esembl' ot mei,
Si justerunt a Charles e a Franceis.
Li emperere, s'il se cumbat od mei,
Desur le buc la teste perdre en deit.
3290 Trestut seit filz, n'i avrat altre dreit. » AOI.

◎ ∞ CCXXXVII ∞ ◎

Granz sunt les oz e les escheles beles.
Entr'els nen at ne pui ne val ne tertre,

image du félon Apollin. Dix Chananéens chevauchent à l'entour : ils vont sermonnant à voix très haute : « Celui qui par nos dieux veut être sauvé, qu'il les prie et les serve en toute humilité ! » Les païens baissent la tête, leurs heaumes brillants se penchent contre terre. Les Français disent : « Bientôt, truands, vous mourrez ! Puisse ce jour vous confondre ! Vous, notre Dieu, défendez Charles ! Que cette bataille soit livrée (?) en son nom ! »

◎ ∞ CCXXXVI ∞ ◎

L'ÉMIR est un chef très sage. Il appelle à lui son fils et les deux rois : « Seigneurs barons, vous chevaucherez devant. Mes corps de bataille, vous les guiderez tous; mais j'en veux retenir trois, des meilleurs : le premier de Turcs, le second d'Ormaleis, et le troisième des géants de Malprose. Avec moi seront ceux d'Occiant : ce sont eux qui combattront Charles et les Français. Si l'empereur joute contre moi, sur ses épaules je prendrai sa tête. Il ne lui sera fait, qu'il le sache bien ! nul autre droit. »

◎ ∞ CCXXXVII ∞ ◎

GRANDES sont les armées, beaux les corps de bataille. Entre païens et Français, il

Selve ne bois; asconse n'i poet estre;
Ben s'entreveient en mi le pleine tere.
3295 Dist Baligant : « La meie gent averse,
Car chevalchez pur la bataille quere! »
L'enseigne portet Amborres d'Oluferne.
Paien escrient, Preciuse l'apelent.
Dient Franceis : « De vos seit hoi grant perte! »
3300 Mult haltement « Munjoie! » renuvelent.
Li emperere i fait suner ses greisles
E l'olifan, ki trestuz les esclairet.
Dient paien : « La gent Carlun est bele.
Bataille avrum e aduree e pesme. » AOI.

© ∞ CCXXXVIII ∞ ©

3305 GRANT est la plaigne e large la cuntree.
       Luisent cil elme as perres d'or gemmees
E cez escuz e cez bronies safrees
E cez espiez, cez enseignes fermees.
Sunent cez greisles, les voiz en sunt mult cleres;
3310 De l'olifan haltes sunt les menees.
Li amiralz en apelet sun frere,
Ço est Canabeus, li reis de Floredee :
Cil tint la tere entresqu'en Val Sevree.
Les escheles Charlun li ad mustrees :
3315 « Veez l'orgoil de France la loee!
Mult fierement chevalchet li emperere.
Il est darere od cele gent barbee :
Desur lur bronies lur barbes unt getees

n'y a ni mont, ni val, ni tertre, ni forêt, ni bois
qui puisse cacher une troupe : ils se voient
à plein par la terre découverte. Baligant dit :
« Or donc, mes païens, chevauchez, pour cher-
cher la bataille! » Amborre d'Oluferne porte
l'enseigne. A la voir, les païens crient son
nom « Précieuse! », leur cri d'armes. Les
Français disent : « Que ce jour soit votre perte! »
Ils crient à nouveau « Montjoie! » puissamment.
L'empereur fait sonner ses clairons, et l'olifant,
qui à tous leur donne du cœur. Les païens
disent : « La gent de Charles est belle. Nous
aurons une bataille âpre et forcenée. »

◎ ❋ ◠◠◠ **CCXXXVIII** ◠◠◠ ❋ ◎

L ARGE est la plaine et le pays au loin se
découvre. Les heaumes aux pierreries serties
d'or brillent, et les écus et les brognes safrées
et les épieux et les enseignes fixées aux fers.
Les clairons retentissent, et leurs voix sont
très claires, et hautes sont les tenues de l'oli-
fant. L'émir appelle son frère, Canabeu, le
roi de Floredée : celui-là tenait la terre jusqu'à
la Val Sevrée. Il lui montre les corps de bataille
de Charles : « Voyez l'orgueil de France la
louée! L'empereur chevauche très fièrement.
Il est en arrière avec ces vieux qui sur leurs
brognes ont jeté leurs barbes, aussi blanches

Altresi blanches cume neif sur gelee.
3320 Cil i ferrunt de lances e d'espees.
Bataille avrum e forte e aduree :
Unkes nuls home ne vit tel ajustee. »
Plus qu'om ne lancet une verge pelee,
Baligant ad ses cumpaignes trespassees.
3325 Une raison lur a dit'e mustree :
« Venez, paien, kar jon irai en l'estree. »
De sun espiet la hanste en ad branlee,
Envers Karlun la mure en ad turnee. AOI.

◎ ❧ CCXXXIX ❧ ◎

CARLES li magnes, cum il vit l'amiraill,
3330 E le dragon, l'enseigne e l'estandart,
— De cels d'Arabe si grant force i par ad,
De la contree unt porprises les parz
Ne mès que tant cume l'empereres en ad, —
Li reis de France s'en escriet mult halt :
3335 « Barons franceis, vos estes bons vassals.
Tantes batailles avez faites en camps!
Veez, paien felun sunt e cuart.
Tute lor leis un dener ne lur valt.
S'il unt grant gent, d'iço, seignurs, qui calt?
3340 Ki or ne voelt a mei venir s'en alt! »
Des esperons puis brochet le cheval,
E Tencendor li ad fait .IIII. salz.
Dient Franceis : « Icist reis est vassals!
Chevalchez, bers! Nul de nus ne vus falt. »

que neige sur glace. Ceux-là frapperont bien
des épées et des lances. Nous aurons une bataille
dure et acharnée; jamais nul n'aura vu la
pareille. » Loin en avant de sa troupe, plus loin
qu'on lancerait une verge pelée, Baligant che-
vauche. Il s'écrie : « Venez, païens, car je me
mets en route. » Il brandit son épieu; il en a
tourné la pointe contre Charles.

◎ ᧖᧖ CCXXXIX ᧖᧖ ◎

CHARLES le Grand, quand il a vu l'émir,
et le dragon, l'enseigne et l'étendard,
et combien est grande la force des Arabes, et
comme ils couvrent toute la contrée, hormis
le terrain qu'il tient, le roi de France s'écrie,
à voix très haute : « Barons français, vous êtes
de bons vassaux. Vous avez soutenu tant de
larges batailles! Voyez les païens : ils sont
félons et couards. Toute leur loi ne vaut pas
un denier. Si leur engeance est nombreuse,
seigneurs, qu'importe? Qui ne veut à l'instant
venir avec moi, qu'il s'en aille! » Puis il pique
son cheval des éperons : Tencendur par quatre
fois bondit. Les Français disent : « Ce roi est
un vaillant! Chevauchez, barons! Pas un de
nous ne vous fait défaut. »

© ❀ CCXL ❀ ©

3345 CLERS fut li jurz e li soleilz luisanz.
    Les oz sunt beles e les cumpaignes granz.
Justees sunt les escheles devant.
Li quens Rabels e li quens Guinemans
Lascent les resnes a lor cevals curanz,
3350 Brochent a eit. Dunc laisent curre Francs,
Si vunt ferir de lur espiez trenchanz. AOI.

© ❀ CCXLI ❀ ©

LI quens Rabels est chevaler hardiz.
    Le cheval brochet des esperuns d'or fin,
Si vait ferir Torleu, le rei persis.
3355 N'escut ne bronie ne pout sun colp tenir :
L'espiet a or li ad enz el cors mis,
Que mort l'abat sur un boissun petit.
Dient Franceis : « Damnesdeus nos aït!
Carles ad dreit, ne li devom faillir. » AOI.

© ❀ CCXLII ❀ ©

3360 E Guineman justet a un rei leutice.
    Tute li freint la targe, ki est flurie;
Après li ad la bronie descunfite;
Tute l'enseigne li ad enz el cors mise,
Que mort l'abat, ki qu'en plurt u kin riet.
3365 A icest colp cil de France s'escrient :
« Ferez, baron, ne vos targez mie!

◎ ◯◯ **CCXL** ◯◯ ◎

LE jour était clair, le soleil éclatant. Belles sont les armées, puissants les corps de bataille. Ceux de l'avant s'affrontent. Le comte Rabel et le comte Guinemant lâchent les rênes à leurs chevaux rapides, donnent vivement de l'éperon. Alors les Francs laissent courre ; ils vont frapper de leurs épieux qui bien tranchent.

◎ ◯◯ **CCXLI** ◯◯ ◎

LE comte Rabel est chevalier hardi. Il pique son cheval de ses éperons d'or fin et va frapper Torleu, le roi persan : ni l'écu ni la brogne ne résistent au coup. Il lui a enfoncé au corps son épieu doré, et l'abat mort sur un petit buisson. Les Français disent : « Que Dieu nous aide ! Charles a pour lui le droit, nous ne devons pas lui faillir. »

◎ ◯◯ **CCXLII** ◯◯ ◎

ET Guinemant joute contre un roi leutice. Il lui a toute brisé sa targe, où sont peintes des fleurs ; puis il déchire sa brogne et lui plonge au corps tout son gonfanon, et, qu'on en pleure ou qu'on en rie, l'abat mort. A ce coup, ceux de France s'écrient : « Frappez,

Carles ad dreit vers la gent...
Deus nus ad mis al plus verai juïse. » AOI.

◎ ✺ CCXLIII ✺ ◎

MALPRAMIS siet sur un cheval tut blanc;
3370 Cunduit sun cors en la presse des Francs,
D'ures es altres granz colps i vait ferant,
L'un mort sur l'altre suvent vait tresturnant.
Tut premereins s'escriet Baligant :
« Li mien baron, nurrit vos ai ling tens.
3375 Veez mun filz, Carlun vait querant,
A ses armes tanz barons calunjant :
Meillor vassal de lui ja ne demant.
Succurez le a voz espiez trenchant! »
A icest mot paien venent avant,
3380 Durs colps i fierent, mult est li caples granz.
La bataille est merveilluse e pesant :
Ne fut si fort enceis ne puis cel tens. AOI.

◎ ✺ CCXLIV ✺ ◎

GRANZ sunt les oz e les cumpaignes fieres,
Justees sunt trestutes les escheles,
3385 E li paien merveillusement fierent.
Deus! tantes hanstes i ad par mi brisees,
Escuz fruisez e bronies desmaillees!
La veïsez la tere si junchee!
3389-3390 L'erbe del camp, ki est verte e delgee!

barons, ne tardez pas! Le droit est à Charles
contre la gent haïe (?) : Dieu nous a choisis
pour dire le vrai jugement. »

◎ ∞ CCXLIII ∞ ◎

MALPRAMIS monte un cheval tout blanc.
Il se jette dans la presse des Français.
De l'un à l'autre il va, frappant de grands
coups, et renverse le mort sur le mort. Tout
le premier, Baligant s'écrie : « O mes barons,
je vous ai longtemps nourris! Voyez mon fils :
c'est Charles qu'il cherche à joindre! Combien
de barons il requiert de ses armes! Un plus
vaillant que lui, je ne le cherche pas! Secourez-
le de vos épieux tranchants! » A ces mots les
païens s'élancent. Ils frappent des coups durs;
grand est le carnage. La bataille est merveilleuse
et lourde : ni avant ni depuis, jamais on n'en
vit une aussi rude.

◎ ∞ CCXLIV ∞ ◎

GRANDES sont les armées, les troupes hardies.
Les corps de bataille sont tous engagés.
Et les païens frappent merveilleusement. Dieu!
tant de hampes rompues en deux, tant d'écus
brisés, tant de brognes démaillées! La terre
en est toute jonchée : ah! l'herbe du champ,
si verte, si délicate!... L'émir invoque ses

Li amiralz recleimet sa maisnee :
« Ferez, baron, sur la gent chrestiene! »
La bataille est mult dure e afichee;
Unc einz ne puis ne fut si fort ajustee;
3395 Josqu'a la nuit n'en ert fins otriee. AOI.

◎ ∞ CCXLV ∞ ◎

L I amiralz la sue gent apelet :
« Ferez, paien : por el venud n'i estes!
Jo vos durrai muillers gentes e beles,
Si vos durai feus e honors e teres. »
3400 Paien respundent : « Nus le devuns ben fere. »
A colps pleners de lor espiez i perdent :
Plus de cent milie espees i unt traites.
Ais vos le caple e dulurus e pesmes;
Bataille veit cil ki entr'els volt estre. AOI.

◎ ∞ CCXLVI ∞ ◎

3405 L I emperere recleimet ses Franceis :
« Seignors barons, jo vos aim, si vos crei.
Tantes batailles avez faites pur mei,
Regnes cunquis e desordenet reis!
Ben le conuis, que gueredun vos en dei
3410 E de mun cors, de teres e d'aveir.
Vengez vos fils, voz freres e voz heirs,
Qu'en Rencesvals furent morz l'altre seir!
Ja savez vos cuntre paiens ai dreit. »
Respondent Franc : « Sire, vos dites veir. »

fidèles : « Frappez, barons, sur l'engeance chrétienne! » La bataille est dure et obstinée. Ni avant ni depuis on n'en vit une aussi âpre. Jusqu'à la nuit, elle durera sans trêve.

◎ ⊙⊛⊙ CCXLV ⊙⊛⊙ ◎

L'ÉMIR requiert les siens : « Frappez, païens; vous n'êtes venus que pour frapper! Je vous donnerai des femmes nobles et belles, je vous donnerai des fiefs, des domaines, des terres. » Les païens répondent : « Ainsi devons-nous faire! » A force de frapper à toute volée, nombre de leurs épieux se brisent; alors ils dégainent plus de cent mille épées. Voici la mêlée douloureuse et horrible : qui est au milieu d'eux voit ce qu'est une bataille.

◎ ⊙⊛⊙ CCXLVI ⊙⊛⊙ ◎

L'EMPEREUR invoque ses Français : «Seigneurs barons, je vous aime, j'ai foi en vous. Pour moi vous avez livré tant de batailles, conquis des royaumes, détrôné des rois; je le reconnais bien, je vous en dois le salaire : mon corps, des terres, des richesses. Vengez vos fils, vos frères et vos héritiers, qui à Roncevaux furent tués l'autre soir. Vous le

3415 Itels .XX. miliers en ad od sei
Cumunement l'en prametent lor feiz
Ne li faldrunt pur mort ne pur destreit.
N'en i ad cel sa lance n'i empleit;
De lur espees i fierent demaneis;
3420 La bataille est de merveillus destreit. AOI.

◎ ∞ CCXLVII ∞ ◎

E Malpramis par mi le camp chevalchet;
De cels de France i fait mult grant damage.
Naimes li dux fierement le reguardet,
Vait le ferir cum hume vertudable.
3425 De sun escut li freint la pene halte,
De sun osberc les dous pans li desaffret,
El cors li met tute l'enseigne jalne,
Que mort l'abat entre .VII.C. des altres.

◎ ∞ CCXLVIII ∞ ◎

3430 R EIS Canabeus, le frere a l'amiraill,
Des esporuns ben brochet sun cheval;
Trait ad l'espee, le punt est de cristal.
Si fiert Naimun en l'elme principal.
L'une meitiet l'en fruissed d'une part;
Al brant d'acer l'en trenchet .V. des laz.
3435 Li capelers un dener ne li valt :
Trenchet la coife entresque a la char,
Jus a la tere une piece en abat.

savez, contre les païens, j'ai le droit devers
moi. » Les Francs répondent : « Sire, vous
dites vrai. » Et vingt mille sont autour de lui,
qui d'une voix lui jurent leur foi de ne lui
faillir pour mort ni pour angoisse : ils y em-
ploieront bien chacun sa lance. Aussitôt ils
frappent des épées. La bataille est merveil-
leusement acharnée.

◎ ∞ CCXLVII ∞ ◎

ET Malpramis par le champ chevauche.
De ceux de France il fait grand carnage.
Naimes le duc le regarde d'un regard fier, et
va le frapper en vaillant. Il brise la bordure de
son écu; il lui rompt (?) les deux pans de son
haubert; il lui enfonce toute dans le corps
son enseigne jaune et l'abat mort, entre les
autres, qui gisent sans nombre.

◎ ∞ CCXLVIII ∞ ◎

LE roi Canabeu, le frère de l'émir, pique
fortement des éperons son cheval. Il a
tiré son épée : le pommeau en est de cristal.
Il frappe Naimes sur son heaume [..], le brise
en deux moitiés, en tranche cinq des lacs de
son épée d'acier, — le capelier ne lui sert
de rien, — en fend la coiffe jusqu'à la chair,
en jette par terre une pièce. Le coup fut

Granz fut li colps, li dux en estonat :
Sempres caïst, se Deus ne li aidast.
3440 De sun destrer le col en enbraçat.
Se li paiens une feiz recuvrast,
Sempres fust mort li nobilies vassal.
Carles de France i vint, kil succurrat. AOI.

© ◌⬞⬞◌ CCXLIX ◌⬞⬞◌ ©

NAIMES li dux tant par est anguissables,
3445 E li paiens de ferir mult le hastet.
Carles li dist : « Culvert, mar le baillastes! »
Vait le ferir par sun grant vasselage :
L'escut li freint, cuntre le coer li quasset,
De sun osberc li desrumpt la ventaille,
3450 Que mort l'abat : la sele en remeint guaste.

© ◌⬞⬞◌ CCL ◌⬞⬞◌ ©

MULT ad grant doel Carlemagnes li reis,
Quant Naimun veit nafret devant sei,
Sur l'erbe verte le sanc tut cler caeir.
Li empereres li ad dit a cunseill :
3455 « Bel sire Naimes, kar chevalcez od mei!
Morz est li gluz ki en destreit vus teneit;
El cors li mis mun espiet une feiz. »
Respunt li dux : « Sire, jo vos en crei.
Se jo vif alques, mult grant prod i avreiz. »
3460 Puis sunt justez par amur e par feid,

rude, le duc est comme foudroyé. Il va tomber,
mais Dieu l'aide. Il saisit de ses deux bras
le col de son destrier. Si le païen redouble, le
noble vassal est mort. Charles de France vient,
qui le secourra.

◎ ❀❀ CCXLIX ❀❀ ◉

Le duc Naimes est en grande détresse. Et
le païen presse Charles de frapper vite.
Le roi lui dit : « Truand, c'est pour ton malheur
que tu t'en es pris à celui-là ! » En sa hardiesse
il va le frapper. Il brise l'écu du païen, le lui
écrase contre le cœur. Il rompt la ventaille
de son haubert et l'abat mort : la selle reste
vide.

◎ ❀❀ CCL ❀❀ ◎

Charlemagne le roi est rempli de douleur,
quand devant lui il voit Naimes blessé
et son sang qui tombe clair sur l'herbe verte.
Il lui dit, penché sur lui : « Beau sire Naimes,
chevauchez à mon côté. Il est mort, le truand
qui vous pressait ; je lui ai mis au corps mon
épieu pour cette fois. » Le duc répond : « Sire,
je me repose en vous ; si je survis, vous n'y
perdrez pas. » Puis, en tout amour, en toute
foi, ils vont côte à côte ; avec eux, vingt mille

Ensembl' od els tels .XX. milie Franceis
N'i ad celoi n'i fierge o n'i capleit. AOI.

L I amiralz chevalchet par le camp,
   Si vait ferir le cunte Guineman.
3465 Cuntre le coer li fruisset l'escut blanc,
De sun osberc li derumpit les pans,
Les dous costez li deseivret des flancs,
Que mort l'abat de sun cheval curant.
Puis ad ocis Gebuin e Lorant,
3470 Richart le Veill, li sire des Normans.
Paien escrient : « Preciuse est vaillant!
Ferez, baron, nus i avom guarant! » AOI.

K I puis veïst li chevaler d'Arabe,
   Cels d'Occiant e d'Argoillie e de Bascle!
3475 De lur espiez ben i fierent e caplent.
E li Franceis n'unt talent que s'en algent;
Asez i moerent e des uns e des altres.
Entresqu'al vespre est mult fort la bataille;
Des francs barons i ad mult gran damage;
3480 Doel i avrat, enceis qu'ele departed. AOI.

M ULT ben i fierent Franceis e Arrabit.
   Fruissent cez hanstes e cil espiez furbit.

Français : il n'en est pas un qui ne tranche et ne taille.

◎ ✸ CCLI ✸ ◎

L'ÉMIR chevauche par le champ. Il s'en va frapper le comte Guinemant. Il lui écrase son écu blanc contre le cœur, déchire les pans de son haubert, lui ouvre en deux la poitrine et l'abat mort de son cheval rapide. Puis il a tué Geboin et Lorant, et Richard le Vieux, le seigneur des Normands. Les païens s'écrient : « Précieuse vaut son prix. Frappez, païens, nous avons un garant! »

◎ ✸ CCLII ✸ ◎

IL fait beau voir les chevaliers d'Arabie, ceux d'Occiant, d'Argoille et de Bascle, comme ils frappent de leurs épieux! Et, de leur part, les Français ne songent pas à rompre. Des Français, des païens, beaucoup meurent. Jusqu'au soir, la bataille fait rage. Combien sont morts, des barons de France! Que de deuils encore avant qu'elle s'achève!

◎ ✸ CCLIII ✸ ◎

FRANÇAIS et Arabes frappent à l'envi. Tant de hampes se brisent, tant d'épieux

Ki dunc veïst cez escuz si malmis,
Cez blancs osbercs ki dunc oïst fremir
3485 E cez escuz sur cez helmes cruisir,
Cez chevalers ki dunc veïst caïr
E humes braire, contre tere murir,
De grant dulor li poüst suvenir !
Ceste bataille est mult fort a suffrir.
3490 Li amiralz recleimet Apolin
E Tervagan e Mahumet altresi :
« Mi damnedeu, jo vos ai mult servit :
Tutes tes ymagenes ferai d'or fin... AOI.
. . . . »
3495 As li devant un soen drut, Gemalfin ;
Males nuveles li aportet e dit :
« Baligant, sire, mal estes oi baillit.
Perdut avez Malpramis, vostre filz,
E Canabeus, vostre frere, est ocis ;
3500 A dous Franceis belement en avint.
Li empereres en est l'uns, ço m'est vis :
Granz ad le cors, ben resenblet marchis,
Blanche ad la barbe cume flur en avrill. »
Li amiralz en ad le helme enclin
3505 E en parès sin enbrunket sun vis.
Si grant doel ad sempres quiad murir,
Sin apelat Jangleu l'Ultremarin.

◎ ❀ CCLIV ❀ ◎

DIST l'amiraill : « Jangleu, venez avant !
Vos estes proz e vostre saveir est grant ;

fourbis! Qui aurait vu ces écus fracassés, qui
aurait ouï ces blancs hauberts retentir, ces
écus grincer contre les heaumes, qui aurait
vu ces chevaliers choir et tant d'hommes
hurler et mourir contre terre, il lui souvien-
drait d'une grande douleur. Cette bataille est
lourde à soutenir. L'émir invoque Apollin et
Tervagan et aussi Mahomet : « Mes seigneurs
dieux, je vous ai longuement servis. Toutes tes
images, je les ferai d'or pur!... » Devant lui
vient un sien fidèle, Gemalfin; il lui apporte
de males nouvelles. Il dit : « Baligant, sire,
un grand malheur est venu sur vous. Malpramis,
votre fils, vous l'avez perdu. Et Canabeu, votre
frère, est tué. Deux Français ont eu l'heur de
les vaincre. L'empereur est l'un des deux,
je crois : c'est un baron de haute taille, dont
l'allure est bien celle d'un chef; il a la barbe
blanche comme fleur en avril. » L'émir baisse
sa tête, que le heaume charge; son visage
s'assombrit, sa douleur est si forte qu'il en
pense mourir. Il appela Jangleu d'Outremer.

© ◈◈◈ CCLIV ◈◈◈ ©

L'ÉMIR dit : « Jangleu, avancez. Vous êtes
preux et de grande sagesse : toujours
j'ai pris (?) votre conseil. Que vous en semble,
des Arabes et des Francs? Aurons-nous la

3510 Vostre cunseill ai... tuz tens.
Que vos en semblet d'Arrabiz e de Francs?
Avrum nos la victorie del champ? »
E cil respunt : « Morz estes, Baligant!
Ja vostre deu ne vos erent guarant.
3515 Carles est fiers e si hume vaillant;
Unc ne vi gent ki si fust cumbatant.
Mais reclamez les barons d'Occiant,
Turcs e Enfruns, Arabiz e Jaianz.
Ço qu'estre en deit, ne l'alez demurant. »

© ❧ CCLV ☙ ©

3520 Li amiraill ad sa barbe fors mise,
Altresi blanche cume flur en espine :
Cument qu'il seit, ne s'i voelt celer mie.
Met a sa buche une clere buisine,
Sunet la cler, que si paien l'oïrent;
3525 Par tut le camp ses cumpaignes ralient.
Cil d'Occiant i braient e henissent,
Arguille si cume chen i glatissent;
Requerent Franc par si grant estultie,
El plus espès ses rumpent e partissent.
3530 A icest colp en jetent mort .VII. milie.

© ❧ CCLVI ☙ ©

Li quens Oger cuardise n'out unkes;
Meillor vassal de lui ne vestit bronie.

victoire dans cette bataille ? » Et il répond :
« Vous êtes mort, Baligant ; vos dieux ne vous
défendront pas. Charles est fier, ses hommes
sont vaillants. Jamais je ne vis engeance si
hardie au combat. Mais appelez à votre aide
les barons d'Occiant, Turcs, Enfruns, Arabes
et Géants. Advienne que pourra, ne tardez
pas ! »

◎ ∞ CCLV ∞ ◎

L'ÉMIR a étalé sur sa brogne sa barbe, aussi
blanche que fleur d'épine. Quoi qu'il
doive arriver, il ne veut pas se cacher. Il em-
bouche une buccine au timbre clair, en sonne
si haut que ses païens l'entendirent : par tout
le champ ses troupes se reforment au ralliement.
Ceux d'Occiant braient et hennissent, ceux
d'Argoille glapissent comme des chiens. Ils
requièrent les Français, avec quelle témérité !
se jettent au plus épais, les rompent et les
séparent. Du coup ils en jettent morts sept
milliers.

◎ ∞ CCLVI ∞ ◎

L E comte Ogier ne connut jamais la couar-
dise ; jamais meilleur baron ne vêtit la
brogne. Quand il vit se rompre les corps de

Quant de Franceis les escheles vit rumpre,
Si apelat Tierri, le duc d'Argone,
3535 Cefrei d'Anjou e Jozeran le cunte;
Mult fierement Carlun en araisunet :
« Veez paien cum ocient vos humes!
Ja Deu ne placet qu'el chef portez corone,
S'or n'i ferez pur venger vostre hunte! »
3540 N'i ad icel ki un sul mot respundet;
Brochent ad eit, lor cevals laissent cure,
Vunt les ferir la o il les encuntrent. AOI.

◎ ⦁⦁ CCLVII ⦁⦁ ◎

MULT ben i fiert Carlemagnes li reis,
    Naimes li dux e Oger li Daneis,
3545 Geifreid d'Anjou, ki l'enseigne teneit.
Mult par est proz danz Oger li Daneis :
Puint le ceval, laisset curre ad espleit,
Si vait ferir celui ki le dragun teneit,
Qu'Ambure cravente en la place devant sei
3550 E le dragon e l'enseigne le rei.
Baligant veit sun gunfanun cadeir
E l'estandart Mahumet remaneir :
Li amiralz alques s'en aperceit
Que il ad tort e Carlemagnes dreit.
3555 Paien d'Arabe s'en turnent...
Li empere recleimet ses Franceis :
« Dites, baron, por Deu, si m'aidereiz. »

bataille des Français, il appela Thierry, le duc d'Argonne, Geoffroi d'Anjou et le comte Joseran. Très fièrement il exhorte Charles : « Voyez les païens, comme ils tuent vos hommes! Ne plaise à Dieu que votre tête porte la couronne, si vous ne frappez sur l'heure pour venger votre honte! » Il n'est personne qui réponde un seul mot. Tous donnent fortement de l'éperon, lancent à fond leurs chevaux, vont les frapper, où qu'ils les rencontrent.

◎ ⚭ CCLVII ⚭ ◎

CHARLEMAGNE le roi frappe merveilleusement, et Naimes le duc, et Ogier le Danois, et Geoffroi d'Anjou, lui qui tenait l'enseigne. Et monseigneur Ogier le Danois est preux entre tous. Il broche son cheval, le lance à toute force et va frapper celui qui tenait le dragon, d'un tel coup qu'il renverse sur place devant lui Amboire et le dragon et l'enseigne du roi. Baligant voit son gonfanon choir et l'étendard de Mahomet qui s'abat : alors l'émir commence à entrevoir qu'il a tort et que Charlemagne a droit. Les païens d'Arabie [..] L'empereur invoque ses Français : « Dites, barons, pour Dieu, si vous m'aiderez! » Les Français

Respundent Francs : « Mar le demandereiz,
Trestut seit fel ki n'i fierget a espleit! » AOI.

© ❧ CCLVIII ❧ ©

3560 PASSET li jurz, si turnet a la vespree.
      Franc e paien i fierent des espees.
      Cil sunt vassal ki les oz ajusterent.
      Lor enseignes n'i unt mie ubliees :
      Li amiralz « Preciuse! » ad criee,
3565 Carles « Munjoie! », l'enseigne renumee.
      L'un conuist l'altre as haltes voiz e as cleres.
      En mi le camp amdui s'entr'encuntrerent,
      Si se vunt ferir, granz colps s'entredunerent
      De lor espiez en lor targes roees.
3570 Fraites les unt desuz cez bucles lees;
      De lor osbercs les pans en desevrerent :
      Dedenz cez cors mie ne s'adeserent.
      Rumpent cez cengles e cez seles verserent,
      Cheent li rei, a tere se turnerent,
3575 Isnelement sur lor piez releverent.
      Mult vassalment unt traites les espees.
      Ceste bataille n'en ert mais destornee :
      Seinz hume mort ne poet estre achevee. AOI.

© ❧ CCLIX ❧ ©

      MULT est vassal Carles de France dulce;
3580 Li amiralz, il nel crent ne ne dutet.
      Cez lor espees tutes nues i mustrent,

répondent : «Pourquoi le demander? Félon
qui ne frappera à outrance! »

◎ ∾ CCLVIII ∾ ◎

L E jour passe, la vêprée approche. Francs
et païens frappent des épées. Ceux qui
ont mis aux prises ces armées sont des preux
l'un et l'autre. Ils n'oublient pas leur cri
d'armes. L'émir crie : «Précieuse! », Charles :
«Montjoie! », l'enseigne renommée. A leurs
voix hautes et claires, ils se sont reconnus.
Au milieu du champ ils se joignent, se
requièrent, s'entre-donnent de grands coups
d'épieu sur leurs targes ornées de cercles.
Ils les brisent toutes deux au-dessous des
larges boucles; les pans des deux hauberts se
déchirent, mais les combattants ne se sont
pas atteints dans leur chair. Les sangles se
rompent, les selles versent, les deux rois
tombent. Par terre, ils se retournent et, vite,
se redressent debout. Ils dégainent hardiment
leurs épées. Cette lutte ne sera pas entravée :
sans mort d'homme elle ne peut s'achever.

◎ ∾ CCLIX ∾ ◎

I L est très vaillant, Charles de douce France,
et l'émir ne le craint ni ne tremble. Ils
dressent leurs épées toutes nues, et sur leurs
écus s'entre-donnent de grands coups. Ils

Sur cez escuz mult granz colps s'entredunent,
Trenchent les quirs e cez fuz ki sunt dubles;
Cheent li clou, si peceient les bucles;
3585 Puis fierent il nud a nud sur lur bronies;
Des helmes clers li fous en escarbunet.
Ceste bataille ne poet remaneir unkes,
Josque li uns sun tort i reconuisset. AOI.

◎ ⁛ CCLX ⁛ ◎

Dist l'amiraill : « Carles, kar te purpenses,
3590 Si pren cunseill que vers mei te repentes!
Mort as mun filz, par le men esciente;
A mult grant tort mun païs me calenges.
Deven mes hom [en fedeltet voeill rendre]
Ven mei servir d'ici qu'en Oriente. »
3595 Carles respunt : « Mult grant viltet me semblet :
Pais ne amor ne dei a paien rendre.
Receif la lei que Deus nos apresentet,
Chrestientet, e pui t'amerai sempres;
Puis serf ecrei le rei omnipotente. »
3600 Dist Baligant : « Malvais sermun cumences! »
Puis vunt ferir des epees qu'unt ceintes. AOI.

◎ ⁛ CCLXI ⁛ ◎

Li amiralz est mult de grant vertut.
Fier Carlemagne sur l'elme d'acer brun,
Desur la teste li ad frait e fendut;
3605 Met li l'espee sur les chevels menuz,

en tranchent les cuirs et les airs, qui sont doubles; les clous tombent, les boucles volent en pièces. Puis, à corps découvert, ils se frappent sur leurs brognes; de leurs heaumes clairs des étincelles jaillissent. Cette lutte ne peut cesser que l'un des deux n'ait reconnu son tort.

◎ ❦ CCLX ❦ ◎

L'ÉMIR dit : « Charles, rentre en toi-même : résous-toi à me montrer que tu te repens! En vérité, tu m'as tué mon fils et c'est à très grand tort que tu me disputes mon pays. Deviens mon vassal [..] Viens-t'en jusqu'en Orient, comme mon serviteur. » Charles répond : « Ce serait, à mon sens, faire une grande vilenie. A un païen je ne dois accorder ni paix ni amour. Reçois la loi que Dieu nous révèle, la loi chrétienne : aussitôt je t'aimerai; puis sers et confesse le roi tout-puissant. » Baligant dit : « Tu prêches là un mauvais sermon! » Alors ils recommencent à frapper de l'épée.

◎ ❦ CCLXI ❦ ◎

L'ÉMIR est d'une grande vigueur. Il frappe Charlemagne sur son heaume d'acier brun, le lui brise sur la tête et le fend; la lame descend jusqu'à la chevelure, prend de la

Prent de la carn grant pleine palme e plus :
Iloec endreit remeint li os tut nut.
Carles cancelet, por poi qu'il n'est caüt;
Mais deus ne volt qu'il seit mort ne vencut.
3610 Seint Gabriel est repairet a lui,
Si li demandet : « Reis magnes, que fais tu? »

◎ ∞ CCLXII ∞ ◎

Q UANT Carles oït la seinte voiz de l'angle,
N'en ad poür ne de murir dutance;
Repairet loi vigur e remembrance.
3615 Fiert l'amiraill de l'espee de France,
L'elme li freint o li gemme reflambent,
Trenchet la teste pur la cervele espandre
E tut le vis tresqu'en la barbe blanche,
Que mort l'abat senz nule recuvrance.
3620 « Munjoie! » escriet pur la reconuisance.
A icest mot venuz i est dux Neimes :
Prent Tencendur, muntet i est li reis magnes.
Paien s'en turnent, ne volt Deus qu'il i remainent.
Or sunt Franceis a icels qu'il demandent.

◎ ∞ CCLXIII ∞ ◎

3625 P AIEN s'en fuient, cum Damnesdeus le volt.
Encalcent Franc e l'emperere avoec.
Ço dist li reis : « Seignurs, vengez voz doels,
Si esclargiez voz talenz e voz coers,
Kar hoi matin vos vi plurer des oilz. »

chair une pleine paume et davantage ; l'os
reste à nu. Charles chancelle, il a failli tomber.
Mais Dieu ne veut pas qu'il soit tué ni vaincu.
Saint Gabriel est revenu vers lui, qui lui
demande : « Roi Magne, que fais-tu ? »

◎ ∞ CCLXII ∞ ◎

QUAND Charles a entendu la sainte voix de
l'ange, il ne craint plus, il sait qu'il ne
mourra pas. Il reprend vigueur et connais-
sance. De l'épée de France il frappe l'émir.
Il lui brise son heaume où flambent les gemmes,
lui ouvre le crâne, et la cervelle s'épand, lui
fend toute la tête jusqu'à la barbe blanche,
et sans nul recours l'abat mort. Il crie :
« Montjoie ! » pour qu'on se rallie à lui. Au cri
le duc Naimes est venu ; il prend Tencendur,
le roi Magne y remonte. Les païens s'enfuient,
Dieu ne veut pas qu'ils résistent. Les Français
sont parvenus au terme tant désiré.

◎ ∞ CCLXIII ∞ ◎

LES païens s'enfuient, car Dieu le veut. Les
Francs, et l'empereur avec eux, les pour-
chassent. Le roi dit : « Seigneurs, vengez vos
deuils, passez votre colère et que vos cœurs
s'éclairent, car j'ai vu ce matin vos yeux
pleurer. » Les Francs répondent : « Sire, il

3630 Respondent Franc : « Sire, ço nus estoet. »
Cascuns i fiert tanz granz colps cum il poet.
Poi s'en estoerstrent d'icels ki sunt iloec.

© ❦ CCLXIV ❦ ©

G RANZ est li calz, si se levet la puldre.
Paien s'en fuient e Franceis les anguissent;
3635 Li enchalz duret d'ici qu'en Sarraguce.
Em sum sa tur muntee est Bramidonie,
Ensembl' od li si clerc e si canonie
De false lei, que Deus nen amat unkes :
Ordres nen unt ne en lor chefs corones.
3640 Quant ele vit Arrabiz si cunfundre,
A halte voiz s'escrie : « Aiez nos, Mahum!
E! gentilz reis, ja sunt vencuz noz humes,
Li amiralz ocis a si grant hunte! »
Quant l'ot Marsilie, vers sa pareit se turnet,
3645 Pluret des oilz, tute sa chere enbrunchet;
Morz est de doel, si cum pecchet l'encumbret.
L'amne de lui as vifs diables dunet. AOI.

© ❦ CCLXV ❦ ©

P AIEN sunt morz, alquant....
E Carles ad sa bataille vencue.
3650 De Sarraguce ad la porte abatue :
Or set il ben que n'est mais defendue.
Prent la citet, sa gent i est venue :
Par poestet icele noit i jurent.
Fiers est li reis a la barbe canue,

nous faut ainsi faire! » Chacun frappe à grands
coups, tant qu'il peut. Des païens qui sont là,
bien peu échappèrent.

© ∞ CCLXIV ∞ ©

LA chaleur est forte, la poussière s'élève.
Les païens fuient et les Français les
harcèlent. La chasse dure jusqu'à Saragosse.
Au haut de sa tour Bramidoine est montée;
avec elle ses clercs et ses chanoines de la fausse
loi, que jamais Dieu n'aima : ils ne sont ni
ordonnés ni tonsurés. Quand elle vit les Arabes
en telle déroute, à haute voix elle s'écrie :
« Mahomet, à l'aide! Ah! gentil roi, les voilà
vaincus, nos hommes! L'émir est tué, si honteu-
sement! » Quand Marsile l'entend, il se tourne
vers la paroi, ses yeux versent des larmes,
sa tête retombe. Il est mort de douleur, chargé
de son péché. Il donne son âme aux démons.

© ∞ CCLXV ∞ ©

LES païens sont morts... Et Charles a
gagné la bataille. Il a abattu la porte
de Saragosse : il sait qu'elle ne sera pas défen-
due. Il se saisit de la cité; ses troupes y
pénètrent : par droit de conquête, elles
y couchèrent cette nuit-là. Le roi à la barbe
chenue en est rempli de fierté. Et Bramidoine

3655 E Bramidonie les turs li ad rendues :
Les dis sunt grandes, les cinquante menues.
Mult ben espleitet qui Damnesdeus aiuet.

© ❦❦ CCLXVI ❦❦ ©

Passet li jurz, la noit est aserie ;
    Clere est la lune e les esteiles flambient.
3660 Li emperere ad Sarraguce prise.
A mil Franceis funt ben cercer la vile,
Les sinagoges e les mahumeries ;
A mailz de fer e a cuignees qu'il tindrent
Fruissent les ymagenes e trestutes les ydeles :
3665 N'i remeindrat ne sorz ne falserie.
Li reis creit en Deu, faire voelt sun servise,
E si evesque les eves beneïssent,
Meinent paien entesqu'al baptisterie :
S'or i ad cel qui Carle cuntredie,
3670 Il le fait pendre o ardeir ou ocire.
Baptizet sunt asez plus de .C. milie
Veir chrestien, ne mais sul la reïne.
En France dulce iert menee caitive :
Ço voelt li reis par amur cunvertisset.

© ❦❦ CCLXVII ❦❦ ©

3675 Passet la noit, si apert le cler jor.
    De Sarraguce Carles guarnist les turs ;
Mil chevalers i laissat puigneürs ;
Guardent la vile a oes l'empereor.
Muntet li reis e si hume trestuz

lui a rendu les tours, les dix grandes, les cin-
quante petites. Qui obtient l'aide de Dieu
achève bien ses tâches.

◎ ◈◈ CCLXVI ◈◈ ◎

LE jour passe, la nuit est tombée. La lune
est claire, les étoiles brillent. L'empereur
a pris Saragosse : par mille Français on fait
fouiller à fond la ville, les synagogues et les
mahommeries. A coups de mails de fer et
de cognées ils brisent les images et toutes les
idoles : il n'y demeurera maléfice ni sortilège.
Le roi croit en Dieu, il veut faire son service ;
et ses évêques bénissent les eaux. On mène
les païens jusqu'au baptistère ; s'il en est un
qui résiste à Charles, le roi le fait pendre,
ou brûler ou tuer par le fer. Bien plus de cent
mille sont baptisés vrais chrétiens, mais non
la reine. Elle sera menée en douce France,
captive : le roi veut qu'elle se convertisse par
amour.

◎ ◈◈ CCLXVII ◈◈ ◎

LA nuit passe, le jour se lève clair. Dans
les tours de Saragosse Charles met une
garnison. Il y laissa mille chevaliers bien éprou-
vés : ils gardent la ville au nom de l'empereur.
Le roi monte à cheval ; ainsi font tous ses
hommes et Bramidoine, qu'il emmène captive ;

3680 E Bramidonie, qu'il meinet en sa prisun;
Mais n'ad talent que li facet se bien nun.
Repairez sunt a joie e a baldur.
Passent Nerbone par force e par vigur;
Vint a Burdeles, la citet de...
3685 Desur l'alter seint Sevrin le baron
Met l'oliphan plein d'or e de manguns :
Li pelerin le veint ki la vunt.
Passet Girunde a mult granz nefs qu'i sunt;
Entresqu'a Blaive ad cunduit sun nevold
3690 E Oliver, sun nobilie cumpaignun,
E l'arcevesque, ki fut sages e proz.
En blancs sarcous fait metre les seignurs :
A Seint Romain, la gisent li baron.
Francs les cumandent a Deu e a ses nuns.
3695 Carles cevalchet e les vals e les munz;
Entresqu'a Ais ne volt prendre sujurn.
Tant chevalchat qu'il descent al perrun.
Cume il est en sun paleis halçur,
Par ses messages mandet ses jugeors,
3700 Baivers e Saisnes, Loherencs e Frisuns;
Alemans mandet, si mandet Borguignuns
E Peitevins e Normans e Bretuns,
De cels de France des plus saives qui sunt.
Dès ore cumencet le plait de Guenelun.

◎ ❦❧ CCLXVIII ❦❧ ◎

3705 L I empereres est repairet d'Espaigne
E vient a Ais, al meillor sied de France;

mais il ne veut rien lui faire, que du bien.
Ils s'en retournent, pleins de joie et de fierté.
Ils occupent Nerbone de vive force et passent.
Charles parvient à Bordeaux, la cité [..] :
sur l'autel du baron saint Seurin, il dépose
l'olifant, rempli d'or et de mangons; les
pèlerins qui vont là l'y voient encore. Il
passe la Gironde sur les grandes nefs qu'il y
trouve. Jusqu'à Blaye il a conduit son neveu,
et Olivier, son noble compagnon, et l'arche-
vêque, qui fut sage et preux. En de blancs
cercueils il fait mettre les trois seigneurs :
c'est à Saint-Romain qu'ils gisent, les vaillants.
Les Français les remettent à Dieu et à ses Noms.
Par les vaux, par les monts, Charles chevauche :
jusqu'à Aix, il ne veut pas séjourner aux étapes.
Tant chevauche-t-il qu'il descend au perron.
Quand il est arrivé dans son palais souverain,
il mande par messagers ses jugeurs, Bavarois
et Saxons, Lorrains et Frisons; il mande les
Allemands, il mande les Bourguignons, et
les Poitevins et les Normands et les Bretons,
et ceux de France, qui entre tous sont sages.
Alors commence le plaid de Ganelon.

◎ ∞ **CCLXVIII** ∞ ◎

L'EMPEREUR est revenu d'Espagne. Il vient
à Aix, le meilleur siège de France. Il monte

Muntet el palais, est venut en la sale.
As li Alde venue, une bele damisele.
Ço dist al rei : « O est Rollant le catanie,
3710 Ki me jurat cume sa per a prendre? »
Carles en ad e dulor e pesance,
Pluret des oilz, tiret sa barbe blance :
« Soer, cher' amie, d'hume mort me demandes.
Jo t'en durai mult esforcet eschange :
3715 Ço est Loewis, mielz ne sai a parler;
Il est mes filz e si tendrat mes marches. »
Alde respunt : « Cest mot mei est estrange.
Ne place Deu ne ses seinz ne ses angles
Après Rollant que jo vive remaigne! »
3720 Pert la culor, chet as piez Carlemagne,
Sempres est morte. Deus ait mercit de l'anme!
Franceis barons en plurent e si la pleignent.

◎ ⊷⊷ CCLXIX ⊷⊷ ◎

ALDE la bel' est a sa fin alee.
Quidet li reis que el se seit pasmee;
3725 Pited en ad, sin pluret l'emperere;
Prent la as mains, si l'en ad relevee.
Desur les espalles ad la teste clinee.
Quant Carles veit que morte l'ad truvee,
Quatre cuntesses sempres i ad mandees :
3730 A un muster de nuneins est portee;
La noit la guaitent entresqu'a l'ajurnee.
Lunc un alter belement l'enterrerent.
Mult grant honur i ad li reis dunee. AOI.

au palais, il est entré dans la salle. Voici que
vient à lui Aude, une belle damoiselle. Elle
dit au roi : « Où est-il, Roland le capitaine,
qui me jura de me prendre pour sa femme ? »
Charles en a douleur et peine. Il pleure, tire
sa barbe blanche : « Sœur, chère amie, de qui
t'enquiers tu ? D'un mort. Je te ferai le meilleur
échange : ce sera Louis, je ne sais pas mieux
te dire. Il est mon fils, c'est lui qui tiendra
mes marches. » Aude répond : « Cette parole
m'est étrange. A Dieu ne plaise, à ses saints,
à ses anges, après Roland, que je reste vivante ! »
Elle perd sa couleur, choit aux pieds de
Charlemagne. Elle est morte aussitôt : que
Dieu ait pitié de son âme ! Les barons français
en pleurent et la plaignent.

◎ ∞ **CCLXIX** ∞ ◎

AUDE la Belle est allée à sa fin. Le roi croit
qu'elle est évanouie, il a pitié d'elle, il
pleure. Il la prend par les mains, la relève ;
sur les épaules, la tête retombe. Quand Charles
voit qu'elle est morte, il mande aussitôt quatre
comtesses. A un moutier de nonnes on la porte ;
toute la nuit, jusqu'à l'aube, on la veille ; au
long d'un autel bellement on l'enterre. Le roi
l'a hautement honorée.

© ⊗ CCLXX ⊗ ©

Li emperere est repairet ad Ais.
3735 Guenes li fels, en caeines de fer,
En la citet est devant le paleis;
A un' estache l'unt atachet cil serf,
Les mains li lient a curreies de cerf;
Tres ben le batent a fuz e a jamelz :
3740 N'ad deservit que altre ben i ait;
A grant dulur iloec atent sun plait.

© ⊗ CCLXXI ⊗ ©

Il est escrit en l'anciene geste
Que Carles mandet humes de pusurs teres.
Asemblez sunt ad Ais, a la capele.
3745 Halz est li jurz, mult par est grant la feste,
Dient alquanz del baron seint Silvestre.
Dès ore cumencet le plait et les noveles
De Guenelen, ki traïsun ad faite.
Li emperere devant sei l'ad fait traire. AOI.

© ⊗ CCLXXII ⊗ ©

3750 « Seignors barons », dist Carlemagnes li reis,
« De Guenelun car me jugez le dreit!
Il fut en l'ost tresqu'en Espaigne od mei,
Si me tolit .XX. milie de mes Franceis
E mun nevold, quo ja mais ne verreiz,
3755 E Oliver, li proz e li curteis;
Les .XII. pers ad traït por aveir. »
Dist Guenelon : « Fel sei se jol ceil!

◎ ❦ CCLXX ❦ ◎

L'EMPEREUR est rentré à Aix. Ganelon le félon, en des chaînes de fer, est dans la cité, devant le palais. Des serfs l'ont attaché à un poteau; ils entravent ses mains par des courroies de cuir de cerf, ils le battent fortement à coups de triques et de bâtons. Il n'a point mérité d'autres bienfaits. A grande douleur il attend là son jugement.

◎ ❦ CCLXXI ❦ ◎

IL est écrit dans la Geste ancienne que de maints pays Charles manda ses vassaux. Ils sont assemblés à Aix, à la chapelle. C'est le haut jour d'une fête solennelle, celle, disent plusieurs, du baron saint Sylvestre. Alors commence le plaid, et voici ce qu'il advint de Ganelon, qui a trahi. L'empereur devant lui l'a fait traîner.

◎ ❦ CCLXXII ❦ ◎

« SEIGNEURS barons », dit Charlemagne, le roi, « jugez-moi Ganelon selon le droit. Il vint dans l'armée jusqu'en Espagne avec moi : il m'a ravi vingt mille de mes Français, et mon neveu, que vous ne reverrez plus, et Olivier, le preux et le courtois : les douze pairs, il les a trahis pour de l'argent. » Ganelon

Rollant me forfist en or e en aveir,
Pur que jo quis sa mort e sun destreit;
3760 Mais traïsun nule n'en i otrei. »
Respundent Franc : « Ore en tendrum cunseill. »

◎ ✠ CCLXXIII ✠ ◎

Devant le rei la s'estut Guenelun.
        Cors ad gaillard, el vis gente color;
S'il fust leials, ben resemblast barun.
3765 Veit cels de France e tuz les jugeürs,
De ses parenz .XXX. ki od lui sunt;
Puis s'escriat haltement, a grant voeiz :
« Pur amor Deu, car m'entendez, barons!
Seignors, jo fui en l'ost avoec l'empereür,
3770 Serveie le par feid e par amur.
Rollant sis niés me coillit en haür,
Si me jugat a mort e a dulur.
Message fui al rei Marsiliun;
Par mun saveir vinc jo a guarisun.
3775 Jo desfiai Rollant le poigneor
E Oliver e tuiz lur cumpaignun
Carles l'oïd e si nobilie baron.
Venget m'en sui, mais n'i ad traïsun. »
Respundent Francs : « A conseill en irums. »

◎ ✠ CCLXXIV ✠ ◎

3780 Quant Guenes veit que ses granz plaiz cumencet,
        De ses parenz ensemble od li out trente.

dit : « Honte sur moi, si j'en fais mystère !
Roland m'avait fait tort dans mon or, dans
mes biens, et c'est pourquoi j'ai cherché sa
mort et sa ruine. Mais qu'il y ait là la moindre
trahison, je ne l'accorde pas. » Les Francs
répondent : « Nous en tiendrons conseil. »

◎ ✺ CCLXXIII ✺ ◎

DEVANT le roi, Ganelon se tient debout. Il a
le corps gaillard, le visage bien coloré : s'il
était loyal, on croirait voir un preux. Il regarde
ceux de France, et tous les jugeurs, et trente
de ses parents qui tiennent pour lui, puis il
s'écrie à voix haute et forte : « Pour l'amour
de Dieu, barons, entendez-moi ! Seigneurs,
je fus à l'armée avec l'empereur. Je le servais
en toute foi, en tout amour. Roland, son neveu,
me prit en haine et me condamna à la mort
et à la douleur. Je fus envoyé comme messager
au roi Marsile : par mon adresse, je parvins à me
sauver. Je défiai le preux Roland et Olivier,
et tous leurs compagnons : Charles et ses
nobles barons entendirent mon défi. Je me suis
vengé, mais ce ne fut pas trahison. » Les Francs
répondent : « Nous irons en tenir conseil. »

◎ ✺ CCLXXIV ✺ ◎

GANELON voit que commence son grand
plaid. Trente de ses parents sont là, avec

Un en i ad qui li altre entendent :
Ço est Pinabel, del castel de Sorence ;
Ben set parler e dreite raisun rendre ;
3785 Vassals est bons por ses armes defendre. AOI.
Ço li dist Guenes : « En vos..... ami....
Getez mei hoi de mort e de calunie ! »
Dist Pinabel : « Vos serez guarit sempres.
N'i ad Francès ki vos juget a pendre,
3790 U l'emperere les noz dous cors en asemble,
Al brant d'acer que jo ne l'en desmente. »
Guenes li quens a ses piez se presente.

◎ ⚭ CCLXXV ⚭

Bavier e Saisnes sunt alet a conseill
E Peitevin e Norman e Franceis ;
3795 Asez i ad Alemans e Tiedeis ;
Icels d'Alverne i sunt li plus curteis.
Pur Pinabel se cuntienent plus quei.
Dist l'un a l'altre : « Bien fait a remaneir !
Laisum le plait e si preium le rei
3800 Que Guenelun cleimt quite ceste feiz,
Puis si li servet par amur e par feid.
Morz est Rollant, ja mais nel revereiz ;
N'ert recuvret por or ne por aveir :
Mult sereit fols ki..... se cumbatreit. »
3805 N'en i ad celoi nel graant e otreit,
Fors sul Tierri, le frere dam Geifreit. AOI.

lui. Il en est un à qui s'en remettent les autres,
c'est Pinabel, du château de Sorence. Il sait
bien parler et dire ses raisons comme il convient.
Il est vaillant, quand il s'agit de défendre ses
armes. Ganelon lui dit : « Am... reprenez-moi
à la mort! retirez-moi de ce plaid! » Pinabel
dit : « Bientôt vous serez sauvé. S'il se trouve
un Français pour juger que vous devez être
pendu, que l'empereur nous mette aux prises
tous deux, corps contre corps : mon épée
d'acier lui donnera le démenti. » Ganelon le
comte s'incline à ses pieds.

◎ ∞ **CCLXXV** ∞ ◎

BAVAROIS et Saxons sont entrés en conseil,
et les Poitevins, les Normands, les Français,
Allemands et Thiois sont là en nombre; ceux
d'Auvergne y sont les plus courtois. Ils baissent
le ton à cause de Pinabel. L'un dit à l'autre :
« Il convient d'en rester là. Laissons le plaid,
et prions le roi qu'il proclame Ganelon quitte
pour cette fois; que Ganelon le serve désor-
mais en toute foi, en tout amour. Roland est
mort, vous ne le reverrez plus; ni or ni argent
ne le rendrait. Bien fou qui combattrait [..]! »
Il n'en est pas un qui n'approuve, hormis
Thierry, le frère de monseigneur Geoffroy.

◎ ∞ CCLXXVI ∞ ◎

A Charlemagne repairent si barun;
   Dient al rei : « Sire, nus vos prium
Que clamez quite le cunte Guenelun,
3810 Puis si vos servet par feid e par amor.
Vivre le laisez, car mult est gentilz hoem.
Ja por murir n'en ert veüd gerun,
Ne por aveir ja nel recuverum. »
Ço dist li reis : « Vos estes mi felun. » AOI.

◎ ∞ CCLXXVII ∞ ◎

3815 QUANT Carles veit que tuz li sunt faillid,
      Mult l'enbrunchit e la chere e le vis,
Al doel qu'il ad si se cleimet caitifs.
Ais li devant uns chevalers, Tierris,
Frere Gefrei, a un duc angevin.
3820 Heingre out le cors e graisle e eschewid,
Neirs les chevels e alques bruns le vis;
N'est gueres granz ne trop nen est petiz.
Curteisement a l'emperere ad dit :
« Bels sire reis, ne vos dementez si!
3825 Ja savez vos que mult vos ai servit.
Par anceisurs dei jo tel plait tenir :
Que que Rollant a Guenelun forsfesist,
Vostre servise l'en doüst bien guarir.
Guenes est fels d'iço qu'il le traït;
3830 Vers vos s'en est parjurez e malmis.

◎ ⚮ CCLXXVI ⚮ ◎

VERS Charlemagne ses barons s'en reviennent. Ils disent au roi : « Sire, nous vous en prions, proclamez quitte le comte Ganelon; puis, qu'il vous serve en tout amour et toute foi! Laissez-le vivre, car il est très haut seigneur [..]. Ni or ni argent ne vous rendrait Roland. » Le roi dit : « Vous êtes des félons. »

◎ ⚮ CCLXXVII ⚮ ◎

QUAND Charles voit que tous lui ont failli, il baisse la tête douloureusement. « Malheureux que je suis! » dit-il. Or voici venir devant lui un chevalier, Thierry, frère de Geoffroy, un duc angevin. Il a le corps maigre, grêle, élancé, les cheveux noirs, le visage assez brun. Il n'est pas très grand, mais non plus trop petit. Il dit à l'empereur, courtoisement : « Beau sire roi, ne vous désolez pas ainsi. Je vous ai longtemps servi, vous le savez. Fidèle à l'exemple de mes ancêtres, je dois, dans un tel plaid, soutenir l'accusation. Si même Roland eut des torts envers Ganelon, Roland était à votre service : c'en devait être assez pour le garantir. Ganelon est félon, en tant qu'il a trahi : c'est envers vous qu'il s'est parjuré et qu'il a forfait. C'est pourquoi je juge qu'il soit pendu

Pur ço le juz jo a pendre e a murir
E sun cors metre.....
Si cume fel ki felonie fist.
S'or ad parent ki m'en voeille desmentir,
3835 A ceste espee, que jo ai ceinte ici,
Mun jugement voel sempres guarantir. »
Respundent Franc : « Or avez vos ben dit. »

◎ ✇ CCLXXVIII ✇ ◎

DEVANT li rei est venuz Pinabel.
Granz est e forz e vassals e isnel;
3840 Qu'il fiert a colp, de sun tens n'i ad mais;
E dist al rei : « Sire, vostre est li plaiz :
Car cumandez que tel noise n'i ait!
Ci vei Tierri, ki jugement ad fait.
Jo si li fals, od lui m'en cumbatrai. »
3845 Met li el poign de cerf le destre guant.
Dist li empereres : « Bons pleges en demant. »
.XXX. parenz l'i plevissent leial.
Ço dist li reis : « E jol vos recrerai. »
Fait cels guarder tresque li dreiz en serat. AOI.

◎ ✇ CCLXXIX ✇ ◎

3850 **Q**UANT veit Tierri qu'or en ert la bataille,
Sun destre guant en ad presentet Carle.
Li emperere l'i recreit par hostage,

et qu'il meure, et que son corps... soit traité comme celui d'un félon qui fit une félonie. S'il a un parent qui veuille m'en donner le démenti, je veux, de cette épée que j'ai ceinte, soutenir sur l'heure mon jugement. » Les Francs répondent : « Vous avez bien dit .»

◎ ⌘ CCLXXVIII ⌘ ◎

DEVANT le roi Pinabel s'est avancé. Il est grand et fort, vaillant et agile ; celui qu'un de ses coups atteint a fini son temps. Il dit au roi : « Sire, c'est ici votre plaid : commandez donc qu'on n'y fasse pas tant de bruit ! Je vois céans Thierry, qui a jugé. Je fausse son jugement et je combattrai contre lui. » Il remet au roi, en son poing, un gant de peau de cerf, le gant de sa main droite. L'empereur dit : « Je demande de bons garants. » Trente parents s'offrent en loyaux otages. Le roi dit : « Et je vous le mettrai donc en liberté sous caution. » Il les place sous bonne garde, jusqu'à ce qu'il soit fait droit.

◎ ⌘ CCLXXIX ⌘ ◎

QUAND Thierry voit qu'il y aura bataille, il présente à Charles son gant droit. L'empereur le met en liberté sous caution, puis il fait porter quatre bancs sur la place. Là ceux qui doivent combattre vont s'asseoir.

Puis fait porter .IIII. bancs en la place :
La vunt sedeir cil kis deivent cumbatre.
3855 Ben sunt malez, par jugement des altres,
Sil purparlat Oger de Denemarche;
E puis demandent lur chevals e lur armes.

◎ ⚬⚬⚬ CCLXXX ⚬⚬⚬ ◎

Puis que il sunt a bataille justez, AOI.
Ben sunt cunfès e asols e seignez;
3860 Oent lur messes e sunt acuminiez;
Mult granz offrendes metent par cez musters.
Devant Carlun andui sunt repairez.
Lur esperuns unt en lor piez calcez,
Vestent osberc blancs e forz e legers,
3865 Lur helmes clers unt fermez en lor chefs,
Ceinent espees enheldees d'or mier,
En lur cols pendent lur escuz de quarters,
En lur puinz destres unt lur trenchanz espiez,
Puis sunt muntez en lur curanz destrers.
3870 Idunc plurerent .C. milie chevalers
Qui pur Rollant de Tierri unt pitiet.
Deus set asez cument la fins en ert.

◎ ⚬⚬⚬ CCLXXXI ⚬⚬⚬ ◎

Dedesuz Ais est la pree mult large.
Des dous baruns justee est la bataille.

Au jugement de tous, ils se sont provoqués selon les règles. C'est Ogier de Danemark qui a porté le double défi. Puis ils demandent leurs chevaux et leurs armes.

◎ ∞ **CCLXXX** ∞ ◎

PUISQU'ILS sont prêts à s'affronter en bataille, ils se confessent; ils sont absous et bénis. Ils entendent leurs messes et reçoivent la communion. Ils laissent aux églises de très grandes offrandes. Puis, tous deux reviennent devant Charles. Ils ont chaussé leurs éperons, ils revêtent des hauberts blancs, forts et légers, lacent sur leurs têtes leurs heaumes clairs, ceignent des épées dont la garde est d'or pur, suspendent à leurs cous leurs écus à quartiers, saisissent de leurs poings droits leurs épieux tranchants, puis se mettent en selle sur leurs destriers rapides. Alors pleurèrent cent mille chevaliers, qui, pour l'amour de Roland, ont pitié de Thierry. Quelle sera la fin, Dieu le sait bien.

◎ ∞ **CCLXXXI** ∞ ◎

SOUS Aix la prairie est très large : là sont mis aux prises les deux barons. Ils sont preux et de grande vaillance, et leurs chevaux sont

3875 Cil sunt produme e de grant vasselage
E lur chevals sunt curanz e aates.
Brochent les bien, tutes les resnes lasquent,
Par grant vertut vait ferir l'uns li altre.
Tuz lur escuz i fruissent e esquassent,
3880 Lur osbercs rumpent e lur cengles depiecent,
Les alves turnent, les seles cheent a tere.
.C. mil humes i plurent, kis esguardent.

◎ ∞ CCLXXXII ∞ ◎

A tere sunt ambdui li chevaler. AOI.
Isnelement se drecent sur lur piez.
3885 Pinabels est forz e isnels e legers.
Li uns requiert l'altre, n'unt mie des destrers.
De cez espees enheldees d'or mer
Fierent e caplent sur cez helmes d'acer;
Granz sunt les colps, as helmes detrencher.
3890 Mult se dementent cil franceis chevaler.
« E! Deus », dist Carles, « le dreit en esclargiez! »

◎ ∞ CCLXXXIII ∞ ◎

D ist Pinabel : « Tierri, car te recreiz!
Tes hom serai par amur e par feid,
A tun plaisir te durrai mun aveir,
3895 Mais Guenelun fai acorder al rei! »
Respont Tierri : « Ja n'en tendrai cunseill.

rapides et ardents. Ils les éperonnent bien, lâchent à fond les rênes. De toute leur vigueur, ils vont s'attaquer l'un l'autre. Les écus se brisent, volent en pièces, les hauberts se déchirent, les sangles éclatent, les troussequins versent, les selles tombent à terre. Cent mille hommes pleurent, qui les regardent.

◎ ෴ CCLXXXII ෴ ◎

LES deux chevaliers sont tombés contre terre. Rapidement, ils se redressent debout. Pinabel est fort, agile et léger. Ils se requièrent l'un l'autre; ils n'ont plus leurs destriers. De leurs épées aux gardes d'or pur, ils frappent et refrappent sur leurs heaumes d'acier : les coups sont forts, jusqu'à fendre les heaumes. Grande est l'angoisse des chevaliers français : « Ah! Dieu », dit Charles, « faites resplendir le droit! »

◎ ෴ CCLXXXIII ෴ ◎

PINABEL dit : « Thierry, reconnais-toi vaincu! Je serai ton vassal en toute foi, en tout amour; à ton plaisir je te donnerai de mes richesses; mais trouve pour Ganelon un accord avec le roi! » Thierry répond : « Je ne tiendrai pas long conseil. Honte sur moi si j'y consens

Tut seie fel, se jo mie l'otrei!
Deus facet hoi entre nus dous le dreit! » AOI.

Ço dist Tierri : « Pinabel, mult ies ber,
3900 Granz ies e forz e tis cors ben mollez;
De vasselage te conoissent ti per;
Ceste bataille, car la laisses ester!
A Carlemagne te ferai acorder;
De Guenelun justise ert faite tel
3905 Jamais n'ert jur que il n'en seit parlet. »
Dist Pinabel : « Ne placet Damnedeu!
Sustenir voeill trestut mun parentet;
N'en recrerrai pur nul hume mortel;
Mielz voeill murir qu'il me seit reprovet. »
3910 De lur espees cumencent a capler
Desur cez helmes, ki sunt a or gemez;
Cuntre le ciel en volet li fous tuz clers.
Il ne poet estre qu'il seient desevrez :
Seinz hume mort ne poet estre afinet. AOI.

3915 Mult par est proz Pinabel de Sorence,
Si fiert Tierri sur l'elme de Provence :
Salt en li fous, que l'erbe en fait esprendre.
Del brant d'acer la mure li presentet.
Desur le frunt li ad faite descendre.
3920 Em mi le vis [li ad faite descendre].

en rien! Qu'entre nous deux, en ce jour, Dieu montre le droit! »

THIERRY dit : «Pinabel, tu es très preux, tu es grand et fort, tes membres sont bien moulés, et tes pairs te connaissent pour ta vaillance : renonce donc à cette bataille! Je te trouverai un accord avec Charlemagne. Quant à Ganelon, justice sera faite de lui, et telle qu'à jamais, chaque jour, il en sera parlé. » Pinabel dit : « Ne plaise au Seigneur Dieu! Je veux soutenir toute ma parenté. Je ne me rendrai pour nul homme qui vive. J'aime mieux mourir qu'en subir le reproche. » Ils recommencent à frapper des épées sur leurs heaumes, qui sont incrustés d'or. Contre le ciel volent, claires, les étincelles. Les séparer, nul ne pourrait. Ce combat ne peut finir sans qu'un homme meure.

PINABEL de Sorence est de très grande prouesse. Sur le heaume de Provence, il frappe Thierry : le feu jaillit, l'herbe s'enflamme. Il lui présente la pointe de sa lame d'acier. Elle descend sur son front [..] Il en

La destre joe en ad tute sanglente,
L'osberc desclot josque par sum le ventre.
Deus le guarit, que mort ne l'acraventet. AOI.

⊙ ⟡⟡⟡ CCLXXXVI ⟡⟡⟡ ⊙

Co veit Tierris que el vis est ferut :
3925   Li sancs tuz clers en chietel pred herbut.
Fiert Pinabel sur l'elme d'acer brun,
Jusqu'al nasel li ad fait e fendut,
Del chef li ad le cervel espandut,
Brandit sun colp, si l'ad mort abatut.
3930 A icest colp est li esturs vencut.
Escrient Franc : « Deus i ad fait vertut!
Asez est dreis que Guenes seit pendut
E si parent, ki plaidet unt pur lui. » AOI.

⊙ ⟡⟡⟡ CCLXXXVII ⟡⟡⟡ ⊙

Quant Tierris ad vencue sa bataille,
3935   Venuz i est li emperere Carles,
Ensembl' od lui de ses baruns ad quatre,
Naimes li dux, Oger de Danemarche,
Geifrei d'Anjou e Willalme de Blaive.
Li reis ad pris Tierri entre sa brace,
3940 Tert lui le vis od ses granz pels de martre,
Celes met jus, puis li afublent altres;
Mult suavet le chevaler desarment.
Munter l'unt fait en une mule d'Arabe;

a la joue droite toute sanglante. Il lui fend son haubert jusqu'au-dessus du ventre. Dieu le protège, Pinabel ne l'a pas renversé mort.

◎ ∽∾ CCLXXXVI ∾∽ ◎

THIERRY voit qu'il est blessé au visage. Son sang tombe clair sur l'herbe du pre. Il frappe Pinabel sur son heaume d'acier brun, le brise et le fend jusqu'au nasal, fait couler du crâne la cervelle; il secoue sa lame dans la plaie et l'abat mort. Par ce coup sa bataille est gagnée. Les Francs s'écrient : « Dieu y a fait miracle! Il est bien droit que Ganelon soit pendu, et ses parents qui ont répondu pour lui. »

◎ ∽∾ CCLXXXVII ∾∽ ◎

QUAND Thierry eut gagné sa bataille, l'empereur Charles vint à lui. Quatre de ses barons l'accompagnent, le duc Naimes, Ogier de Danemark, Geoffroi d'Anjou et Guillaume de Blaye. Le roi a pris Thierry dans ses bras; des grandes peaux de son manteau de martre, il lui essuie la face, puis rejette le manteau : on lui en met un autre. Très tendrement on désarme le chevalier, on le monte sur une mule arabe; on le ramène avec joie et en bel arroi. Les barons rentrent dans Aix, mettent

Repairet s'en a joie e a barnage;
3945 Vienent ad Ais, descendent en la place.
Dès ore cumencet l'ocisiun des altres.

◎ ∞ CCLXXXVIII ∞ ◎

Carles apelet ses cuntes e ses dux :
« Que me loez de cels qu'ai retenuz?
Pur Guenelun erent a plait venuz,
3950 Pur Pinabel en ostage renduz. »
Respundent Franc : « Ja mar en vivrat uns! »
Li reis cumandet un soen veier, Basbrun :
« Va, sis pent tuz a l'arbre de mal fust!
Par ceste barbe dunt li peil sunt canuz,
3955 Se uns escapet, morz ies e cunfunduz. »
Cil li respunt : « Qu'en fereie jo el? »
Od .C. serjanz par force les cunduit.
.XXX. en i ad d'icels ki sunt pendut.
Ki hume traïst sei ocit e altroi. AOI.

◎ ∞ CCLXXXIX ∞ ◎

3960 Puis sunt turnet Bavier e Aleman
E Peitevin e Bretun e Norman.
Sor tuit li altre l'unt otriet li Franc
Que Guenes moerget par merveillus ahan.
Quatre destrers funt amener avant,
3965 Puis si li lient e les piez e les mains.
Li cheval sunt orgoillus e curant :

pied à terre sur la place. Alors commence
la mise à mort des autres.

◎ ⌘ CCLXXXVIII ⌘ ◎

CHARLES appelle ses ducs et ses comtes :
« Que me conseillez-vous à l'égard de
ceux que j'ai retenus? Ils étaient venus au plaid
pour Ganelon; ils se sont rendus à moi comme
otages de Pinabel. » Les Francs répondent :
« Pas un n'a le droit de vivre. » Le roi appelle
Basbrun, un sien voyer : « Va, et pends-les
tous à l'arbre au bois maudit. Par cette barbe
dont les poils sont chenus, s'il en échappe
un seul, tu es mort et venu à ta perte. » Il
répond : « Que puis-je faire d'autre? » Avec
cent sergents il les emmène de vive force :
ils sont trente, qui furent tous pendus. Qui
trahit perd les autres avec soi.

◎ ⌘ CCLXXXIX ⌘ ◎

ALORS s'en furent Bavarois et Allemands
et Poitevins et Bretons et Normands.
Tous sont tombés d'accord, et les Français
les premiers, que Ganelon doit mourir en
merveilleuse angoisse. On amène quatre des-
triers, puis on lui attache les pieds et les
mains. Les chevaux sont ardents et rapides :

Quatre serjanz les acoeillent devant
Devers un' ewe ki est em mi un camp.
Guenes est turnet a perdiciun grant;
3970 Trestuit si nerf mult li sunt estendant
E tuit li membre de sun cors derumpant :
Sur l'erbe verte en espant li cler sanc.
Guenes est mort cume fel recreant.
Hom ki traïst altre, nen est dreiz qu'il s'en vant.

◎ ⚭ CCXC ⚭ ◎

3975 QUANT li emperere ad faite sa venjance,
    Sin apelat ses evesques de France,
Cels de Baviere e icels d'Alemaigne :
« En ma maisun ad une caitive franche.
Tant ad oït e sermuns e essamples
3980 Creire voelt Deu, chrestientet demandet.
Baptisez la, pur quei Deus en ait l'anme. »
Cil li respundent : « Or seit fait par marrenes! »
. . . .
As bainz ad Ais mult sunt granz les c.....
3985 La baptizent le reïne d'Espaigne :
Truvé li unt le num de Juliane.
Chrestienne est par veire conoisance.

◎ ⚭ CCXCI ⚭ ◎

QUANT l'emperere ad faite sa justice
    E esclargiez est la sue grant ire,

devant eux, quatre sergents les poussent vers
un cours d'eau qui traverse un champ, prêts
à les saisir. Ganelon est venu à sa perdition.
Tous ses nerfs se distendent, tous les membres
de son corps se brisent; sur l'herbe verte
son sang se répand clair. Ganelon est mort
de la mort qui sied à un félon prouvé. Quand
un homme en trahit un autre, il n'est pas
juste qu'il s'en puisse vanter.

◎ ∞ CCXC ∞ ◎

QUAND l'empereur eut prit sa vengeance,
il appela ses évêques de France, ceux
de Bavière et ceux d'Allemagne : « En ma
maison j'ai une noble prisonnière. Elle a
entendu tant de sermons et de paraboles
qu'elle veut croire en Dieu et demande à se
faire chrétienne. Baptisez-la, pour que Dieu
ait son âme. » Ils répondent : « Qu'on lui
donne des marraines! » [..] Aux bains d'Aix...
ils baptisèrent la reine d'Espagne; ils lui ont
trouvé pour nom Julienne. Elle s'est faite
chrétienne par vraie connaissance de la sainte
loi.

◎ ∞ CCXCI ∞ ◎

QUAND l'empereur eut fait justice et apaisé
son grand courroux, il a fait chrétienne
Bramidoine. Le jour s'en va, la nuit s'est

3990 En Bramidonie ad chrestientet mise,
Passet li jurz, la nuit est aserie.
Culcez s'est li reis en sa cambre voltice.
Seint Gabriel de part Deu li vint dire :
« Carles, sumun les oz de tun emperie!
3995 Par force iras en la tere de Bire,
Reis Vivien si succuras en Imphe,
A la citet que paien unt asise :
Li chrestien te recleiment e crient. »
Li emperere n'i volsist aler mie :
4000 « Deus », dist li reis, « si penuse est ma vie! »
Pluret des oilz, sa barbe blanche tiret.
Ci falt la geste que Turoldus declinet.

faite noire. Le roi s'est couché dans sa chambre voûtée. De par Dieu, saint Gabriel vient lui dire : « Charles, par tout ton empire, lève tes armées ! Par vive force tu iras en la terre de Bire, tu secourras le roi Vivien dans sa cité d'Imphe, où les païens ont mis le siège. Là les chrétiens t'appellent et te réclament ! » L'empereur voudrait ne pas y aller : « Dieu ! » dit-il, « que de peines en ma vie ! » Ses yeux versent des larmes, il tire sa barbe blanche.

Ci falt la geste que Turoldus declinet.

NOTES CRITIQUES

L'objet de ces notes est de communiquer au lecteur un relevé de toutes les différences qui sont entre le texte de la CHANSON DE ROLAND *proposé ci-dessus et le texte du manuscrit d'Oxford.*

Ce manuscrit est, en général, facile à lire, et déjà le premier éditeur, Francisque Michel, en 1837, l'a fort bien lu. Mais Edmund Stengel rendit un service inappréciable quand il en publia, quarante ans plus tard, une reproduction photographique (Photographische Wiedergabe der Handschrift Digby 23, veranstaltet von Edmund Stengel, Heilbronn, 1878), *accompagnée d'une transcription diplomatique* (Das altfranzoesische Rolandslied, genauer Abdruck der Oxforder Handschrift Digby 23, besorgt von Edmund Stengel, Heilbronn, 1878) : *c'est ce double document que j'ai eu continûment sous les yeux, me référant sans cesse de la photographie à la transcription et inversement, quand j'ai préparé la présente édition, dont le premier tirage a paru en 1922. En outre, j'ai fait en ce temps-là le voyage d'Oxford pour examiner le manuscrit lui-même ; et cet effort de contrôle, exécuté par acquit de conscience, n'a d'ailleurs servi, comme il était à prévoir, qu'à mieux mettre en lumière ce que mes devanciers avaient tous dès longtemps reconnu ; à savoir que le travail de déchiffrement accompli par Stengel est de tout point admirable et digne de foi.*

Pourtant, des doutes subsistaient, notamment aux passages nombreux où des lettres, des mots, parfois des vers entiers, ont été grattés et retouchés. Or les paléographes disposent aujourd'hui en de tels cas d'un procédé d'investigation nouveau : s'ils examinent un manuscrit sous la lumière ultraviolette, ils discernent mieux les vestiges des leçons qu'ont effacées les injures du temps ou le grattoir des copistes et des reviseurs. Une lampe à rayons ultraviolets ayant été installée à la Bibliothèque Bodléienne en 1929, deux critiques, M. E.G.R. Waters et M. Charles Samaran, l'ont aussitôt employée pour une étude de notre manuscrit. M. Waters a publié ses observations dans la Modern Language Review *(livraison de janvier 1930, p. 95-99). M. Samaran a consigné les siennes dans un article de la* Romania *(livraison d'octobre 1929, p. 400-410). Dans le même temps, M. le comte Alexandre de Laborde me faisait présent d'un jeu de magnifiques photographies du manuscrit Digby 23, qu'il se proposait de donner au public, reproduites par l'héliogravure. C'est ainsi que, ayant à surveiller un nouveau tirage, le cinquième, de mon édition, j'ai relu, en septembre 1930, la* Chanson de Roland, *en m'aidant desdites photographies et des études de MM. Waters et Samaran. Mais la lampe merveilleuse n'a guère fait que confirmer presque toujours les lectures ou les conjectures de Francisque Michel et de Stengel. Les lettres et les mots qu'elle a fait reparaître avaient presque tous été grattés à bon droit ; ces lettres et ces mots ne représentent pour la plupart que des distractions du copiste, par lui-même réparées : comme au v. 2912, par exemple, où, ayant écrit* demandemanderunt, *il a pris soin de gratter les deux syllabes oiseuses. Néanmoins je dois à l'habile paléographe qu'est M. Samaran d'avoir rectifié, en 1930, par quatorze fois, le texte que j'avais antérieurement proposé. Il faut lire, en effet, et j'ai imprimé ci-dessus, au v. 326,* ci *et non* en; — au v. 527, cunduit et non conduiz; — au v. 593,*

estuertrat *et non* estoerdrat; — *au v.* 881, e jo e vos
irum *et non* i irum; — *au v.* 1376, vos reconois jo *et
non* vos receif jo (*ce qui confirme une interprétation de
ce passage que j'avais proposée dans mon volume de* Com-
mentaires, 1927, *p.* 212); — *au v.* 1689, esparniez *et
non* esparmiez; — *au v.* 2183, Cist camp est vostre,
mercit Deu, vostre e mein *et non* mercit Deu e mien
(*lampe merveilleuse, en vérité, puisqu'elle parvient ici à
embellir un beau vers!*); — *au v.* 2430, cunseillez *et
non* cunseillez; — *aux vers* 3004 *et* 3025, ou *et non* oi
(*comme je l'avais dit, d'ailleurs, dans mes* Commentaires,
p. 232); — *au v.* 3462, celoi n'i *et non* celoi que n'i;
— *au v.* 3574, se turnerent; — *au v.* 3781, od li *et non*
en i; — *au v.* 3920, em mi *et non* par mi.

En vue du présent tirage, je viens, en cet été de 1937,
*de relire attentivement le poème dans un beau livre désor-
mais facilement accessible à chacun;* LA CHANSON DE
ROLAND, *reproduction phototypique du manuscrit* Digby
23 *de la* Bodleian Library *d'Oxford, éditée avec un
avant-propos par le comte* Alexandre de Laborde.
Étude historique et paléographique de M. Ch. Samaran.
Paris, Société des Anciens Textes français, 1933. *De là,
six ou sept rectifications nouvelles; voir ci-après les notes
relatives aux vers* 722, 993, 2108, 2319, 2990, 3306, 3595.

*J'ai adopté les mêmes procédés de transcription que
les précédents éditeurs de la* CHANSON DE ROLAND : *j'ai
résolu comme eux les abréviations, interprété comme eux
les particularités relatives à la séparation ou à la liaison
de certains mots, comme eux distingué le* v *de l'*u, *le* j *de
l'*i, *introduit des majuscules, distribué des signes d'accen-
tuation et de ponctuation, etc. Il serait difficile de rendre
compte par le menu de ce travail. Ce serait inutile d'ail-
leurs, puisque je n'ai fait qu'adopter des conventions et
que me conformer à des pratiques très généralement*

admises et qui sont celles de presque tous les éditeurs de nos anciens textes.

Il suffit de signaler ici les quelques cas où j'ai recouru, pour interpréter la lettre du manuscrit, à des procédés qui demandent une explication.

a) Le scribe écrit très souvent (voir aux vers 38, 87, etc.) au'ra, au'rill, liu're, alt'e, receu'rez, muu'ra, etc. Je crois légitime de transcrire avra, avrill, altre, etc., et non pas avera, averill, altere, etc.: car jamais on ne rencontre dans le manuscrit auera, auerill, etc., tandis que, par treize fois, aux vers 290, 423, 473, 840, 924, 948, 1044, 1076, 1303, 1405, 1742, 2140, 2904, le scribe a écrit aurai, aurat, etc.; il est donc très probable que de son temps le phénomène de l'épenthèse d'un e dans le groupe vr commençait seulement à se manifester et n'avait pas encore produit tous ses effets. On sait que, dans les textes composés ou copiés en Angleterre, les formes telles que averai et, par réaction, les formes telles que frai, trovrai, sont allées se multipliant. Sur l'histoire, très complexe, de ce phénomène, voir F.J. Tanquerey, L'Évolution du verbe en anglo-français, 1915, notamment aux pages 441, 722, 780, 782.

b) Le copiste élide presque toujours, devant un mot commençant par une voyelle, l'e de la préposition de et du pronom te. Il y a quatre exceptions (de ocire 149, de acer 2089, de hume 3713, te amerai 3598) : j'ai pris le parti de les écarter.

Persuadé que le poète (comme presque tous les poètes du XIIe siècle) se réservait la liberté d'élider ou de ne pas élider l'e de la conjonction se et que les copistes du moyen âge écrivaient indifféremment, en cas d'élision, saltre ou se altre, car ils savaient que leurs lecteurs ne s'y tromperaient pas, j'ai, par trois fois, pour plus de commodité, aux vers 1867, 2136, 3834, fait l'élision, contrairement au manuscrit, qui donne se altre, se or, se il.

De même, et pour les mêmes raisons, j'ai 20 fois élidé l'e de que, contrairement à la lettre du manuscrit : c'est aux vers 197, 303, 310, 406, 837, 1476, 1505, 1535, 1848, 2230, 2287, 2407, 2439, 2667, 2689, 2949, 3519, 3689, 3752, 3909.

c) Le nom du héros est le plus souvent écrit en abrégé ; R. une seule fois (au v. 2118), Roll' 171 fois. Mais aux quatorze lieux (v. 175, 392, 557, 902, 914, 923, 935, 947, 1073, 1106, 1413, 1773, 1883, 2152) où il est écrit en toutes lettres, on lit Rollant, jamais Rollanz, bien que, huit fois sur les quatorze, il soit employé comme sujet. J'ai choisi de l'écrire partout sous la forme Rollant.

Un bon nombre des remarques qui suivent ont un caractère purement descriptif : elles signalent les fréquents « repentirs » du copiste, elles indiquent que, dans tel mot, telle lettre est mal formée ou effacée, qu'on peut, en tel cas, hésiter entre deux lectures, etc. Ou bien elles renseignent sur les méfaits d'une seconde main. Dès le XIIe siècle, en effet, quelques décades seulement après l'exécution du manuscrit d'Oxford, des leçons en ont été grattées, et, 70 fois environ, un reviseur y a substitué par conjecture d'autres leçons. Notre relevé montre le peu d'autorité de ces retouches : plus de 50 d'entre elles ont été faites à contretemps et à contresens, ce qui doit inspirer à l'égard des vingt autres, même quand elles semblent judicieuses, une légitime méfiance.

Mes autres notes offrent le recensement complet des leçons du manuscrit que j'ai écartées. En quelque 140 lieux, il s'agit de simples lapsus calami, qui portent sur une seule lettre ou sur une seule syllabe ou sur un seul mot. Dans les autres cas, je me suis cru, à tort ou à raison, en présence de modifications fâcheuses, introduites par les scribes. Je suis intervenu le moins souvent que j'ai pu, et bien des critiques m'en feront reproche, je le sais. Je crains tout au contraire de n'avoir été que trop enclin à rejeter comme apocryphes maintes leçons que d'autres

*sauront peu à peu justifier, à mesure qu'on aura mieux
étudié, dans les manuscrits du XIIe siècle, les particu-
larités du français qui se parlait et s'écrivait en Angle-
terre autour du scribe d'Oxford. Je tiens de Quintilien
un précepte excellent, et donc méconnu (de moi tout le
premier) :* In veteribus libris reperta mutare imperiti
solent, et dum librariorum insectari volunt inscien-
tiam, suam confitentur.

16 Li eperes — 19 derupet; *mais sous la lumière
ultraviolette un trait d'abréviation au-dessus de l'u
devient visible :* derumpet *(observation de M. Ch. Sama-
ran).* — 31 *Le second hémistiche a été écrit sur un
espace gratté.* — 42 Enveius. — 43 *Ce vers a été écrit après
coup dans la marge de droite ; on y avait écrit aussi,
au-dessus de ce vers, quelques mots qui ont été grattés.* —
69 *Il y a sur l'i du mot* dis *un signe qui ressemble à notre
accent aigu. Le même signe reparaît une cinquantaine
de fois. C'est le plus souvent sur des monosyllabes, savoir :*
u, o, ou (=aut *ou* ubi), *aux v.* 102, 108, 148, 1730,
1880, 2045, 2401, 2402, 2405, 2676, 2733, 2854, 3025;
— oi(=audio), *au v.* 292; — oi (=hodie), *au v.* 1210;
— or (=aurum), *aux v.* 185, 1276, 1373, 1583, 3803;
— os (=ossum), *au v.* 2289 : — os (*tiré de* oser), *au
v.* 2291; — ot (=audit), *au v.* 1737; — oz (=hostes),
au v. 598; — i (=ibi), *aux v.* 881 *et* 1109; — Ais, *aux
v.* 188 *et* 3984; — fiez, *au v.* 76; — velz, *au v.* 171;
nies, *au v.* 554; — ier, *au v.* 2791; — uns, *au v.* 3951;
— Hum, *au v.* 803. — *Mais cette sorte d'accent affecte
aussi parfois des mots de deux ou de plusieurs syllabes.
On le trouve, en effet, sur l'e de* feste 2860; — *sur l'i
de* Haltoie 391, *de* aie 1906, *de* a ire 1920, *de* oie 2012,
de ioe 3921, *de* calunie 3787, *de* moerium 1475; —
sur le second i de leisir 141; — *sur l'u de* avriumes 391
et de veue 2297; — *sur l'a de* quias 764, *de* salvent, 2713,
de Guineman 3014; — *sur l'o de* sardonie 2372 *et*

d'Astrimonies 3258. — *Dans la plupart des manuscrits anglo-normands, on rencontre de tels « accents », employés de la même façon imprévisible. On n'est point parvenu à en déterminer la raison d'être. Sans doute il est permis de croire que quelques-uns étaient destinés à prévenir des erreurs de lecture, et, par exemple, à remplir, dans le cas des mots* aie, oie, veue, *le rôle de notre tréma; certains avaient peut-être pour objet de renseigner sur la place de l'accent tonique : dans les mots* sardonie, Astrimonies, *par exemple. Mais de quoi ont jamais pu servir les autres?*
— 73-4 *Le vers 74 précède dans le manuscrit le vers 73 ; mais le scribe, s'apercevant de son erreur, a rétabli l'ordre véritable en écrivant dans la marge de gauche* b *en regard du vers 74,* a *en regard du vers 73.* — 82 m'ercit — 91 *Ce vers a été écrit sur un espace gratté.* — 118 e la cuntenance fier — 122 *Je ne crois pas que* tut *ait été ajouté après coup, bien que l'encre semble n'être pas la même pour ce mot et pour l'ensemble de la page (voir le mot* reis *du v.* 116, *dont l'encre est de la même teinte que celle du mot* tut). — 124 Le gl'ius que d's aurez — 126 salvetez : *mais la dernière lettre du vers a été retouchée et ce* z *est de la main du reviseur : comparez le* z *de* muntez *au v.* 1017 (*folio* 19 r° *du manuscrit*). — 137 *Il y a dans le manuscrit après* tent *des vestiges d'une lettre (un* m ?) *qui a été grattée.* — 147 Voet *par : mais le* t *de* Voet *a été ajouté sur grattage.* — 158 fait Chares — 168 Li emperes — 171 e sun neu... Henri — 178 la *est écrit dans l'interligne.* — 197 ad *manque.* — 202 De ses paienueiat quinze — 203 Chancuns — 214 empere — 240 *Après ce vers une ligne d'écriture (dont il subsiste quelques traces) a été grattée et laissée en blanc.* — 261 blarcher — 269 al Sarazin en Espaigne — 283 les oilz *manque.* — 290 grant contrire — 300 un poi degerie — 310 Entre ben *et* aler les lettres *qu* ont été grattées, mais imparfaitement. — 325 ço manque. — 354 nercs guariz — 367 messag — 378 funt e duc —

385 *Le* d *de* predet *a été gratté, mais imparfaitement.* —
408 *Le premier jambage de l'*n *d'*Envolupet *a été exponc-*
tué et le second modifié, mais d'une façon difficile à inter-
préter : probablement Esvolupet. — 414 devant l'empereür
— 415 puig — 444 furrer — 447 Ja nel de France :
le reviseur a réparé l'omission en écrivant dans la marge
de droite dirat. — 449 *Les cinq derniers mots du vers sont*
écrits sur un grattage ; de même les mots la mellee *du vers*
suivant. — 451 Tuit li — 455 Vos le doüssez : le *a été*
ajouté par le reviseur au-dessus de la ligne. — 478 *Deux*
ou trois lettres ont été grattées après serez. — 484 liuret :
un e *a été écrit après coup au-dessus de ce mot, entre* u
et r. — 502 *Les deux premiers mots sont écrits sur un espace*
gratté. — 509 E Guenes l'ad pris — 526 colps *manque.*
— 541 espiet — 545 *Il y a sous* ciel *une cédille : de même*
aux vers 1156 *et* 1553; *de même, sous* cel, *aux vers*
646 *et* 723. — 562 Carll' *ne* cre crent ; *on*
retrouve la forme Carll' *au vers* 566, *et au v.* 578. —
597 Carl'. *Et de même* Carl'. *aux vers* 599, 755, 823,
833, 871, 1928, 2117, 2318, 2334, 2353, 2402, 2667,
2681, 2721, 2740, 2755, 2793, 2837, 2855, 2891, 2892,
2897, 2944, 2952, 3197, 3443, 3446, 3536, 3565, 3579,
3589, 3608, 3649, 3676, 3711, 3728, 3743, 3777, 3815,
3891. — *Les vers* 580 *et* 581 *sont écrits sur une seule*
ligne. — 593 *Dans le mot* estuertrat, *à cause d'une tache,*
les lettres uert *sont difficiles à lire.* — 603-5 *Une seconde*
main a écrit sur grattage, après parlereient, *les mots* il
plus; *après* hume, *au v.* 604, nest seuu,s. *Au v.* 605,
après Roll'., *sans qu'il y ait de traces de grattage, on*
lit, écrites de la même seconde main, les lettres si illi est.
— 623 Que vos — 634 *Les deux dernières syllabes de*
Bramimunde *sont d'une seconde main.* — 640 *Le scribe*
a écrit si bones ne vit unches, *puis il a exponctué* vit *et*
écrit au-dessus nout. — 647 tint Guen par — 708 En sum :
*les deux derniers jambages de l'*m *ont été grattés ; on a*
voulu remplacer sum *par* sur. — 711 *Après* bien *une seconde*

main a écrit fermeez. — 722 l'at (es) trussee : *mais es se
lit au-dessus de la ligne, et c'est une addition du reviseur.* —
726 *Le scribe a omis* ert; *le reviseur a ajouté ce mot dans
l'interligne, entre* France *et* a. — 738 *Le second hémi-
stiche a été gratté. Après* host *une seconde main a mis*
suvent e menu reguardet. — 745 l'ot *ajouté au-dessus
de la ligne.* — 770 *C'est une seconde main qui a écrit,
comme second hémistiche,* quant reçut le bastun. — 778
Il y a entre jugee *et sur un espace gratté où ont pu tenir
deux ou trois lettres.* — 802 *L'*l *de* entrels, *le* t *de*
eslisent *sont très indistincts.* — 804 p. les deserz e —
816 *Les mots* a grant dulur *sont écrits en caractères plus
petits que le reste, et d'une autre encre.* — 817 lius —
820 Dunc le remembret — 827 frrancs — 836 ang'le
— 838 *Une seconde main a écrit* la *au-dessus de la ligne,
entre* a *et* rereguarde. — 844 Guens — 869-870 *Deux
vers transposés par le scribe, qui a réparé sa distraction
en mettant à la marge* b *en regard du v.* 870, a *en regard
du v.* 869. — 881 *Il y a un double accent sur le mot* io;
de même au v. 1892; *cf. la note sur le v.* 3630; — jo e
vos i irum : *mais le premier* i *est exponctué.* — 919 s'ajust
— 946 *Après* respundent, *au-dessus de la ligne, on lit*
sire, *qui a peut-être été ajouté par la première main.* —
956 entre quascaz marine — 990 per *manque.* — 993
sapide : *mais les deux dernières syllabes ont été écrites
sur grattage par la seconde main, qui a aussi repassé à
l'encre le* v *de* veie *au v.* 986, *le* c *de* creire *au v.* 987.
— 995-6 *Ces vers se présentent ainsi dans le manuscrit :*
Tuit li plusur en sunt saraguzeis *et, à la ligne suivante :*
Dublez en treis lacent lor elmes mult bons sarraguzeis.
— 1017 *La fin du vers a été grattée et une seconde main,
après* pui, *a mis* haut muntez. — 1018 su destre : *une
seconde main a ajouté un* z *à* su. — 1044 avrez *a été
ajouté au-dessus de la ligne.* — 1061 od (tut) sun barnet :
tut *est dans l'interligne, mais de l'écriture du copiste.* —
1120 ta *manque.* — 1123 *On lit sur cette ligne :* E purrunt

dire que ele fut a noble vassal. *Le mot* E *(écrit en marge) et le mot* dire *(écrit sur grattage) sont d'une autre main que le reste.* — 1136 *Le scribe, qui avait écrit* Franceis cendent, *s'est corrigé, mais incomplètement, en écrivant dans l'interligne de* au-dessus de cendent. — 1165 *Le scribe a mis* suef pas tenant; *puis le reviseur a écrit au-dessus* alez, *en sorte qu'on lit* suef pas alez tenant. — 1207 *Le manuscrit porte* ultre culvert. *Dans les quatre premiers tirages de mon édition, j'ai imprimé* ultreculvert, *en un seul mot, en admettant que, comme dans le mot* outredouté, *la préposition* ultre *servait à renforcer le sens de l'adjectif. Mais j'ai rencontré depuis, dans* Renaud de Montauban *(éd. Castets, v.* 623, 1252, 1522*) et ailleurs, des vers tels que celui-ci :* « Oltre, dist il, cuivers, a Deu maleïçon ! » *D'où il résulte que* ultre *doit être considéré comme une interjection, dont le sens (« arrière ! » « fi ! ») est d'ailleurs difficile à déterminer ; cet emploi se trouve aussi dans la* Chanson de Guillaume, « Ultre, lechere ! » *(éd. Suchier, v.* 425 *et* 791*).* — 1215 la tere datliun e balbiun — 1221 E sesescriet — 1243 li arcuesque — 1244 tant *manque.* — 1261 Engelers fiert — 1271 li ment. — 1276 ki est a flurs e ad or — 1279 mort *manque.* — 1290 *On trouve sur la ligne* Sun cheval, *puis un espace gratté où ont pu tenir quatre ou cinq lettres, puis* chet si li laschet la resne. *Au-dessus de l'espace gratté une seconde main a mis* bro. *(La lampe aux rayons ultraviolets a montré que le premier scribe avait écrit* Sun cheval brobrochet si*).* — 1293 *On peut aussi bien lire* rumpit *que* rompit. — 1297 E Gualter fiet — 1306 fort escut — 1316 g. quell cors — 1343 la *manque.* — 1344 e lespalles — 1347 e a *été ajouté dans l'interligne.* — 1352 frait — 1369 *L'*h *de* chevaler *a été ajouté au-dessus de la ligne.* — 1372 la *manque.* — 1376 *On trouve sur la ligne :* Co dist Roll' vos rec, *puis un espace gratté où ont pu tenir trois lettres, puis* io frere; *et dans l'interligne, au-dessus de l'*e *de* rec,

on lit eif. *Les rayons ultraviolets ont révélé à M. Ch. Sama-*
ran que la leçon première était vos recois : *le scribe,*
dit-il, a voulu écrire reconois; *mais il a omis un trait*
d'abréviation : de même au v. 1993, *où, omettant le*
même trait, il a écrit recoistre *au lieu de* reconoistre. —
1378 Munjoe — 1388 Espue's : *on ne sait comment*
interpréter le signe d'abréviation qui suit le second e
(Espueres *ou* Espueis?) — 1404 *Le copiste, croyant à*
tort la laisse terminée, a mis une grande majuscule au
commencement de ce vers. — 1417 millere e — 1428
seint michel de paris josqu'as oenz (ou seinz?) — 1429
tresqu'as de Guitsand — 1433 *On lit sur la ligne* ki
mult ne ses; *au-dessus de la ligne, à droite de* ses, *une*
seconde main a écrit spant. — 1441 *Le scribe, omettant*
le sujet de Dist, *a mis* Dist nostre hume, *etc. Le reviseur*
a cru retrouver le sujet oublié en écrivant dans la marge
de gauche Roll'. — 1452 Lacent cil — 1472 *Au-dessus*
de Teches, *un* t *a été ajouté* (Tetches). — 1476 seinte
est écrit en abrégé (sce). — 1484 Sarraz me — 1531
dunat s'espee e — 1588 *L'*e *de* le *est à peine visible;*
au-dessus de la ligne un e *a été ajouté avant l'*l, *en sorte*
que, au lieu de le, *on lit* el. — 1590 *Un mot gratté avant*
cist : *c'est le mot* paien, *que le scribe, par distraction,*
avait écrit deux fois. — 1607 *Quelques lettres ont été*
grattées entre feïst *et* tantes : *à la faveur de la lumière*
ultraviolette, M. Samaran a lu : feist tantes tantes pr.
— 1608, 1609 *Ces deux vers sont écrits sur un espace*
gratté. — 1609 Tel ad o. — 1612 le herbe — 1614
Après Capadoce, *une seconde main a écrit* neez. —
1615 Marmorie *ou* Marinorie — 1634 *On lit sur la*
ligne ki del cuntence, *et, au-dessus de la ligne, entre* ki
et del, *les trois lettres* oit, *ou* ort, *écrites, semble-t-il bien,*
d'une autre main. — 1642 espoent; *l'*o *a été gratté et*
remplacé dans l'interligne par un a, *qui est de la main*
du reviseur. — 1653 *La* labaille *est* meilluse *(sic).*
Les vers que j'ai numérotés 1653-1662 *se lisent dans le*

manuscrit après ceux que j'ai numérotés 1663-1670. Sur cette transposition, voir mes Commentaires, *p.* 188. — 1655 Trent cez — 1664 L'i *de* fierent *a été gratté.* — 1679 Munlt grant — 1689 On *est tenté de lire* esparmiez; *mais il est douteux que la légère barre oblique qui se voit après l'r soit le premier jambage d'un m.* — 1698 Au-*dessus de* cum *on lit* ment, *écrit, me semble-t-il, par une seconde main.* — 1710 Un t *a été ajouté à* er *dans l'inter-ligne.* — 1723 *Dans la marge de gauche, en regard de* E il, *une seconde main a écrit* E cil. — 1728 Un e *a été ajouté au-dessus de* Sem (Se me). — 1731 la vemes — 1734 *Après* ert *il reste des traces de quatre ou cinq lettres grattées; à droite de cet espace gratté, c'est une seconde main qui a écrit* hunie. *Sous la lumière ultraviolette,* M. Samaran *a vu reparaître, dans l'espace gratté, le même mot* hunie. — 1736 vesp're — 1737 Li arceues les — 1750 nos *manque.* — 1770 est il nient : *il se lit au-dessus de la ligne.* — 1775 *Une seconde main a repassé à l'encre plusieurs mots ou lettres de cette page. En deux endroits elle ne s'est pas bornée à rafraîchir l'écriture : au v.* 1775, *elle a mis* sanz *là où il y avait* seinz; *au v.* 1780, *on lit quelque chose comme* vatz *là où il y avait probablement* vait. — 1779 fust arissant (*pour* aparis-sant?) — 1782 Suz [cel] n'ad gent ki osast [re]querre en champ : cel *et* re *ont été ajoutés au-dessus de la ligne.* — 1783 L'h *de* chevalcez *a été ajouté au-dessus de la ligne.* — 1790 *Le manuscrit porte bien* la peine *et non ce qu'on a cru lire à la place :* penne (Stengel) *ou* peinte (Waters). — 1803 *Le scribe, par distraction, a écrit deux fois* ad celoi. — 1811 espiezz — 1813 *Le dernier mot du vers a été gratté à droite des lettres* cur, *et une seconde main a écrit, à droite de l'espace gratté,* ius; *mais à la loupe on retrouve bien, comme leçon primitive,* curocus *ou* curucus. — 1823 *Le copiste a écrit après le vers* 1823 *le vers* Morz est Turpin le guerreier Charlun, *lequel devrait être non pas ici (dernière ligne du folio* 33 r°), *mais beaucoup plus loin (dernière ligne du fº 40 vº). On trouvera dans la* Romania *(1933, p. 79) l'explication, fournie par MM. A. Ewert et Mario Roques, de cet accident.* — 1835 curucus : *le second* u *et le second* c *ont été grattés ; il ne subsiste plus de ces deux lettres que le premier jambage de l'*u. — 1837 E pent Deu : *une déchirure a enlevé l'*i *qui devait se trouver au-dessus du* p *de* pent (prient). — 1843 *Le scribe avait écrit* Desur *sur* sa; *le second sur* a *a été gratté (Samaran).* — 1850 ne caignes. — 1883 nes esparignez : *entre les deux mots on voit des traces d'un* p, *qui a été mal effacé.* — 1889 *On peut aussi lire* Marsille. — 1926 *Le scribe avait mis* Si calengez e mors. *Pour réparer l'omission, le reviseur a mis dans l'interligne* e vos. — 1943 *Les mots* sist sur un ceval *sont écrits sur un espace gratté.* — 1955 *Après le second* e *on trouve sur la ligne un espace gratté où ont pu tenir quatre lettres, puis en* acraventet jus; *au-dessus de ce second hémistiche, le scribe a mis* e cristaus. *M. Ch. Samaran a constaté que le grattage provient de ce que le scribe avait d'abord écrit* en a *en* acraventet. — 1971 getet — 1991 *Un reviseur a mis un béquet après* seinet *et écrit* ki *au-dessus de la ligne.* — 1993 recoistre p. — 2006 *La voyelle du dernier mot du vers (*mel*) a été grattée et un* a *a été écrit au-dessus ; c'est sans doute une correction de* mel *en* mal. — 2009 *Entre* tel *et* amur *il y a un espace gratté où ont pu tenir quatre ou cinq lettres.* — 2013 al tere. — 2023 plus *a été ajouté au-dessus de la ligne.* — 2043 *Entre* Voeillet *et* o, *au-dessus de la ligne, on lit* illi : *ces quatre lettres, aussi mystérieuses que* Aoi, *reparaissent au v.* 605 *et au v.* 2400. — 2051 *Ce vers et le suivant ont été écrits sur un espace gratté. En outre, le vers* 2051 *a été écrit, puis gratté, dans la marge de droite : on y distingue encore les lettres, imparfaitement grattées, que voici :* bers des e unput. — 2052 Par mi le cors hot une lance ferut : *le mot* une *a été écrit par une seconde main, dans l'interligne ; de même le mot*

ferut, *pour remplacer quelque autre mot, qui a été gratté.*
L'h de hot *semble aussi avoir été écrit après coup.* —
2058 ad get m. — 2060 p. felun feluns h. — 2099 gen-
temet — 2108 gua res. *J'ai imprimé* guares (*cf.* grasles,
au v. 2110, bassent, *au v.* 3273). — 2116 oez : *le revi-
seur a mis à tort un signe d'abréviation au-dessus de l'e,
pour donner à lire* oent. — 2120 assemble — 2126 Ne
lur lerat : *le scribe avait écrit* Ne lur at; ler *a été ajouté
au-dessus de la ligne.* — 2130 Ensemlod — 2135 *Peut-
être y a-t-il eu grattage d'une ou deux lettres entre* malvais
et hume. — 2145 *On peut lire* nus *ou* vus : *je lis plutôt*
nus. — 2146 *Toutes les strophes débutent par une lettre
initiale rouge : c'est ici, au mot* Paien, *la seule initiale
verte du manuscrit. On peut remarquer qu'elle se trouve
presque exactement à la moitié du poème.* — 2147 Cum
pes jurz — 2157 *On lit sur la ligne :* Le Roll'. unt, *etc.;
et au-dessus,* escut. — 2159 ne l'ad mie — 2165 *On
trouve sur la ligne* Envers Espaigne ten, *puis un espace
gratté où l'on a écrit* dent. — 2168 *Un reviseur a retouché
l'i de* Voeilet *pour en faire une* l. — 2183 la mercit Deu...
mien; *entre* Deu *et* mien *des lettres ont été grattées,
que M. Ch. Samaran a réussi à lire, grâce à la lumière
ultraviolette : ce sont les lettres* ure (=vostre). — 2187
On peut lire aussi Atum *ou* Atuin. — 2194 sa beicun
— 2205 l'arcevesque les ad — 2214 *Après ce vers, le
dernier d'une page (f° 40 r°), on voit, à l'interlignage
ordinaire, des vestiges de lettres grattées : c'est que le scribe,
comme l'a reconnu M. Samaran, avait commencé de ré-
crire le même vers, puis s'est aperçu de sa distraction.*
— 2215 il *a été ajouté au-dessus de la ligne.* — 2218
desculurer — 2242 *Voir la note du v.* 1823. — 2245
Dans l'interligne, entre otreit *et* seinte, *une seconde main
a mis* la sue. — 2246 laruesque — 2250 mains *manque.*
— 2260 la c. — 2265 Dun arcbaleste — 2267 d. un arbre
bele — 2268 marbre faite — 2283 cel tireres — 2302
ne freint nesgruignet — 2319 *Le copiste avait écrit*

Quar; *le reviseur a heureusement corrigé :* Quant; sun
agle — 2322 cunquis Namin e Bretagne : *les trois
derniers mots du vers sont écrits sur un espace gratté.* —
2323 *Vers écrit sur un espace gratté.* — 2331 *Après*
Escose *le reviseur a écrit* e uales islonde. — 2337 Deus
perre nen laiser : *le scribe avait écrit, semble-t-il,* laiser;
*mais la dernière lettre a été retouchée. Peut-être voulait-
on en faire un* z *; telle qu'elle est, elle ressemble plutôt à un*
n. — 2350 deu'ez, *qui doit se lire, je crois,* devez *plutôt que*
devrez. — 2353 Que eł tent *ont été écrits par le reviseur ;
il a mis* Que *dans la marge.* — 2359 e l'olifan ensumet
(sic). — 2365 *Entre* Deu *et* en *on lit dans l'interligne*
recleimet. — 2378 *L's de* tantes *et l's de* teres *ont été
ajoutés au-dessus de la ligne.* — 2397 *La grande initiale a
été omise au début de cette laisse.* — 2400 ne alme plein
pied : *la syllabe* ne *de* alne *et le* p *de* plein *ont
été repassés à l'encre ; au-dessus, dans l'interligne, on lit
les lettres mystérieuses* illi. — 2426 *Le* d *et l'*i *de* Vedeir
ont été grattés. — 2427 que Quasenz i ad : que *a été
ajouté en marge.* — 2430 *On a retouché le mot* cunsentez
pour le remplacer par cunseiliez; *mais la leçon originale
reste lisible malgré le grattage.* — *Il y a entre* dreit *et* e
des vestiges de lettres grattées ; la restitution dreiture
s'impose presque. — 2431 *Le reviseur a changé* tolue *en*
tolud. — 2432 Gebuun — 2439 *La seconde* l *de* voeille
a été effacée. — 2454 *Le reviseur a gratté les deux der-
nières lettres de* falt *et écrit au-dessus de la ligne* udrad
(c'est-à-dire faudrad). — 2462 ferant *reste à peu près
lisible, malgré le grattage du reviseur, qui a écrit, à droite
de l'espace gratté,* franc. — 2466 merveille — 2471
En'vers — 2491 jus les testes — 2512 luisante — 2516
En Rencesvals; morz sangenz : *le scribe avait d'abord
mis* morz e sangenz; *puis l'*e *a été gratté.* — 2539
F'uisez — 2549 li vint — 2563 De sun paleis vers
les altres acurt — 2585 t. sescepter — 2586 les *a été
ajouté dans l'interligne par une seconde main.* — 2592

paismeisuns — 2601 le f. — 2607 bataillie — 2632
Le manuscrit porte, non pas haltes, *mais* laltes, *la pre-
mière lettre étant probablement un* h *mal fait. Au-dessus
de cette lettre, le reviseur a mis* es, *voulant sans doute donner
à lire* les haltes. — 2461 Laisent Marbrose e si laisent
Marbrise — 2653 V f. — 2667 Que il ainz ad Ais —
2668 *Le* d *de* lodent *a été gratté.* — 2679 portez cestun-
cel *(sic)* — 2716 *Le mot qui précède* vertuz *a été retouché*
(maues?); *on ne sait s'il faut entendre* males, malveises
ou maises. — 2764 *Il manque un jambage à l'*u *de* cunget.
— 2768 De Sarra ce — 2771 naffret *ou* nasfret —
2773 *Le reviseur a gratté l'*e *et l'*i *de* vuleit *et écrit un* o
*au-dessus de l'*u, *transformant ainsi* vuleit *en* vuolt;
puis, pour plus de clarté, il a écrit à nouveau vuolt *au-
dessus de la ligne.* — 2785 *Les lettres* ac *de* enchacet
ont été ajoutées dans l'interligne. — 2795 perdit — 2806
*L'*h *et l'*a *de* chevalciez *ont été ajoutés au-dessus du mot.*
— 2809 liverai le ches — 2815 tute mes oz; *après* oz
une seconde main a écrit l'aünade. — 2816 *Au-dessus
de* brun *une seconde main a écrit* est munté. — 2819
*Le reviseur a gratté le dernier mot du vers, n'en gardant
que les trois premières lettres,* des; *puis, sur l'espace grat-
té, il a mis* cendut. — 2829 *Au-dessus de l'*m *de* sim,
un e *a été ajouté (pour donner à lire* si me); *en* seant :
*une lettre a été grattée entre l'*e *et l'*à *de* seant. — 2832
*Le manuscrit offre ici une succession bizarre de leçons.
On lit sur la ligne* Teres tutes ici... *Le reste du vers a été
gratté. Au-dessus de l'espace gratté, on voit les vestiges
d'une leçon, qui a été grattée elle aussi :* u.s.r.dem.s.
*En ces lettres on reconnaît des éléments qui se retrouvent
dans les mots* rengnes uos rendemas, *écrits sur la ligne
par une seconde main, à droite de l'espace gratté. Il est
impossible de débrouiller cet écheveau.* — 2835 tant sy :
*l'*y *est d'une seconde main, qui a écrit sur un espace gratté.*
— 2840 *Le copiste, croyant la laisse terminée, a donné à* Par
une grande initiale. — 2843 *Les mots* De uns ad *ont*

été écrits par une seconde main, sur un espace gratté.
— 2846 eperere — 2849 Li reis descent si — 2853
Le d *de* vedeir *a été gratté, mais imparfaitement.* —
2859 mun neud — 2861 *On peut lire* vanteient *ou* van-
terent. — 2864 Ja ne ne m. — 2865 hume — 2872
vermeilz — 2874 *Le reviseur a gratté la fin du vers et
écrit au bout de la ligne* li reis. *Selon M. Samaran, la
leçon originale était peut-être* Carllun. — 2879 *Après*
ansdous *on lit les mots* li priest suus, *qui sont d'une autre
main.* — 2885 *Le manuscrit donne* nevod, *mais le* d *a
été écrit par une seconde main, sur grattage.* — 2893 les
est écrit en surcharge; le manuscrit a .III. *de ses barons.*
— 2894 vei gesir sun neuld — 2900 a *manque.* — 2901
n'ert jurn (*ou plutôt* n'ert iun) *a été écrit en surcharge
par une seconde main.* — 2912 Demandemanderunt
— 2927 morz *manque.* — 2935 en *a été ajouté au-dessus
de la ligne.* — 2943 bare — 2949 carnel — 2972 *Après*
guiez, *une seconde main a mis* tres ben. — 2980 sunt
a été ajouté au-dessus de la ligne par une seconde main.
— 2982 *Le copiste a mis une grande initiale à* Carles,
croyant sans doute avoir affaire à une autre laisse. —
2983 e damage — 2990 *Après* nen, *le scribe avait écrit
un mot qu'il a gratté et remplacé par* muet. *Sous les
rayons ultraviolets, M. Waters et M. Samaran ont vu
reparaître les premières lettres du mot gratté :* est (*ou*
esc?). *On a de fortes raisons de croire que ce mot était*
escunset. — 3001 atalentet — 3004 *L'*u *de* ou *a été
gratté* (*de même au v.* 3025), *mais imparfaitement :
voir mes Commentaires, p.* 232. — 3010 se demet —
3014 Rabe e Guineman — 3019 *Une seconde main a
écrit* ei *dans l'interligne pour transformer* Francs *en*
Franceis. — 3020 *Deux ou trois lettres grattées après*
noz. — 3022 *Le manuscrit porte :* e Guinemans; *mais
cf. le v.* 3014 *et le v.* 3469. — 3029 milie *manque.* —
3068 *Il y a un béquet après* ad *et, au-dessus, on lit* ia.
— 3069 e *manque.* — 3081 *Le manuscrit portait* li;

la première lettre a été retouchée. — 3094 *Grattage après*
fut. *La lampe aux rayons ultraviolets a montré à*
M. Samaran que le scribe avait écrit fut fut. — 3098 su
vis — 3109 pois v. — 3110 *Il y a, par erreur, une grande*
initiale à Cum. — 3126 *Le manuscrit donne :* E cez
parfunz cez destreiz anguisables ; *au-dessus de*
la ligne, après parfunz, *a été ajouté, peut-être par la*
première main, le mot valees. — 3136 sacet — 3144 *La*
syllabe or *de* orgoill *a été ajoutée dans l'interligne.* —
3145 Par la Carlun : *au-dessus de ces mots, une seconde*
main a écrit, bien inutilement, spee (= Par la spee Car-
lun). — 3146 *Le scribe a évidemment omis un vers, dont*
le sens est donné par les vers 3298, 3471, 3564. — 3153
fut manque. — 3157 *L'h de* forcheüre *est écrit en surcharge.*
— 3158 Graisles es fl. — 3167 *Les mots* pez i *sont écrits*
au-dessus de la ligne. — 3169 *L'i de* vient *a été gratté.*
— 3177 *Le reviseur a écrit* ces *au-dessus de la ligne,*
pour qu'on lise as ces anceisurs. — 3190 *Grande initiale*
mise indûment au début de ce vers. — 3191 *C'est une*
seconde main qui a écrit l'adjectif possessif mes *au-dessus*
de deux ou trois lettres grattées après nunciet. — 3192
Entre eschelets *et* mult granz *un espace a été gratté où*
ont pu tenir environ sept lettres : une seconde main y a
écrit en vunt. — 3224 *Grande initiale, comme si l'on*
passait à une autre strophe ; de même au v. 3232. —
3224 t'erce — 3246 la desert — 3253 Malp'se — 3257
Il y a après de un *espace gratté où pourraient tenir cinq*
ou six lettres. — 3278 seit uncget en : *avant le* c, *il y a*
quatre jambages qu'on représenterait aussi bien par des
n *ou des* i; *le* g *a été écrit sur une autre lettre, que cette*
retouche a rendue illisible. — 3302 trestutuz — 3303
Cal'un — 3306 gemmees : *le premier* e *a été ajouté au-*
dessus de la ligne entre g *et* m. — 3318 *Le premier* lur
a été ajouté au-dessus de la ligne. — 3331 i parar ad —
3333 tant scue : *le copiste avait écrit* tant cume; *puis*
le trait qui, au-dessus de la ligne, représentait l'm de

cume *a été gratté et une seconde main a mis une s devant
le mot.* — 3338 Tutes — 3340 Ki errer voelt — 3342
Le d *de* Tencendor *a été ajouté en surcharge;* liaad.
— 3365 sescririent — 3367 gent iesnie *(?)* — 3371
Dᵉ u..s es altres : *deux lettres ont été grattées après* u;
au-dessus on lit un. — 3372 vait trescevant — 3375
Entre Carlun *et* vait, *au-dessus de la ligne, le reviseur a
mis* le. — 3395 nuit *manque.* — 3397 *L'*e *de* venud
a été ajouté au-dessus du mot. — 3428 l'abat *manque.*
— 3430 brochot — 3462 *Entre* celoi *et* ne, *le reviseur
a introduit* que. — 3469 Loram *ou* Lorain. —
3482 cil hanste — 3497 este — 3503 Blanc — 3510
Après ai *un mot a été gratté, dont il ne subsiste plus que
la première lettre,* o (otriet?); *au-dessus, une autre main
a mis* e uud. — 3546 *Les cinq derniers mots du vers sont
écrits sur un espace gratté.* — 3555 Paien d'Arabe s'en
turnent plus .C. — 3556 ses parenz — 3564 amiraz
— 3574 a tere se tre... rent : *au-dessus de quelques lettres
grattées, on lit, entre* tre *et* rent, *les syllabes* beche, *qui
sont d'une autre encre et peut-être d'une autre main.
Les rayons ultraviolets ont révélé à M. Ch. Samaran
la leçon primitive :* a tere se turnerent. — 3584 peceient :
*l'*i *a été retouché et transformé en un* r. — 3586 fous?
ou fuus? — 3591 mort as mort as. — 3595 *On lit dans
le manuscrit* sembl; *mais c'est le couteau du relieur qui
a mutilé le mot.* — 3648 *Après* alquant, *une seconde
main a mis* cunfundue. — 3651 Or set il bien que...
mais defendue. *Entre* que *et* mais, *le reviseur a opéré
un grattage et écrit au-dessus* elle n'est *(la forme* elle n'ap-
paraît *qu'ici).* — 3652 *On lit au-dessus de la ligne entre*
citet *et* sa, *le mot* od, *qui est, comme la retouche du vers
précédent, d'une seconde main.* — 3659 Clers — 3666
en *est écrit au-dessus de la ligne.* — 3669 *Un reviseur
a ajouté un* r *à* cuntredie *et écrit le mot* voillet *dans la
marge de droite, pour donner à lire :* qui Carle voillet
cuntredire. — 3679 Mandet — 3684 *Le vers est resté*

inachevé. — 3703 savies *ou* saives? — 3710 *Le scribe*
a écrit cume sa per aper a prendre; *puis* aper *a été biffé.*
— 3737 cil *est écrit au-dessus d'un espace gratté.* —
3742 *Le copiste a oublié de marquer par une grande ini-*
tiale qu'une nouvelle tirade commence. — 3774 *Les lettres*
isun *de* guarisun *sont d'une seconde main.* — 3781 en-
semble i out (*lettres grattées, mais retrouvées par*
M. Ch. Samaran, grâce aux rayons ultraviolets : od li). —
3786 *Par méprise, le copiste a donné une grande initiale*
à ce vers. — vos... ami... *Les lettres qui précédaient et*
celles qui sans doute suivaient ami *ont disparu.* — 3790
asemblent — 3791 Alb arant — 3796 Icels d'Alvernene
— 3804 ki aa se cumbatreit — 3806 le frerere — 3818
Tierris *manque.* — 3821 le vis *manque.* — 3832-3 *Les mots*
qui vont depuis E sun cors *jusqu'à* fist *sont sur une seule*
ligne. — 3848 recrrai — 3919-20 *Le copiste a donné*
à ces deux vers le même second hémistiche : li ad faite
descendre. — 3920 *Les deux premières lettres du vers,*
effacées, sont Em, *d'après la lecture sous la lampe aux rayons*
ultraviolets (Samaran). — 3925 herbus — 3936
baruns quarante — 3943 Munter l'unt *manque.* —
3956 fereie jo el — 3982 faite p. — 3983 Asez cruiz e
linees dames — 3984 les c... *Le dernier mot du vers*
a été gratté ; après le c *qui subsiste, on distingue encore*
un jambage (i *ou* u?). — 3986 Truvee — 4002 *Stengel*
avait dès longtemps observé qu'au-dessus de ce vers
on discerne dans le manuscrit des vestiges de plusieurs
lignes d'écriture, qui ont été grattées. On espérait que la
lampe aux rayons ultraviolets révélerait quelque chose
du texte effacé, des vers peut-être qui renseigneraient sur
le mystérieux Turoldus. A la faveur de la lumière ultra-
violette, M. Ch. Samaran a réussi, en effet, à déchiffrer
sur la ligne qui suit immédiatement celle où se lit le vers
Ci falt la geste que Turoldus declinet, *quatre mots*
écrits d'une main qui n'est ni celle du copiste, ni celle
du reviseur. Mais ce sont, hélas ! les mots Ci falt la geste :

ce jeu de plume d'un antique lecteur désœuvré nous prouve
du moins que le vers où Turoldus est mentionné était bien
le dernier qu'eût écrit notre scribe. Plus bas ont reparu,
sur quatre lignes, quelques lettres ou syllabes et le mot
Chalcidiu [s]. *Comme on sait*, la CHANSON DE ROLAND
*fait suite dans le manuscrit Digby 23 à une copie, exé-
cutée au XIIᵉ siècle, de la traduction du Timée de Platon
par Chalcidius. S'il est vrai, comme le dit M. Samaran,
que les vestiges d'écriture par lui observés décèlent une main
du XIIIᵒ siècle, voilà donc six siècles au moins que le*
Timée *et la* CHANSON DE ROLAND *voisinent ainsi.*

TABLE DE RÉFÉRENCES
AUX PAGES DU MANUSCRIT D'OXFORD

Si l'on veut retrouver sans tâtonnements dans le manuscrit d'Oxford ou dans une reproduction photographique de ce manuscrit un passage du poème, on consultera utilement la table que voici. Une indication telle que f° 2, v. 58, — f° 3, v. 114 signifie que les vers 58 à 113 de notre édition se lisent au folio 2 du manuscrit. Pour savoir lesquels de ces vers se lisent au recto, lesquels au verso, dudit folio 2, on n'aura qu'à se rappeler que le scribe a fait en règle tenir 28 vers sur chaque page.

Folio 1, vers 1, — f° 2, v. 58, — f° 3, v. 114, — f° 4, v. 170, — f° 5, v. 225, — f° 6, v. 279, — f° 7, v. 334, — f° 8, v. 391, — f° 9, v. 449, — f° 10, v. 508, — f° 11, v. 565, — f° 12, v. 622, — f° 13, v. 678, — f° 14, v. 734, — f° 15, v. 789, — f° 16, v. 844, — f° 17, v. 900, — f° 18, v. 956, — f° 19, v. 1011, — f° 20, v. 1066, — f° 21, v. 1122, — f° 22, v. 1179, — f° 23, v. 1234, — f° 24, v. 1290, — f° 25, v. 1346, — f° 26, v. 1403, — f° 27, v. 1459, — f° 28, v. 1515, — f° 29, v. 1571, — f° 30, v. 1627, — f° 31, v. 1684, — f° 32, v. 1470, — f° 33, v. 1796, — f° 34, v. 1852, — f° 35, v. 1908, — f° 36, v. 1964, — f° 37, v. 2020, — f° 38, v. 2076, — f° 39, v. 2131, — f° 40, v. 2187, — f° 41, v. 2243, — f° 42, v. 2299, — f° 43, v. 2356, — f° 44, v. 2410, — f° 45, v. 2466, — f° 46, v. 2522, — f° 47, v. 2576, — f° 48, v. 2633, — f° 49, v. 2689, — f° 50, v. 2745, — f° 51, v. 2801, — f° 52, v. 2857, — f° 53, v. 2913, — f° 54, v. 2969, — f° 55, v. 3025, — f° 56, v. 3081, — f° 57, v. 3137, — f° 58, v. 3194, — f° 59, v. 3250, — f° 60, v. 3306, — f° 61, v. 3362, — f° 62, v. 3419, — f° 63, v. 3475, — f° 64, v. 3532, — f° 65, v. 3588, — f° 66, v. 3646, — f° 67, v. 3701, — f° 68, v. 3757, — f° 69, v. 3813, — f° 70, v. 3970, — f° 71, v. 3926, — f° 72, v. 3983.

ACHEVÉ D'IMPRIMER LE
30 NOVEMBRE 1964 SUR
LES PRESSES DE L'ÉDITEUR
A PARIS.